# LA PETITE PRINCESSE
# DE DIEU

# DU MÊME AUTEUR

CATHERINE RIHOIT

# LA PETITE PRINCESSE DE DIEU

PLON
12, avenue d'Italie
Paris

ISBN : 2-259-02518-8

« Quand cette situation parvient à se dire, elle peut encore avoir pour langage l'antique prière chrétienne : " Que je ne sois pas séparé de toi. " Mais le nécessaire, devenu improbable, c'est en fait l'impossible. Telle est la figure du désir. »

MICHEL DE CERTEAU, *La Fable mystique*.

# Avant-propos

« Vous ne me connaissez pas telle que je suis en réalité. » Elle écrit cela peu avant de mourir. Car on n'aura jamais su qui elle était. Elle a peut-être été d'abord, comme beaucoup d'autres, une femme dans une autre femme. Il y avait la femme et il y avait la sainte. La femme voulait être la sainte, peut-être pour ne plus être la femme. Effectivement, elle l'a été déclarée, sainte, quand elle fut morte. Elle est morte au plus tôt pour être une sainte, ne plus être une femme. Elle est morte pour être autre chose. Autre chose qui soit au-dessus. Le corps sous la terre, l'âme dans le ciel, la sainte dans les églises. Après sa mort, elle si petite, menue et cachée de son vivant, la retirée, l'ombre noire, elle est partout, des roses dans les bras.

Les ex-voto dans ces chapelles, ces églises de Normandie. Remerciements. Elle sauve, elle soigne, elle apaise. Présence invisible aux Buissonnets, la maison tranquille à flanc de colline. On sent un souffle, une respiration, une protection qui s'étend. Quand on sort, quelque chose de la blessure intime a guéri.

Nous avons besoin de ces présences invisibles. La vie ne suffit pas. Les vivants déçoivent toujours. La solitude est pire encore dans la foule. On souffre. C'est une douleur qu'on ne peut dire. Les mots du quotidien semblent insuffisants, inutiles. Il en faudrait d'autres.

Thérèse les cherchait. Parfois les mots sont indifférents, parfois ils enveniment la blessure, parfois ils guérissent. Thérèse de son vivant taisait ces mots-là mais elle ne les a pas laissés se perdre. L'écriture est alors une source de vie. Son eau bienfaisante semble se perdre entre les roches, s'évanouir parmi les herbes, mais elle court toujours et le voyageur la retrouve au moment de sa plus grande soif. Cette source-là ne tarit jamais. La vie même ne l'assèche pas. La suite infinie des mots se jette dans le ciel comme un fleuve dans la mer. Thérèse s'écriait: «Tout ce que je viens d'écrire en peu de mots demanderait bien des pages de détails, mais ces pages ne se liront jamais sur la terre.» Et aussi: «Ce n'est pas ma vie proprement dite que je vais écrire.» Elle n'a que faire, en effet, d'écrire sa vie. D'ailleurs elle l'a réduite à peu de chose. Elle meurt à vingt-quatre ans, le 30 septembre 1897. Dans l'automne commençant, les fleurs flétrissent. Mais pour Thérèse, l'automne n'aura été que le début du printemps. Elle n'a que faire des saisons. La suite sera infinie. Elle s'assure de ne mourir jamais, en tout cas la part d'elle-même qui comptait, l'âme.

C'est pourquoi elle n'écrit pas sa vie proprement dite et appelle son récit «Histoire d'une âme». Dans le printemps si vite achevé de Thérèse c'est une âme qui éclôt. Son passage parmi les hommes a servi à cela: faire sortir de terre une âme. Le corps n'est que la racine et peut rester en terre quand l'âme s'envole en semant ses graines. Ces graines parties à tout vent vont éclore à leur tour dans le monde. L'âme de Thérèse se multiplie comme les fleurs des champs. En des milliers de jeunes filles, de femmes, d'hommes, un peu de Thérèse fleurira.

Elle meurt presque avec le siècle. Sa parole essaimera dans le siècle à venir, mais c'est une femme d'autrefois. Sa féminité parle aux femmes modernes parce qu'elle les guérit en leur rendant quelque chose d'un féminin désormais presque interdit et presque impossible. La perte, le don total, l'oubli de soi tout cela, la modernité le condamne. C'est dangereux dans un monde de production et de consommation effrénées, de rapidité, où le modèle de l'homme devient la machine. Un monde de gagnants fabrique forcément des perdants, et aux perdants il ne reste rien, car les vertus ne sont plus enseignées. On les a oubliées.

L'interdit, l'oubli, la négligence de la part spirituelle de soi s'appellent maladie. C'est maintenant le langage de la médecine, de la psychiatrie, de la psychanalyse qui fixe la norme, la règle de conduite et les limites de l'individu. La prison de la santé mentale a remplacé la prison de la morale. Aux jardiniers de l'âme ont succédé les jardiniers de la folie. Au xix<sup>e</sup> siècle, Thérèse peut encore être Thérèse, même si elle paraît déjà suspecte. La médecine a reproché à la Supérieure du couvent de l'avoir laissée sans soins. Aujourd'hui elle n'aurait pas le choix non plus, ce serait le contraire : on la soignerait. On guérirait son corps et son âme dépérirait. Personne ne s'en apercevrait puisque aujourd'hui l'âme n'existe plus. Le discours de la science commence à s'interroger avec quelque embarras.

Car si Thérèse nous intrigue autant, si sa voix appelle en nous quelque chose d'oublié qui renaît et s'émeut, c'est parce que ce qu'il faut bien appeler l'âme n'est pas tout à fait mort en nous. Délaissée, elle dort, elle attend.

Lorsque Thérèse meurt, personne ne sait encore qui elle est. Elle l'avait prévu et voulu. C'était pour elle la condition même de la sainteté. D'autres martyrs ont placé la leur dans le supplice éclatant ou l'accomplissement foudroyant du miracle. Mais Thérèse sera la sainte de tout le monde, de n'importe qui, la sainte de qui veut. L'Imitation de Jésus-Christ suppose que chacun puisse, dans sa vie, d'une certaine manière être Jésus, c'est-à-dire humble et pauvre et riche par là même. Mais Jésus était prophète, tandis que Thérèse parlait tout bas pour être entendue après sa disparition. Dans l'Évangile il est dit que les femmes peuvent prophétiser mais qu'elles doivent couvrir leur tête d'un voile, puis se taire (saint Paul). Le silence est, avec la pudeur, traditionnellement vertu féminine, les défauts féminins étant exhibitionnisme et bavardage. D'où l'ordre des carmélites, dont la règle est : silence et claustration. Ne pas être vue, ne pas être entendue : c'est la réalité pour les femmes dans une bonne partie du monde, c'est vrai encore aussi chez nous, malgré les apparences, d'une manière paradoxale, insidieuse.

Longtemps, les couvents furent les lieux où l'on enfermait les femmes mais aussi ceux où elles pouvaient penser, écrire, échapper à un mariage qui aurait été un viol légal. Les mystiques ont très souvent été des femmes et elles ont presque toujours écrit. Tenues en dehors des institutions masculines de pensée, théologie et philosophie, elles ont élaboré dans la contemplation une pensée féminine originale. Le prix à payer était l'enfermement et la soumission à la règle.

Aujourd'hui, les modèles féminins sont le mannequin (ordre sexuel), la femme d'affaires (ordre marchand), la jeune mère (ordre reproductif), et à la rigueur l'artiste (ordre récréatif). Mais l'instance spirituelle de la féminité a disparu avec la raréfaction des vocations religieuses. Cette féminité spirituelle, profondément civilisatrice, le monde en ressent le manque. Nous cherchons à tâtons cette part perdue.

Quand Thérèse se précipite au Carmel, elle se jette dans le silence. Mais ce silence s'inaugure d'un cri : elle demande l'autorisation au pape d'entrer au Carmel à quinze ans alors que la hiérarchie religieuse le lui refuse. Cette demande, elle l'a osée alors qu'on lui a expressément enjoint de se taire.

Thérèse crie avant d'entrer dans le silence, elle crie qu'elle veut y entrer. Elle y entre et se tait. Elle ne sortira de ce silence qu'avec la mort. Morte, elle parlera, puisque c'est dans les écrits de cette morte qu'on entendra sa véritable voix.

Thérèse avait eu dès le départ le sentiment de n'être ni écoutée ni regardée. Le Carmel apparaissait alors comme la voie logique : la ritualisation et la symbolisation de son destin. Avant le Carmel, n'être ni vue ni entendue lui permet de réserver toute son énergie pour une conversation avec Jésus invisible et silencieux, dans laquelle Thérèse forgera son âme et puisera des forces pour cette autre conversation qu'elle tiendra par ses livres, grâce auxquels des milliers de gens dans le monde la connaîtront. Elle en deviendra sainte, et on peut dire que son miracle à elle, c'est le miracle de l'écriture.

Petit à petit, les textes seront édités. La petite Thérèse sort du néant et grandit. La minuscule silhouette qui regardait la ville du haut de sa mansarde des Buissonnets devient la basilique, immense châsse de pierre blanche qui domine Lisieux.

L'effort de Thérèse pour être à la fois comme tout le monde et en même temps différente se marque d'abord par le nom. Le nom est d'une certaine façon prédestiné. Il est la marque du passé de la lignée, l'insigne transmis par ceux qui nous ont engendrés. Nous sommes le produit de tant de croisements et de tant de rencontres et de tous ces croisements, de toutes ces rencontres le nom est souvent la seule trace. Le nom propre nous singularise dans la descendance de nos pères. Le nom de Martin est le plus commun des noms propres de France. Par son patronyme, Thérèse représente le plus grand nombre de Français, elle est tout le monde et n'importe qui. C'est pourquoi retracer son histoire, c'est aussi retracer un pan de l'histoire des Français. Après la mort de Thérèse Martin, les gens arracheront des fleurs sur sa tombe comme pour emporter un peu de son âme en sa floraison : petite, humble, et toujours vivace.

Comment parler d'elle encore aujourd'hui ? A côté d'un langage ecclésiastique qui en fait une image pieuse, d'un langage psychiatrique qui en fait une névrosée, et du langage mystique qui nous est aujourd'hui difficilement pénétrable, j'ai choisi de parler d'elle comme elle m'a parlé. C'est-à-dire très simplement, très directement, très personnellement. Je me suis intéressée à Thérèse au cours d'une enfance normande, parce qu'elle était l'héroïne des petites filles. Élevée dans cette autre religion qu'était la morale laïque, je la ressentais mystérieuse et interdite, et je convoitais les médailles bleues pourtant si courantes.

Je savais qu'en abordant un jour la question de Thérèse, je comprendrais quelque chose de ce qui m'était longtemps resté incompréhensible, la place de Dieu. Quand j'ai tenté de la définir au plus près, je me suis aperçue que Thérèse de Lisieux était le secret de chacun, la part intime de tous : en parler d'une façon générale, extérieure, c'était continuer à la méconnaître. L'expérience mystique est subjective ; la meilleure façon de communiquer à d'autres cette part de Thérèse que je suis parvenue à connaître passait, en collant au plus près à ce que nous savons des faits, par cette subjectivité absolue qu'est la première personne du roman. Car la mystique suppose qu'on y entre en abandonnant ses préjugés. Tant qu'on reste à l'extérieur, dans le jugement, le diagnostic ou le ricanement, on ne comprend pas.

Sainte, Thérèse transcende le temps, elle habite cet autre monde qu'elle considérait comme sa vraie patrie, l'éternité du ciel. J'ai donc repris pour parler d'elle cette fiction d'une première personne qui nous parlerait encore et évaluerait, avec le recul, ce qui s'est passé, un «je» qui serait le jeu de Thérèse au plus intime de moi-même. J'espère que le lecteur me le pardonnera et acceptera de jouer avec cette petite balle en forme de livre que je lui lance, un peu comme Thérèse voulait être la petite balle de l'Enfant Jésus.

J'ai terminé cette histoire sur la prise de voile qui correspondait, pour elle, à son départ en voyage de noces. Je l'ai accompagnée dans cette partie de son trajet qui est une montée du désir, la course au-devant d'une passion avec un homme qui serait plus qu'un homme puisqu'il serait Tout. C'est-à-dire que j'ai raconté l'histoire humaine de Thérèse. C'est le livre du désir. La suite en serait le livre de la guérison...

# I

## ZÉLIE

## Je me jetterai à ses pieds

Ce jour-là, je me suis jetée aux pieds du pape et je lui ai parlé. Pourtant, j'avais toujours eu bien du mal à parler. Mais depuis des semaines, je repassais cette scène dans ma tête. Ma sœur Céline et moi répétions dans la chambre d'hôtel. On restait tard le soir assises sur le tapis au pied du lit. On était très fatiguées après ces journées dans Rome, où nous courions pour essayer de tout voir. Tout ce qu'on pourrait. Parce qu'on savait bien que des choses comme ça, aussi belles, nouvelles, exceptionnelles, on n'en reverrait jamais plus. On passerait notre vie enfermées avec des murs pour horizon, un ordre, une règle. Plus de vagabondage, plus de fantaisie. L'infini dans la tête. Pour moi, c'était décidé. Céline hésitait encore. Elle pensait que peut-être, malgré tout, elle trouverait l'amour sur terre. Céline était lente, il lui fallait toujours du temps. Moi, je savais comme le temps est compté. Pour moi, les choses n'allaient jamais assez vite. L'attente, l'écoulement des heures étaient toujours une angoisse. Peut-être à cause de Papa qui était horloger-bijoutier. Enfant, il me semblait qu'il fabriquait le temps. Un privilège extraordinaire. Pourtant, les horloges se détraquaient. Il les réparait, c'était bien la preuve que le temps, on ne peut pas compter dessus. Le temps humain. Dieu n'a pas besoin d'horloge.

Papa m'avait offert une jolie montre en argent ciselé au bout d'une chaîne. Je la consultais très souvent. Il me semblait que je touchais un morceau de lui, de sa puissance. Je portais toujours sa montre. Le jour où j'entrerais au Carmel, je la laisserais derrière moi. Je n'en aurais plus jamais. Il y aurait un cadran solaire dans la cour, et dans ma cellule un sablier,

17

pour que je n'oublie pas l'écoulement des secondes, qui nous rappelle que nous sommes mortels. Je ne voulais plus de ce temps-là, qui n'était qu'une perte. Je voulais passer de l'autre côté, où le temps s'abolit. Du côté de l'infini. Je n'avais plus de temps à perdre. Il fallait y aller très vite, pour me débarrasser de cette grande angoisse de la mort. En vivant constamment avec elle, je finirais par l'apprivoiser. J'irais jusqu'au bout, ma vocation je la suivrais. Je savais trop le prix du renoncement.

Céline m'avait dit : « Tu lui parleras. Il faut lui parler, sinon il ne comprendra pas. » J'avais espéré pouvoir m'en tirer sans la parole. J'avais toujours préféré le silence. C'est là qu'on entrevoit Dieu. Quand on parle, on risque, à cause du bruit des mots, de ne pas l'entendre. Le pape étant l'envoyé de Dieu sur la terre, je pensais que peut-être il me suffirait de le regarder. Le Saint-Père n'était pas un homme ordinaire, il me reconnaîtrait.

Le pape Léon XIII avait soixante-dix-sept ans. Il était maigre, avec une couronne de cheveux blancs, et des yeux très tristes. Il était comme une statue de neige transpercée par ces yeux noirs qui brillaient. Il ne souriait pas. Il avait l'air de souffrir. C'est normal quand on est pape. On est arrivé très haut mais c'est très lourd. Il semblait courbé sous ce poids. Il était huit heures quand il est arrivé.

M. Révérony, l'organisateur du pèlerinage, apportait un rochet de dentelle en cadeau. Il avait fallu pour le fabriquer huit mille journées de travail. Je pensai à maman qui s'était usé les yeux avec sa dentelle. Sur le rochet on avait brodé « Bayeux, Lisieux » avec l'écusson de chaque ville.

Le pape a béni tout le monde et célébré la messe. J'ai vu comme il la vivait. Je me suis dit qu'il me comprendrait quand même et j'ai repris espoir.

Nous sommes entrés dans la salle d'audience. Il y avait beaucoup de monde. Le pape était assis dans une grande chaise très haute. M. Révérony était à côté de lui.

Les pèlerins ont commencé à défiler. Ils embrassaient le pied du pape chaussé d'une mule, puis sa main.

Trop de monde défilait. J'étais la dernière, les autres dames passaient avant moi. Au début, les gens parlaient un peu, le pape répondait quelques mots. Ensuite, il est devenu encore plus blanc. Je n'aurais pas cru cela possible, il était déjà entièrement blanc, son costume, ses cheveux, sa peau. Il avait l'air d'un si vieil homme, très faible. J'ai cru un moment qu'il était déjà mort. Il est devenu encore plus blanc, et alors M. Révérony a dit que maintenant plus personne n'aurait le droit de lui parler. Il était trop fatigué. Donc pour moi, c'était trop tard. Alors Céline s'est penchée et a murmuré : «Tu parleras quand même.» Elle m'a toujours protégée, toujours aidée. Elle et moi étions comme des sœurs siamoises. Pas séparées. Mais ce n'était pas par le corps qu'on était jointes, c'était par le cœur.

Il m'a semblé que je ne pourrais pas parler. J'avais la gorge très sèche. Si souvent j'avais eu ce problème dans ma vie. J'essayais de dire, les mots ne parvenaient pas à sortir. Quelque chose en moi voulait tout garder. C'était mon tour et je me suis jetée aux pieds du Saint-Père. Très vite, il fallait baiser sa mule puis sa main et s'en aller. Laisser la place. Mais j'ai posé ma main sur son genou, et je lui ai demandé de m'aider. J'aurais pu grimper sur ses genoux, comme sur ceux de Papa quand j'étais petite, et lui parler à l'oreille. Quand je m'y prenais comme ça, Papa disait oui. Mais le pape m'a regardée, il n'avait pas l'air content, troublé plutôt et puis vraiment épuisé. M. Révérony s'est penché vers lui. L'air réticent, il a expliqué que je demandais une dispense pour entrer au Carmel très vite et qu'on s'en occupait. Je lui en ai voulu de dire ça. J'avais cru qu'il était de mon côté, maintenant je voyais que non. Aucun prêtre n'avait jamais vraiment été de mon côté, sauf le père Pichon, mon père spirituel. Lui comprenait parce qu'il aimait le désert autant que moi, le désert de l'amour. Mais il était missionnaire au Canada, je ne le verrais plus.

Avec l'énergie du désespoir, comme si je risquais de mourir l'instant qui suivait, je lui ai demandé de me dire oui car si lui le disait tous les autres le diraient aussi.

Je fixais son visage, je m'attachais à ses lèvres. Je clignais des yeux pour me débarrasser plus vite des larmes qui montaient et brouillaient ma vue. Elles se mirent à tomber sur mes mains et sur ses genoux. La pluie du dehors était maintenant en moi, les larmes de Jésus étaient passées dans mon corps. Mes yeux s'éclaircirent. Les lèvres du pape étaient devenues le centre de l'univers. Elles étaient comme un calice d'ivoire, si minces et pâles. C'était si simple de dire oui.

Son regard était très lointain. Je me suis cramponnée à ses genoux. Je disais : « Aidez-moi, aidez-moi. » Mais je n'étais pas sûre que les mots sortaient. A ce moment-là, il m'a parlé. Il a dit qu'il en serait fait selon la volonté de Dieu. Je me cramponnais toujours à lui, j'avais posé ma tête sur ses genoux.

J'avais cru que j'arriverais à lui faire dire oui puisque je savais que le Bon Dieu en serait content. Et si j'avais été seule avec lui j'y serais parvenue. Mais il y avait trop de gens autour et soudain les gardes nobles m'ont touchée aux épaules. Je me raidis et m'accrochai aux genoux du pape qui étaient comme une montagne de neige mais on me prenait par les bras et on m'arracha à lui. Deux gardes et M. Révérony me tiraient en arrière. On m'avait toujours arrachée à l'amour quand je le touchais. Mais là, ils durent s'y mettre à trois, ils me portaient, me soulevaient. Le pape dut sentir toute la violence de cet enlèvement car alors il posa sa main sur mes lèvres, qui mimaient le oui qu'il n'avait pas voulu dire ou peut-être n'avait pas su. Cette main était à la fois une caresse d'adieu et une façon de me faire taire.

Ces hommes-là voulaient toujours que je me taise. Je me suis mise à pleurer de nouveau car j'étais sûre de l'amour du vieil homme, mais il ne pouvait pas m'aider. Je bousculais l'ordre que ces hommes-là avaient mis en place.

Au moment où on m'emmenait, j'ai jeté un dernier regard sur le Saint-Père et j'ai eu le sentiment d'une grande faiblesse, qu'il était comme mort.

En me reconduisant à la porte, on me donna une médaille du pape en consolation.

Je retrouvai Papa qui avait eu son tour plus tôt.

Les hommes étaient passés d'abord. Le pape avait posé la main sur sa tête parce que M. Révérony lui avait dit qu'il était le père de deux carmélites. Mais je pensai que le pape, qui était un roi à sa manière, avait reconnu en Papa un autre roi.

Céline nous rejoignit. Elle était passée devant le pape après moi et lui avait demandé de bénir le Carmel. M. Révérony, décidément mécontent de ces filles qui réclamaient toujours des faveurs, avait rétorqué qu'il était déjà béni, mais Léon XIII avait quand même parlé à ma sœur. Il lui avait dit qu'oh oui, il était déjà béni, d'une voix très douce.

Ainsi nous avions effectivement obtenu des faveurs mais ce n'était pas assez. Pourquoi ne pouvais-je pas me faire entendre de ces hommes ? J'avais l'impression devant eux de crier à travers une vitre épaisse. Pourquoi ne voulaient-ils pas voir ce que je pouvais faire, ce que je brûlais d'apporter ?

Céline et Papa m'ont rassurée. Ils croyaient, ou feignaient de croire, qu'au contraire tout s'était bien passé. J'avais parlé et on m'avait répondu. A leurs yeux, j'avais fait un pas énorme. J'étais allée à Rome, j'avais parlé au Saint-Père. Il y avait toujours cette distance vertigineuse entre ce qu'on attendait de moi, ce que je devais pouvoir espérer, et ce que je sentais qui était au fond de moi-même, ce qui attendait prêt à jaillir, comme caché derrière une porte. Il aurait suffi d'ouvrir cette porte, mais elle était tellement lourde ! Bien des êtres vivent raisonnablement derrière des portes fermées. Je n'ai jamais pu m'y résoudre. J'étais très petite avec une énorme attente, un grand destin. Je pourrais sans doute beaucoup. Je voulais être invisible, et j'avais un peu gagné : ce pouvoir-là, on n'en voyait rien. Est-ce parce qu'on ne voulait pas le voir ? Je ne compterais que sur mes propres forces. Je devrais mener seule un combat terrible.

Au sortir de la salle d'audience, Céline et Papa me répétaient que la volonté de Dieu serait faite puisque le pape l'avait dit. Dieu me voulait, cela j'en étais sûre, donc tout arriverait, je n'étais pas allée à Rome pour rien. Mais Dieu était encore immensément loin de moi. Tous ces hommes qui le servaient, qui l'approchaient, M. Révérony, Mgr l'Évêque, Léon XIII lui-même auraient pu me prendre par la main, me montrer le chemin pour que j'aille plus vite, mais justement ils trouvaient que j'allais trop vite. Ils ne comprenaient pas que j'étais animée d'un amour très brûlant, ne voulaient pas sentir mon feu. Jésus a tant besoin qu'on l'aime, et on ne l'aime jamais assez. Ils ne l'aimaient pas de la même manière. Je voyais bien que ma façon d'aimer dérangeait. On n'attendait pas cela de moi, une épreuve de plus qui me désolait. Je ne savais pas encore dire merci à tout.

Plus tard seulement, je compris que ce voyage à Rome n'avait pas été inutile. Céline avait raison, j'en avais bien tiré quelque chose. Lorsqu'on a compris qu'on ne vous aidera pas on est vraiment seule. Dans cette solitude totale, la force surgit et la rencontre se fait.

## Lentement, humblement, au cours des générations

Je suis née à Alençon, le 2 janvier 1873. Thérèse Martin, un nom humble. Je ne saurais parler de moi sans d'abord parler de ma mère. Arrachée d'elle trop tôt, je ne m'en suis jamais vraiment détachée. Déjà le temps m'avait manqué. Ma mère s'appelait Marie-Azélie. Elle était dentellière, habile au travail patient, infini, du filet et de l'absolue blancheur. Travail du presque rien et de la grande pureté. Les dentellières sont des Pénélopes, elles rêvent le nez sur l'ouvrage à des conquérants inaccessibles, au retour impossible de voyageurs égarés. Ma mère, elle, rêvait à Dieu, avec la bénédiction de son mari qui, de son côté, livré au long travail minutieux des horloges, des pierres à sertir, se perd dans une autre version du même songe. Différentes, leurs pensées vont au même lieu. Ainsi, séparés, ils sont unis. Un rêve pour deux, voilà l'origine de la rencontre, la naissance de leur amour et sa nourriture. Je suis née de ce rêve et mes sœurs aussi. Papa, horloger-bijoutier, voué au travail du temps, à des mécanismes minuscules, jamais assez précis, à un mouvement qu'on voudrait perpétuel et qui ne l'est jamais. Et les pierres, leur pureté minérale, leur beauté symbolisant l'amour qui devrait durer toujours. Nous, les enfants, nés d'un double rêve de pureté, l'accompagnerons, le reprendrons. Une famille entière brodera ce thème, comme dans les variations infinies du point d'Alençon.

Cette force qui m'habite, c'est l'héritage du vœu des parents. Leur mariage s'est construit sur une double déception, le naufrage de deux vocations de sainteté. Leur vœu rebondira jusqu'à moi, grossi par l'espoir.

## Gloire et dénuement

Dans quel dénuement s'est donc déroulée l'enfance de Louis, mon père, pour qu'il ait ainsi voulu s'éloigner de tout ? On lui donne un prénom de roi de France, legs d'une tradition familiale monarchiste, mais on le trimbale de garnison en garnison, au gré des mutations de mon grand-père militaire. Une vie rythmée par le pas cadencé, les ordres aboyés, le clairon sonnant l'exactitude du soldat. Plus tard, ce serait l'exactitude des horloges qui tictaquent sans fin, inexorables, scandant et rompant l'éternité. Toute sa vie, il fuira le mécanisme du temps, la clôture des heures. Il voulait la rejoindre, l'éternité, mais elle le fuyait, et il resta enfermé.

De cette enfance voyageuse, Papa gardera le goût des pérégrinations, transformé en désir de pèlerinage. C'est peut-être cela qu'il irait chercher ainsi dans les lieux saints, le père glorieux d'autrefois, l'idéal de servir Dieu et la France. Ce héros avait changé de vie et se contenta d'aider Louis devenu horloger un peu malgré lui. Son père avait servi la France. Louis voulait servir Dieu.

Toujours, Papa surprenait, intriguait. Il ne s'adaptait à aucune de ces cases où la société, pour sa quiétude, aime à enfermer les êtres. S'il se sentait sélectionné pour un destin singulier, c'est que l'histoire familiale contenait déjà de l'héroïsme. La famille Martin fut d'origine paysanne avant d'être militaire. Dans les registres de l'église d'Athis-de-l'Orne, près de Domfront, une lignée de Jean Martin commence le 2 avril 1692. Pierre-François Martin, mon grand-père et le père de Louis, y fut baptisé le 16 avril 1777. Il eut pour parrain son oncle maternel, François Bohard. Sur-

23

nommé «Bon papa Bohard», cet homme, père de quatorze enfants, n'a pas froid aux yeux. Lors de la Révolution, il a la témérité de cacher chez lui les cloches de l'église toute proche. Il devient ainsi le héros de la paysannerie royaliste, et finira maire de la commune. Tradition familiale des deux côtés, ce goût de la politique alliée à la religion, qu'on retrouvera chez mon oncle Guérin, notable ultra-conservateur à Lisieux.

Pierre-François Martin s'enrôle au 65ᵉ de ligne le 26 août 1799. Il gagne ses galons sous l'Empire. On le trouve dans l'armée du Rhin mais aussi à Belle-Ile-en-Mer, à Brest, sur le front de Belgique, en Prusse, en Pologne. Il traverse la France de part en part. Il est pourtant royaliste, sympathise avec les Chouans. A la Restauration, il devient capitaine. Lorsqu'il est en garnison à Lyon avec le 42ᵉ de ligne, il rencontre celle qui deviendra sa femme. Marie-Anne Fanie a dix-huit ans. C'est la seconde fille de l'ami de Pierre-François, le capitaine Nicolas Bourreau.

Ce capitaine Bourreau, au nom redoutable, avait une réputation à la fois glorieuse et tachée. Engagé volontaire dans l'armée française à l'âge de dix-sept ans, il connut les déchirements des campagnes révolutionnaires à partir de 1791. En 1812, il participa aux terribles tribulations de la Grande Armée napoléonienne. Fait prisonnier en Silésie, il y connut une captivité très dure. Son fils, prisonnier avec lui, âgé alors de douze ans et demi, en mourut.

Les accusations qui, par deux fois, mirent en cause la moralité de Nicolas Bourreau se sont perdues. Mais sa carrière vagabonde s'en trouva entravée. Il fut finalement blanchi. Le curé d'Aincey attesta que ce capitaine, domicilié dans sa paroisse au 4, rue Vaubécourt avec sa femme et ses deux demoiselles, avait mené une conduite honorable, sage et pieuse, que cette famille était admirable par ses vertus, un exemple pour les citoyens de la ville. Tant de compliments pour rattraper quelles erreurs? Pierre-François Martin n'en a cure. Pendant deux ans, en 1816 et 1817, il se rend régulière-ment au domicile de son ami. La plus jeune des deux filles, Marie-Anne Fanie, fait l'objet du choix de Pierre-François, alors en âge et en grade de se marier. Quoi de plus naturel? Les filles de militaires font les meilleures épouses de soldat.

En plus de ses problèmes de conduite, Nicolas a des ennuis financiers. La famille perd tout. Marie-Anne Fanie ne peut pas se marier, car le père a mangé le dot de sa fille. Dot pourtant obligatoire pour une femme d'officier. Peu importe. Galant et chevaleresque, Pierre Martin fournit lui-même l'argent nécessaire. Il devait vraiment beaucoup l'aimer, Marie-Anne Fanie. Elle le lui rendit en lui donnant cinq enfants.

Dès cette génération, la mort est une compagne familière. De ces cinq enfants, seul Louis, mon père, atteindra l'âge mûr. Pierre, l'aîné, mourut bébé au cours d'un naufrage. Les trois filles aussi sont mortes prématurément : Marie à vingt-six ans, Fanny à vingt-sept, Sophie à neuf.

Louis naît le 22 août 1823, à Bordeaux, rue Servandoni. Son père est absent, il participe à l'expédition d'Espagne. Il s'y conduit glorieusement et peut montrer à son fils, à son retour, la croix de chevalier de l'Ordre militaire et royal de Saint-Louis, bijou de gloire.

L'enfant fut d'abord ondoyé en l'absence de son père, puis baptisé à son retour le 28 octobre, en l'église Sainte-Eulalie. L'archevêque de Bordeaux, impressionné par la bravoure paternelle, fut saisi au cours de la cérémonie d'une intuition fulgurante. Il s'écria à l'adresse des parents stupéfaits mais heureux : «Réjouissez-vous, cet enfant est un prédestiné !»

Ainsi vont les légendes familiales. Ceux qui croisaient le regard de mon père étaient frappés par quelque chose d'infini. L'archevêque l'avait déjà perçu.

Avignon, Strasbourg... Louis est enfant de troupe. Il y a, dans cette existence à la dure, quelque chose d'exaltant, mais sa timidité en est augmentée. Il fuira ensuite toujours la rudesse. Enfin, le 12 décembre 1830, le capitaine Martin prend sa retraite. Il veut revoir sa Normandie natale, et décide de s'installer à Alençon, où ses enfants pourront faire de bonnes études. La famille habite d'abord rue des Tisons, puis rue du Mans, et enfin rue du Pont-Neuf, quand Louis ouvre l'horlogerie-bijouterie. Mon grand-père y travaillera d'abord avec son fils.

On ne saurait trouver plus différent, pourtant, que ces deux hommes. Le capitaine Martin était d'allure imposante. Des traits rudes, un regard habitué au commandement. Seule la bouche, aux lèvres minces et serrées, rappelle dans ce visage son fils Louis, aux traits fins, au regard rêveur, à l'allure fragile. L'ancien soldat de Napoléon, arpentant les rues d'Alençon dans tout le loisir de sa retraite, impressionne les dames de la ville par son air martial, sa tenue inflexible. Sur la redingote bien coupée, le ruban rouge dit les hauts faits passés. Ce héros de la France est connu, de plus, pour sa piété sans faille. Déjà, à l'armée, il ne craignait pas de se montrer croyant. La troupe s'étonnait de le voir rester si longtemps agenouillé après la consécration. Il souhaitait faire de sa foi un exemple pour les soldats. Sa récitation du Pater était un grand moment familial. L'émotion qu'il y mettait faisait venir les larmes aux yeux de ses proches. Il se consacra dans sa retraite à la pratique de la religion, aux œuvres charitables et à la vie de famille dont ses aventures militaires l'avaient auparavant beaucoup privé.

En grandissant, Louis se sent une âme d'artiste. Il aime lire, surtout la poésie. Il apprend des vers par cœur, recopie sur un cahier ses textes favoris, dessine. On ne lui fait pourtant pas suivre une éducation classique. Il le regrettera beaucoup plus tard. Comme il ne parvient pas à se fixer, et se cherche ici et là, ses parents le pressent de songer à un avenir. Ils choisissent pour lui le métier d'horloger. Un parent de son père, Louis Bohard, l'exerce à Rennes. Il y a beaucoup de Louis dans la famille Martin et de Louise chez les Guérin. Saint Louis, c'est le roi qui combine fermeté et bonté, le médiateur, le sauveur de la France. Cette prédominance du prénom français royal par excellence participe du sentiment d'élection familial. Il n'est pas acquis par la lignée, comme la noblesse du nom, mais il est choisi par les parents, génération après génération, branche après branche. Il vient contrebalancer les patronymes Martin et Guérin, noms français si courants et si moyens. A plusieurs générations de distance, mes ascendants voulaient pour leur enfants gloire et royauté.

Louis passe donc les années 1842 et 1843 à Rennes, chez ce parent dont l'horlogerie est sise au 1, rue Bourbon. Il s'entend bien avec les Bohard et surtout il s'éprend de la Bretagne. Son père, qui y avait passé une partie de sa vie militaire, lui en avait souvent parlé lorsqu'il était enfant. Il en aime les traditions, le mysticisme. Il se promène en costume régional, s'intéresse au folklore, chante les chansons traditionnelles car il a une très belle voix. Il correspond beaucoup avec sa mère. Leurs effusions prêteraient aujourd'hui à sourire. Le 23 août 1842, sa mère lui écrit à l'occasion de sa fête. Il est, affirme-t-elle, son cher fils, le rêve de ses nuits, et le charme de ses souvenirs. « Je pense à toi lorsque mon âme, élevée vers Dieu, suit l'élan de mon cœur et s'élance jusqu'au pied du trône de la Divinité. »

Ma grand-mère, femme dure à la peine, austère, travailleuse, très pieuse, dont ma mère louait l'extraordinaire courage et la sainteté, écrivait à son fils comme à un amant. Elle montrait dans ses lettres un mélange naïf de grand style sulpicien et d'envolées sentimentales. Louis semble avoir été un peu trop vivement aimé de sa mère. Il était le seul enfant qu'il lui restait. L'image sublimée de son fils se confond avec Dieu dans ses pensées. Elle porte à Louis un amour mystique, penchant de famille. On ne s'étonne pas de voir le jeune Louis fuir le giron familial et tenter de couper les liens d'enfance qui l'attachent d'un côté à un père martial et, de l'autre, à cette mère tendre et exaltée. La religion était pour les femmes la caution du sentiment. Les épanchements devenaient recommandables, dès lors qu'ils menaient à Dieu. La chair interdite est transfigurée par la montée vers le ciel.

## A l'abri des orages du monde

Mon grand-père Pierre-François tient pourtant sa place dans cette famille. Il écrit à son fils, en écho à la lettre de sa femme, que Dieu doit être aimé et glorifié par-dessus toutes choses. Dieu est la médiation, l'ultime référence. La famille ne s'aime que pour mieux l'aimer. Tous les regards convergent dans la même et infinie direction.

Pourtant Louis est dans une certaine mesure incompris.

Les revenus des parents Martin autorisaient des études sérieuses. Mais on craignait beaucoup alors de sortir de sa condition. L'horlogerie était déjà dans la famille. On parvenait difficilement à admettre qu'un enfant s'échappe des sentiers balisés : la terre, l'armée ou le commerce. Ou bien aurait-on jugé Louis inapte à des études bourgeoises ? Mon père avait toujours été desservi par une lenteur rêveuse, une tendance à séjourner dans un monde dont les autres n'avaient pas la clé. Trait de caractère dont j'ai hérité. L'aptitude à la méditation surprenait là où on avait coutume de vaquer à ses affaires sans trop se poser de questions. Louis était différent de ce qu'on attendait. C'était un bon fils, il s'évertuait à être ce que l'on souhaitait qu'il fût. Il se trouvait contraint de vivre une vie secrète à côté de ce double nécessaire et social. Ce qui accentuait le décalage, la surprise, presque le malaise. Il n'était jamais vraiment là où on le voyait. Il semblait insaisissable.

Il y avait en mon père un goût de l'écriture. Cela n'était pas étranger à son milieu. Sa propre mère se permettait l'envolée lyrique, ma mère aussi écrivait, écrirait sa vie entière. C'était là des distractions de femmes, correspondances ou journaux intimes, lieux autorisés de célébration de l'amour familial. Louis visait autre chose, le grand épanchement des poètes, la palpation verbale de l'invisible. Cette vocation était comme une zone ombreuse et cachée du désir. Moi non plus, je n'ai jamais voulu me reconnaître écrivain. Je me suis refusé le statut d'artiste. Je voulais bien l'accorder à ma sœur Céline dont le talent me paraissait éclatant. Mais justement Céline était une autre moi-même, ce n'était pas moi. Et puis, elle s'exprimait par la peinture, talent plastique hérité de nos deux parents, la mère dentellière, le père bijoutier, ciseleur. C'étaient les mots qui nous effrayaient, leur puissance terrible. Lâcher les rênes au langage, se donner le droit de posséder le verbe et de le manier : ce verbe qui est Dieu.

Le goût de la poésie resta donc pour Louis un jardin secret, amoureusement cultivé, et finalement délaissé. Restent pour témoins de cette époque deux épais cahiers d'une présentation presque luxueuse. C'est aussi un aspect du caractère de Louis, ce côté méticuleux, ordonné, presque maniaque, qui incline à penser que l'horlogerie pourrait lui convenir et lui permettrait, plus tard, de faire sagement fructifier ses revenus et de tenir la comptabilité de l'entreprise de ma mère.

C'est sur ces cahiers que Louis recopie ses textes littéraires favoris. Le choix des passages est inégal, avec une prédilection pour le romantisme. Cela ne surprend pas, vu l'époque, mais correspond aussi à quelque chose de fougueux, de transporté, dans la nature de Louis jeune homme. L'application de la calligraphie contraste avec l'emportement du propos. Le plus souvent reviennent Lamartine et Chateaubriand. Le prix que ces vers avaient pour le copiste apparaît dans le soigneux traçage au crayon des lignes. Les titres sont en rondes, les vers en anglaise. Les marges, tables des matières et références se présentent de manière à donner l'apparence d'un livre. Cette application attendrissante dans le fac-similé dénote plus que la tentative d'instruction de l'autodidacte, plus également que le penchant du collectionneur. Le choix correspond au désir de trouver un écho, une voix plus juste et plus assurée, à des sentiments vagues, indécis, orientés vers le côté sombre et grandiose du romantisme. Bientôt ces cahiers soigneusement exécutés se refermeront à jamais sur leur passion endormie. Louis acceptera la frustration de son désir d'artiste, l'étouffera lui-même. Son goût concurrent pour la peinture et la sculpture s'asséchera, se résoudra finalement au compromis de l'horlogerie-bijouterie, croisement du commerce avec le beau et le précieux. Je le verrai parfois ressortir, lors de fêtes de famille où soudain mon père débite avec talent et conviction des vers échappés des forêts du souvenir. Car il était partagé, Louis, entre l'amour de ce qui se voit et celui de ce qui ne se voit pas. D'où cette irrésolution profonde qui donnera une note de tristesse hésitante à sa personnalité, et qui m'incitera par compensation à choisir audacieusement, à ne pas tergiverser. D'où ces vers, qu'il aimait tout particulièrement, extraits des «Tombeaux champêtres»:

*Ici dort, à l'abri des orages du monde,*
*Celui qui fut longtemps jouet de leur fureur.*
*Des forêts, il chercha la retraite profonde,*
*Et la mélancolie habita dans son cœur.*

Louis trouva là sans doute un climat de tristesse semblable au sien, lui destiné à rester seul survivant d'une fratrie.

Ce recueil de sentiments païens se clôt par une dédicace pieuse: «Gloire au Tout-Puissant et à la Vierge Marie. Que le Seigneur soit glorifié par toute la terre.» Tout cela finalement ne peut que revenir au Père et à la Vierge. Le penchant pour «les orages du monde» se résout dans la retraite, à l'abri de la religion, et non des arbres de la forêt. Pourtant, Louis gardera toujours le goût de la nature, qu'il s'efforcera d'excuser par le motif de la pêche. Durant ces parties de pêche où il m'emmènera, moi, sa plus petite fille, témoin privilégié et silencieux d'une communion profonde, Louis s'apaise à retrouver quelque chose de lui-même et du lien avec Celui qui nous a créés. Moments de méditation, songeries naturelles.

Le mysticisme romantique de la nature et le mysticisme religieux ont en commun le travail de sublimation. Louis devait d'abord monter au Grand-Saint-Bernard, selon les mots de l'évangile de saint Marc: «Jésus étant monté sur une montagne, il appela à lui ceux qu'il lui plut; et ils vinrent à lui.» Mon père, à cette époque, ressemble à un personnage d'un tableau de Caspar David Friedrich. Un jeune homme mince, presque fluet, tourne le dos au monde, perché au bord d'un précipice, perdu dans la brume, et regarde au loin. C'est ce jeune homme-là que ma mère va rencontrer, sur un pont qui enjambe la Sarthe.

## Un vœu très fort, très lointain

Le père horloger, la mère dentellière, tous deux artisans, très proches de l'art, tous deux aimant écrire, tous deux emplis de l'aspiration refoulée à la vie monastique : je serai, moi, la dernière-née, la réalisation du désir impossible de mes parents. La génération précédente, déjà, avait formé ce vœu, avait défriché un bout de chemin, s'était arrêtée. Louis et Zélie allèrent encore plus loin, puis firent halte sur la route ardue et mystérieuse. Ils m'avaient portée jusque-là et moi seule continuerais. J'irais au bout du désir impossible et sublime, j'accomplirais le saut étrange, terrible, de l'impossible au possible. Ce désir de sainteté venait de loin, de ma grand-mère Martin que ma mère disait sainte, et de ma tante Marie-Louise, première de la famille à entrer dans un couvent. Rêve de ma mère aussi qui, enfant, exprime le désir violent de devenir une sainte, mais n'y parvient pas. Elle a des enfants à la place, dont moi enfin. Oui, je fus bien la somme des désirs de mes parents.

## Peu de science, mais l'humilité

En septembre 1843, Louis Martin quitte la Bretagne. Il part en quête de cette « retraite profonde des forêts » dont le poète avait si bien su lui parler.

Il va vers l'est. Il se dirige d'abord vers la Suisse, traverse le 1er septembre le pont Saint-Maurice en direction de Berne. Puis, il se rend à Bâle, enfin à Strasbourg où l'attirent des souvenirs de famille. Le détour par la Suisse est motivé par la recherche de paysages sublimes. Louis est un être extrême, un assoiffé d'absolu. Il brave les pics, les sommets, affronte l'idéal romantique. Il s'arrête au monastère du Grand-Saint-Bernard, dans un paysage grandiose, une lumière de fin du monde. Il en ramènera une fleur séchée qu'il gardera en souvenir. Partout où il va, il retrouve des liens de famille. Il a appris les bases du métier. Il travaillera maintenant à Strasbourg, près d'un vieil ami de son père, l'horlogerie précieuse, cette part de l'artisanat qui s'approche le plus de l'art. Cela entretient chez lui un rapport mystérieux à la foi. Il passera des heures à étudier le mécanisme de la célèbre horloge de la cathédrale. En automne 1845, il termine son apprentissage. Il a vingt-deux ans. Il décide que sa vérité est dans la vocation religieuse. L'horlogerie n'aurait été qu'une façon, dans tous les sens du terme, de marquer le temps. Au lieu de rentrer à Alençon, il retourne au Grand-Saint-Bernard.

L'ermitage se trouve à une altitude de deux mille quatre cent soixante-douze mètres, en haut du col séparant le Valais suisse de la vallée d'Aoste. L'ordre des chanoines réguliers de Saint-Augustin y fut fondé voici neuf siècles par Bernard de Menthon. L'hospice du Mont-Joux n'est pas seulement consacré à la méditation dans un site splendide. Le Grand-Saint-Bernard sauve les voyageurs égarés, ces montagnards pris sous une avalanche. Les religieux parcourent la montagne guidés par leurs chiens. Par cette vie à la fois active et contemplative, Louis voit le moyen de concilier les deux tendances opposées de son caractère. Durant le trajet de Strasbourg à la frontière suisse, en diligence puis à pied, les paysages l'émeuvent davantage encore que la première fois. Très confiant, il réclame un entretien avec le prieur. Seul avec le Seul, ainsi vivra-t-il dans cet endroit éloigné des angoisses du monde. Mais l'entretien se passe mal. Louis n'a pas fait ses humanités classiques. Il ne peut être accepté. Les moines se méfient. Un horloger, ce jeune homme exalté qui se jette dans la gueule de l'absolu ? Un simple, qui n'a pas fait de latin. On le déclare inapte au service de Dieu. L'exégèse des textes anciens et la répétition des formules n'a pas grand-chose de commun avec sa foi instinctive et charbonnière. Raison véritable ou bien prétexte ? De même, on refusera ma mère chez les Petites Sœurs des Pauvres, peut-être parce que Dieu souhaite attendre. Il faudra encore une génération. Mais Louis ne comprend pas. *L'Imitation* dit pourtant : « Il vaut mieux avoir peu de science avec l'humilité et une intelligence bornée que des trésors d'érudition avec une vaine complaisance. » De retour à Alençon, déçu mais non découragé, Louis raconte sa mésaventure au doyen de Saint-Léonard, qui écoute, conseille. D'octobre 1846 à janvier 1847, il apprend le

latin, le grec et le français. Il achète des manuels, suit des cours
avec M. Wacquerie, un vieux pion, qui lui prend un franc
cinquante par leçon. Mais quelque chose est mal supporté
dans ces efforts. Les nerfs sont fragiles, l'hypersensibilité
considérable. La consomption menace. S'il ne peut supporter
l'étude du latin, comment affronter les rigueurs d'une vie
d'ermite? Un interdit familial poussait-il Louis à échouer
dans ce rattrapage?

Avant de se résigner, il risque une dernière tentative pour
échapper à un milieu social et familial dans lequel il se sent
comme exilé de l'intérieur.

## Une Babylone moderne

Nouveau départ, toujours sous protection familiale : Louis
se rend à Paris où habite sa grand-mère maternelle,
Mme Boureau-Nay, qui a soixante-quatorze ans et vit d'une
rente. Son oncle par alliance, Louis-Henry de Lacauve, y
réside aussi. Il a un fils, élève à l'École militaire. Ce cousin
sera un compagnon pour Louis jusqu'à son départ pour
l'Afrique en décembre 1848. L'oncle, encore un Louis, est
d'un tempérament héroïque. Il a été, à vingt-six ans, capitaine
et chevalier de l'ordre de Saint-Louis.

Louis a maintenant vingt-cinq ans. Il va rester à Paris trois
ans. Il ne compte guère sur sa grand-mère, qu'il sait égoïste,
et préoccupée principalement de toucher la rente que lui verse
la famille. Elle lui ouvre pourtant son salon. On y cause et on
y déclame des vers, mais il s'y ennuie à mourir. Il ne trouve
pas là ce commerce intellectuel et sensible dont il est assoiffé.

Pourtant, il est venu dans la capitale animé par un désir de
gloire. Là se trouvent les grands écrivains qu'il admire. Il rêve
de dialogues élevés, de rencontres généreuses. Il croit voir
passer dans la rue Lamartine, Chateaubriand. Il vient de
perdre une sœur tendrement aimée. Ce deuil ravive en lui la
mélancolie romantique. Il découvre, ébahi, que Paris est

plein de femmes, non point défendues comme à Alençon, mais apparemment offertes. Son cousin, fringant militaire et séducteur averti, soupire de se voir sur les bras ce grand gaillard maigre à la mise provinciale et à l'air mal dégrossi. Le cousin jette l'argent par les fenêtres, Louis compte le sien. Cela fait mauvais effet dans ce milieu brillant et insouciant. Il se choque de tout, ne comprend pas les plaisanteries légères, et quand il les comprend, il ne les trouve pas drôles. Pour lui, les convictions profondes importent davantage que le jeu social. Pourtant, ce jeu, il voudrait quand même le jouer. Sans y mettre le prix qui serait de renoncer à la part secrète de lui-même. Venu à Paris pour se chercher, une fois de plus, il ne se trouve pas.

Craignant le désordre des sentiments, il est très attiré par les femmes mais au dernier moment, il fuit. Il ne connaît que des mères, des sœurs. Il apprend à ses dépens que toutes les femmes ne sont pas pures. Il voudrait sauver les filles perdues. A Alençon, sa famille s'inquiète. La mère de Louis correspond toujours assidûment avec lui. Alarmée par l'état de confusion mentale où se trouve son fils et par ses accès de dépression, elle ne veut pas le brusquer. Mais elle sait que les crises de mélancolie et de doute ont empiré depuis le refus du prieur, l'échec des études classiques, la mort de sa sœur. Une série de chocs. Le temps guérira cela, mais il faut veiller.

Louis perd pied dans Paris. La ville est trop grande, trop bruyante, trop grise. Son cousin le trouve borné. En fait, il est innocent, profondément. Le mot «simple» lui convient. Cette simplicité, il me la transmettra et moi, loin de vouloir m'en débarrasser je la cultiverai, j'en comprendrai la valeur, je fonderai tout là-dessus.

Il commence à penser de nouveau à la province quand les événements précipitent sa décision. C'est la révolution de 1848. Les émeutes de février sont l'aboutissement de deux ans de disette dus à une maladie de la pomme de terre. La République est proclamée: suffrage universel, droit au travail, école gratuite pour tous. Lamartine est au gouvernement. Pourtant, en juin, l'euphorie fait place à la guerre civile. Il y a mille morts et quinze mille déportés. L'ordre bourgeois est rétabli. C'est l'avènement de la république des notables.

Après quelques allers et retours, Louis revient définitivement à Alençon. Ce fils de soldat déteste la violence. Sa révolte juvénile a fait long feu.

## Oui, j'irai voir Marie...

De retour dans le giron familial, Louis continua à se sentir déprimé. Il éprouvait un grand sentiment d'échec. Son innocence lui avait fait croire que tous lui étaient semblables, mais les mouvements de son cœur avaient été accueillis par le rejet. La Révolution lui a fait prendre conscience de la violence des êtres, des remous profonds qui agitent la société. Sa véritable voie consiste finalement à vivre au milieu de gens qui le connaissent, l'apprécient pour ce qu'il est.

S'il faisait figure de provincial à Paris, ses aventures dans la capitale lui donnent à Alençon un air d'expérience. Il a acquis une élégance des manières, appris le beau langage. La ferveur virginale de cet homme mince au regard ardent et glacé de missionnaire, aux yeux clairs enfoncés dans les orbites, aux traits fins, attire et fascine. S'il avait appris le latin, il aurait tout de l'universitaire, du savant. Sauf peut-être les mains, des mains assez larges qui pourraient être d'un sculpteur, mais qui trahissent aussi des origines paysannes. Enracinement que le visage renie, que le regard s'acharne à oublier. Mélange séduisant chez un homme à une époque où les femmes craignent le sexe, le savent leur ennemi. Il y a de l'être à préserver, mais aussi de l'inaccessible, du ciel sur terre. Les jeunes filles à marier tournent autour de M. Martin, valseuses solitaires. Le jeune homme s'obstine à regarder ailleurs, et par cet éloignement même encourage ces rêves de femmes. Il ne désire pas, ne dit pas, n'effarouche pas. Elles aspirent avec lui à une communion de piété, seul domaine vraiment permis.

Mais ma grand-mère se tourmente. Le fils prodigue arpente les rues de la petite ville endormie au pied de ses clochers. Une demoiselle fort riche ne cache pas son intérêt. On fait savoir qu'une demande serait bienvenue. Les deux familles sont amies. L'avenir de Louis serait assuré. Mais il refuse catégoriquement. Il a retrouvé sa mère et leur relation est toujours très proche et très forte. Il n'imagine les femmes que dans le ruisseau ou sur un piédestal. Les mariages arrangés n'avaient alors rien de choquant, et il finira par en accepter un. Mais il passe une sorte de pacte avec lui-même. Malgré le rejet de l'Église, il vivra une existence monastique, sera sa propre règle à lui tout seul. Il demeurera chaste. S'il est vrai que tout homme cherche dans la femme qu'il aimera une ressemblance avec sa mère, alors Louis, dont la mère avait une réputation de sainteté, ne pouvait aimer qu'une sainte femme. Il avait appris à ses dépens que celles-ci ne courent pas les rues. Un mariage à la mode de l'époque avec une jeune personne de son milieu, de constitution saine, de moralité garantie, dont la dot et les espérances viendraient renforcer le statut familial, eût été contraire à l'idée qu'il se faisait de sa vie. On ne couche pas avec une sainte et on ne l'épouse pas non plus. Enfin, pas à la manière ordinaire. Ses lectures favorites n'arrangeaient rien. D'un côté, la fréquentation des romantiques le poussait à une conception passionnée et exceptionnelle de l'amour, convenant à un jeune homme qui plaçait les sentiments très haut. D'un autre, les lectures religieuses favorisaient chez lui une peur de la chair qui confinait à l'horreur.

Louis est très sensible au culte du Sacré-Cœur, qui se répand comme une traînée de poudre. Dans cette vision réparatrice de la foi, les souffrances de la mère et son amour s'associent à ceux du Christ. Jésus trouve dans l'appui de la Vierge et son sacrifice la force d'être Christ.

C'est, avec l'exaltation d'une nouvelle sensibilité, la réhabilitation du féminin. Les femmes, désormais mieux éduquées, veulent trouver dans la religion une figure identificatrice. Marie, corédemptrice, soigne et console. L'image du fils humanise le rapport à Dieu. Grâce à son sacrifice, la grâce de Dieu descend sur les hommes. Ceux-ci ne sont plus condamnés à prier une divinité abstraite, terriblement éloignée.

Dans ce couple de la mère et du fils, le père est désincarné. Joseph n'est que le père du cœur, et Dieu est lointain.

Ce couple est purifié par l'Immaculée Conception de Marie. La Vierge, déclarée nette de la tache charnelle, est celle dont l'homme n'a pas à avoir peur, la femme avec qui toute proximité et toute confiance est possible. Dans la génération de mon père, déjà, la religion du respect et de la crainte fait place à une religion de l'amour. Cette notion va transformer les rapports familiaux. La seule jeune fille que Louis pourrait épouser serait à l'image de Marie : très proche, aimée dans une totale confiance, mais aussi très pure et toujours vierge.

Les signes de l'importance croissante de Marie sont partout. En 1830, rue du Bac, en plein Paris, s'est produite une première apparition. Le dogme de l'Immaculée Conception est proclamé par Pie IX en 1854. Le curé d'Ars donne de l'essor à la célébration du mois de Marie. De petits autels fleuris ornent les maisons et les églises, on se rassemble devant pour y prier. Certains perçoivent un retour au paganisme, aux très anciennes divinités féminines. Jésus et Marie n'ont qu'un seul cœur, une seule âme. La fusion merveilleuse des sexes s'opère symboliquement. Le ciel devient clément puisqu'une femme si douce y est montée. En 1853, pour la première fois, en Lozère, on chante :

> *Oui, j'irai voir Marie,*
> *Ma joie et mon amour,*
> *Au ciel au ciel au ciel,*
> *J'irai la voir un jour.*

Le dogme de l'Immaculée Conception a longtemps été une croyance populaire contestée. Marie elle-même a été conçue sans péché. Elle ne connaît pas la tache originelle. Elle va donc concevoir, à son tour, sans l'aide de Joseph qui n'est qu'un père adoptif. Elle accouche de Jésus sans que l'hymen soit déchiré. C'est bien à elle que tout remonte et le lien qui l'attache à son fils n'est vraiment pas un lien ordinaire. Marie, reliée à l'Esprit, est l'influence prédominante dans la vie de son fils. Elle affirme le côté humain, incarné du Christ. Mais aussi, conçue sans péché, elle autorise une nouvelle spiritualité féminine. Les femmes ont maintenant vraiment une âme, une parole, une pensée. La proclamation du dogme de l'Immaculée Conception est marquée par d'énormes rassemblements populaires. Partout, on construit des chapelles, on élève des statues. Même où on ne l'attend pas, Elle apparaît, comme à Bernadette à Lourdes. Ce ne sont jamais des bourgeois qui la voient mais toujours des simples, des paysans, des enfants. Le culte de Marie indique un retour à la simplicité de l'Évangile, un renouveau des premiers temps du christianisme où les femmes étaient très présentes. Ce climat a marqué la jeunesse de mon père. Les femmes l'ont toujours protégé. Même son établissement dans la vie, Louis le doit à une femme. La bijouterie de la rue du Pont-Neuf, achetée dans le but de l'installer, a pu être acquise grâce à l'apport de fonds d'une amie de la famille, demoiselle d'un certain âge, très riche et très pieuse. Les Martin n'avaient pas assez d'argent pour acheter cette maison de deux étages dont le beau magasin occupe le rez-de-chaussée. Cet achat fonde l'origine de leur embourgeoisement.

## Rue du Pont-Neuf

Louis quitte définitivement ses chimères, ses rêves de jeune homme. Les brumes de l'incertitude se dissipent, la vie prend des contours précis. La maison choisie lui plaît, le quartier aussi. La rue, large et tranquille, rejoint la Sarthe. Louis a toujours aimé l'eau. Et Alençon est une ville d'eau. De nombreux petits ponts enjambent ses deux rivières, la Sarthe et la Briante. D'ailleurs, c'est en passant un pont que ma mère le verra pour la première fois.

Le quartier est situé un peu à l'écart. Il n'est pas très commerçant, mais paradoxalement cela satisfait Louis qui reste méditatif. La rue s'anime les jours de marché, lorsque la ville rose et grise est tirée de sa somnolence par l'afflux des paysans venus des environs, ou lors des foires agricoles.

L'atelier d'horlogerie est aménagé au rez-de-chaussée. Quelques années plus tard, la boutique s'agrandit d'une partie bijouterie. La maison accueille sans peine Louis et ses parents. Le deuxième étage est mansardé. Derrière, un petit jardin permet de rêver dans la verdure. Les parents de Louis aident à la boutique. Sa mère voit son fils autrefois si troublé s'enfoncer dans le calme d'une existence réglée comme une de ses horloges. Le dimanche, il va à la messe, puis fait de longues marches dans la forêt de Perseigne ou va à l'aventure, cherchant un lieu de pêche. Alors, pendant quelques heures d'immobilité, il se livre à nouveau au vagabondage mental. Le soir, en rentrant, il va offrir le produit de sa pêche aux clarisses d'Alençon, les plus pauvres des religieuses. Louis veut bien penser aux femmes tant que le sexe n'est pas en cause. La religion le met hors du temps. Grâce à elle, Louis échappe aux horloges. Cette existence de moine laïc va durer huit ans.

## *Rue des Lavoirs*

Louis veut se ménager, en marge de sa vie d'artisan et commerçant, une vie de l'esprit. Pour cela, il lui faut un lieu. Il se trouve son ermitage. Le 24 avril 1857, ses affaires vont assez bien pour qu'il puisse acheter, rue des Lavoirs, au sud de la ville, dans le quartier de la Sénatorerie, un bâtiment curieux: une tour hexagonale en forme de clocher, avec un jardin ombragé de grands arbres. Une salle au premier, deux étages auxquels conduit un escalier en colimaçon, une terrasse. Il y loge sa petite chienne, une levrette. De la terrasse, elle attend sa venue, mais un jour, folle de joie à son arrivée, elle saute et se brise les jambes. Dans le «Pavillon», il abrite ses cannes à pêche, ses images pieuses, ses livres saints et une statue offerte par Mlle Baudouin, sa bienfaitrice. La *Vierge au Sourire* est la copie en plâtre d'une statue réalisée en argent par Bouchardon pour l'église Saint-Sulpice, où elle fut volée à la Révolution. Elle mesure quatre-vingt-dix centimètres. Ce n'est pas une Vierge à l'Enfant. Elle semble accueillir, étend les mains comme pour serrer dans ses bras ceux qui l'approchent. Son enfant est devant elle, elle le cherche. Elle orne de sa présence le jardin du Pavillon, à demi cachée derrière un noyer.

Sur le mur de la salle du rez-de-chaussée, Louis a écrit : « Dieu me voit, l'Éternité s'avance. » Dans ce fort pieux, Louis Martin s'élève vers l'idéal de dénuement commun aux moines et aux soldats. Il échappe aux métaux précieux, aux pierreries, aux ambitions. Il est pauvre dans le sens où l'entend l'Évangile, c'est-à-dire vraiment riche. Pas heureux, mais délivré. Pourtant, il ne se coupe pas de toute vie sociale. S'il refuse d'ouvrir sa boutique le dimanche matin, quand les paysans venus en ville sont susceptibles d'acheter quelque montre ou quelque bijou à leur femme ou à leur fiancée, manquant ainsi de nombreuses pratiques qui se fournissent au bazar d'en face, il fréquente un cercle où on discute des questions religieuses qui occupent les esprits en cette époque de changements. Il est par ailleurs invité dans les salons d'Alençon. Sa position exige qu'il s'y rende parfois.

Il se scandalise de la mode, alors répandue, des tables tournantes. Il y a là, en fait, une forme de flirt. Sous prétexte de communion avec les esprits, on se frôle les mains et les genoux sous la table. Un frisson de mystère et d'interdit plane sur l'assemblée. Mon père, un jour, interrompt brusquement une séance. « Pourquoi chercher le paradis dans un meuble ? s'écrie-t-il. Il y a d'autres moyens de communication avec l'au-delà. On construit pour cela des églises. » Décidément, pensent les dames, ce Louis Martin, qui a de beaux yeux, est un trouble-fête. Mais à Alençon, contrairement à Paris, on l'écoute. Il possède une grande force de conviction. Il conçoit la vie tout entière comme un travail pieux.

# *Maman*

Pendant que mon père commençait à entrevoir un reflet de lui-même dans des eaux si calmes, ma mère Zélie écoutait Marie-Louise, sa sœur aînée, lui parler de Dieu.

Si Marie-Louise partait au couvent, elle resterait doublement seule. Elle craignait qu'alors Dieu l'abandonnât un peu aussi. Il n'était jamais aussi présent que lorsque Marie-Louise l'évoquait. Louis recherchait la solitude, Zélie la redoutait, pour l'avoir trop tôt connue.

Son père, Isidore Guérin, était né en 1789, l'année de la Révolution, à Saint-Martin-L'Aiguillon, dans l'Orne. Histoire parallèle des deux familles : du côté Martin, on cache les cloches de l'église ; du côté Guérin, on cache le prêtre. L'oncle d'Isidore, l'abbé Guillaume Marin Guérin, fut poursuivi car non assermenté. Tout enfant, Isidore aida à le cacher. L'abbé vivait dissimulé dans le grenier familial. Habillé en paysan, il n'hésitait pas à sortir pour aller administrer les sacrements. L'enfant l'accompagnait dans ses expéditions.

Les révolutionnaires eurent vent de la cachette et perquisitionnèrent. Guillaume s'est caché dans le pétrin. Isidore, trois ans, alla s'asseoir dessus, y disposa ses jouets et s'amusa. Les révolutionnaires ne pensèrent pas à ouvrir le meuble. L'oncle fut sauvé. Pour un temps. Il fut finalement arrêté en 1793, déporté à l'île de Ré dans des conditions atroces. Il survécut jusqu'en 1835 et put à nouveau exercer son sacerdoce. Ce fut à ma connaissance le premier saint homme de la famille.

En 1809, Isidore entra dans l'armée au 96e de ligne. Il livra sa première bataille à Wagram et ne quitta l'armée qu'à la chute de l'Empereur. Plus tard, Napoléon III le décora de la médaille de Sainte-Hélène.

Au sortir de l'armée, il devint gendarme à pied, puis à cheval, à Saint-Denis-sur-Sarthon. Il épousa Louise-Jeanne Macé à Pré-en-Pail le 5 septembre 1828. En 1844, il prit sa retraite à Alençon.

De l'union d'Isidore et de Louise-Jeanne naquirent trois

enfants : l'aînée, Marie-Louise, le 31 mars 1829 ; la deuxième, ma mère, Azélie-Marie, le 23 décembre 1831 ; enfin, dix ans plus tard, le fils tant attendu, Isidore, le 2 janvier 1841.

L'importance que mon grand-père maternel accordait à l'éducation de ses enfants le décida, au moment de prendre sa retraite de gendarme, à vendre sa terre de Saint-Denis pour acheter à Alençon une charmante petite maison, 36, rue Saint-Blaise, avec basse-cour et dépendances, où la famille emménagea le 10 septembre 1844. Isidore avait pour seul revenu une pension annuelle de deux cent quatre-vingt-dix-sept francs. Il arrondit ses fins de mois en accomplissant des petits travaux de menuiserie. Louise-Jeanne, elle, ouvrit un café. Mais si Isidore, habile de ses mains, trouvait des clients, Louise-Jeanne les faisait fuir à cause de sa façon de les foudroyer du regard tout en leur servant à boire. Le but était de leur faire sentir leur condition de misérables pécheurs.

Le client, qui gardait sur l'estomac la culpabilité distillée par la tenancière en même temps que le breuvage, cherchait un autre lieu de débauche. Louise-Jeanne dut bientôt céder son café, et reporta ses fureurs sur l'entretien maniaque du ménage.

Les parents de ma mère n'avaient ni la compréhension ni la tendresse de ceux de mon père. Ma grand-mère Louise-Jeanne était très austère, d'une dureté paysanne. Quant au grand-père Isidore, bien qu'on le sût honnête et droit, sa grosse voix et ses manières de gendarme terrorisaient ses filles. Des trois, Marie-Louise souffrit le plus, étant la première. Ma grand-mère avait eu l'idée d'apprendre à lire à sa fille aînée dans l'Apocalypse. Elle pensait ainsi faire d'une pierre deux coups, l'éduquant et lui enseignant en même temps à craindre un Dieu terrible et sans merci. Le caractère de Marie-Louise fut définitivement affecté par ce régime de terreur. Elle resta toujours renfermée, pessimiste. Sa joie était de s'occuper de ma mère, Marie-Azélie, à qui elle dispensait la tendresse que Louise-Jeanne ne savait pas donner. Marie-Louise était payée de retour, car ma mère l'adorait. Les deux filles se serraient l'une contre l'autre pour se donner du réconfort dans la maison sombre et triste. Si Marie-Louise souffrait du manque d'affection maternelle, c'était le cas plus encore pour Zélie, car elle était la seconde fille, et Louise-Jeanne aurait voulu un garçon. Isidore, s'étant fait attendre longtemps, fut bien accueilli. Ce fut pour Zélie une douleur supplémentaire de voir sa mère dispenser au petit dernier les caresses, les baisers et les indulgences dont elle avait manqué. Ne comprenant pas les raisons de cette différence de traitement, elle en tirait la conclusion qu'elle n'était pas digne d'être aimée. Cette idée la poursuivit sa vie entière, avec un obscur sentiment de culpabilité dont sa sœur était aussi affectée. Marie-Azélie réagit à cette situation en adorant et protégeant Isidore, tout comme Marie-Louise la protégeait elle-même. Sa mère lui avait refusé une poupée, elle en aurait une vivante. C'était caractéristique de ma mère de transformer jalousie et agressivité en générosité et sacrifice. Mais elle payait cette tournure de caractère héroïque par des crises de dépression d'autant plus sévères qu'elle n'en comprenait guère l'origine. Elle crut toujours que le bonheur amène le désastre.

Nourries de lectures pieuses, Marie-Louise et Marie-Azélie virent dans l'amour de Jésus la solution de leurs problèmes. A l'âge où d'autres filles pensent aux garçons, Zélie se mit à penser à Jésus comme à celui qui viendrait et l'enlèverait. Elle n'avait pas vu dans le couple de ses parents un exemple de bonheur terrestre. Les hommes lui faisaient peur, on avait instillé en elle une crainte obsédante du péché qui l'en éloignait instinctivement.

Il y avait pourtant dans le beau visage grave, à l'ovale classique, de Zélie jeune fille, avec ses pommettes hautes et larges, une sensualité dormante. Mais à un âge où une jeune fille a plus que jamais besoin de la sollicitude et de la compréhension de sa mère, Zélie rencontrait chez la sienne sécheresse et soupçon, un manque de confiance offensant pour un tempérament droit et sincère.

La rigueur du climat familial empêchait Zélie de se précipiter vers le mariage. Pourtant elle pensait sans cesse à l'amour. Marie-Louise tentait toujours davantage de compenser ce vide qu'elle sentait en elle en le colmatant chez la sœur et le frère plus jeunes qui devenaient dans le malheur terne des jours ses enfants nourriciers. La douceur dont cette vierge-mère avait été privée se lisait dans son maintien sévère.

A six ou sept ans, des cauchemars la réveillaient, hurlante, en pleine nuit. Elle avait une tranquillité triste, une propension aux larmes cachées, et surmontait ses chagrins en se tenant droite par la force de la volonté. Ses traits rudes, comme sculptés dans le granit, étaient encore ceux d'une paysanne. Marie-Louise eut très tôt Jésus pour consolateur et Zélie, comme une sœur plus jeune en rivalité avec son aînée, voulut le même fiancé. C'était une marque d'amour, elle aimait tout ce qu'aimait Marie-Louise. Et ce fiancé-là pouvait se donner aux deux sans priver aucune.

## *Une enfance triste comme un linceul*

Pour racheter cette enfance «triste comme un linceul», selon ses propres mots, Zélie décida de devenir une sainte. Marie-Louise avait très tôt confié son rêve de vocation religieuse. Mais elle était d'une nature contemplative. Zélie, davantage portée à l'action, trouva la première le courage de se présenter devant la Supérieure de l'Hôtel-Dieu d'Alençon.

Est-ce d'avoir deviné cette aptitude à la vie active qui poussa la Supérieure à renvoyer la jeune fille, ou bien ce velouté de la peau qui la disait prête, sans qu'elle le sût elle-même, à l'accueil d'un fiancé terrestre? Il faut dire aussi que ma mère semblait plus jeune qu'elle ne l'était.

La Supérieure, cependant, ne jugea pas nécessaire de préciser la raison de son refus. Zélie en souffrit terriblement. On venait de lui affirmer que Dieu ne voulait pas d'elle. Elle n'était pas faite pour se consacrer à Lui. Elle traduisit: pas digne, pas assez bien. La Supérieure ne se doutait pas qu'elle venait d'ouvrir le chemin de l'union de mes parents. Je crois que Dieu voulait du temps, mais ma mère ne pouvait pas le savoir. Elle crut retrouver le déni de sa mère dans ce renvoi. Elle se voyait si bien en petite sœur des pauvres! L'ordre de Saint-Vincent-de-Paul, tourné vers les pires misères du monde, lui avait semblé la solution. En se portant au-devant de grandes détresses, elle eût oublié la sienne.

Quittant l'Hôtel-Dieu, Zélie ne pouvait chasser de son esprit que Dieu l'abandonnait. A nouveau, le brouillard de tristesse qu'elle avait cru voir se lever s'abattit sur elle. Elle avait voulu devenir sainte, on l'en empêchait. Mais elle ne se découragea pas : elle trouverait une autre façon de combler le vide béant de son cœur. Elle gagnerait l'amour de Jésus par d'autres moyens.

La blessure infligée ce jour-là ne devait pas guérir. Elle ne pouvait parler de sa déception qu'à Marie-Louise. Celle-ci, plus mûre et plus réfléchie, savait que le désir s'affirme dans la pénombre du silence.

Zélie, connaissant si bien sa sœur, devinait ce qui se passait derrière ce visage fermé, qui savait pourtant s'ouvrir d'un sourire lorsqu'elle le réclamait. Plus que jamais, Marie-Louise lui était un exemple. Depuis qu'elle avait cherché à conjurer la perte éventuelle de sa sœur en la devançant, elle la redoutait. Bien qu'elles fussent si unies, elle devinait que la vie les séparerait un jour.

Maman réagissait dans les catastrophes avec le courage du désespoir. Elle voulait être utile et le climat familial ne l'encourageait pas à se laisser vivre. Le cloître fermé, restait le mariage. Les jeunes gens ne s'empressaient pas. La réserve de Zélie éloignait. Les qualités qui feraient d'elle une excellente épouse nuisaient à la jeune fille à marier. Inapte à la coquetterie, elle ne savait pas dispenser ces sourires qui promettent tout mais ne donnent rien, ces ébauches de gestes qui appellent une réponse. Par ailleurs, elle était exigeante. Une enfance privée d'amour l'avait assoiffée. Elle ne se contenterait pas d'un mariage de convenance. Elle ne pourrait épouser qu'un homme qui devinerait les secrets de son cœur, avec qui elle partagerait d'autres désirs que ceux du corps.

## *Offrir son petit cœur au grand cœur sanglant*

Sans le savoir encore, mes parents, par le travail de leur pensée, se rapprochaient l'un de l'autre. Une aptitude à l'amour se façonnait en eux à partir d'ambitions déçues, de renoncements aux espoirs naïfs de l'adolescence. Zélie trouvait une manière de comprendre le masculin dans la fréquentation d'Isidore, le benjamin, dont le rire réchauffait un peu l'atmosphère familiale. Zélie regardait Isidore avec émerveillement. Il avait su se faire aimer. Quand il était turbulent pendant la messe, Louise-Jeanne souriait. Seul de la maisonnée, il semblait avoir pleinement le droit de profiter de l'existence.

Marie-Louise, très efficace dans le travail domestique, secondait sa mère. Heureuse de se perdre dans des occupations de Cendrillon, elle trouvait dans le presque rien de la poussière son extase à elle. Zélie se rabattait d'autant plus sur Isidore, mais il grandissait. Elle ne pouvait plus comme autrefois l'habiller, l'embrasser en lui nouant son cache-nez, ni même aider à ses devoirs, car l'enfant déjà la dépassait dans les études. A sa grande vexation, il était alors assez chétif, semblait lui aussi plus jeune que son âge. Il ne voulait plus être le joujou, le bébé chéri. Il tendait vers le jeune homme. Il tâchait de compenser l'étroitesse de ses épaules en se tenant très raide, avançait le menton. Il avait, plus que ses sœurs, la bouche Guérin, serrée, volontaire. Il se voyait un avenir de notable. Alençon le respecterait. Isidore avait le goût des études et tout garnement qu'il fût par ailleurs, il travaillait d'arrache-pied. Déjà, il passait le portail du lycée, laissant Zélie sur le trottoir, admirative et désemparée. Il était très fier de son uniforme de lycéen, avec sa tunique d'allure militaire et ses boutons rutilants. Il adorait ses sœurs mais rêvait d'échapper à leur tutelle.

Mon grand-père Guérin, croyant aux vertus de l'éducation, n'avait pas cru bon d'en priver ses filles. Il avait accompli un sacrifice financier en les envoyant au Sacré-Cœur. Marie-

Louise et Zélie garderaient le meilleur souvenir des années passées chez les dames de l'Adoration Perpétuelle, celui d'un paradis de tendresse et de sagesse préservée. Elles y furent élevées dans l'adoration du couple de la Mère et du Fils. Les congrégations du Sacré-Cœur de Jésus et de Marie avaient été fondées en 1800. Ces œuvres éducatrices reprenaient le culte du Sacré-Cœur introduit dans l'Église en 1686 par une mystique, Marguerite Marie Alacoque.

Cette orpheline de père était une scrupuleuse, obsédée par la théologie de la faute développée par saint Paul. Elle ne pouvait souffrir aucune tache dans son âme ni dans son cœur. Elle avait fait vœu de perfection, mais il lui semblait que Jésus ne saurait jamais être satisfait d'elle. Toujours la crainte de la tache la poursuivait. Elle se voulut le jouet de l'amour, une hostie vivante. Dans son couvent de Paray-le-Monial, elle se blessa les doigts à coups d'aiguille, coucha sur un lit de pots cassés, et écrivit le nom de Jésus sur son cœur avec la flamme d'une chandelle. Elle était en adoration devant le cœur saignant et palpitant de Jésus. Cette image du cœur rouge surmonté d'une croix connut bientôt une diffusion extraordinaire. Quel être humain n'a pas ressenti au fond de lui cette béance que rien ne saurait apaiser? Pour Marie Alacoque, l'amour et la souffrance de la Vierge étaient reliés à ceux de son fils Jésus. La dévotion du Sacré-Cœur s'inscrivit donc dans le renouveau du culte marial qui marqua si fort la jeunesse de ma mère et de ma tante. Il y avait chez les dames de l'Adoration Perpétuelle une extraordinaire intuition des perceptions de l'âme enfantine, qui amenait beaucoup de mères chrétiennes à leur confier leurs enfants.

Grâce aux attentions des religieuses, Zélie vit dans la lecture, non pas la source des terreurs de l'au-delà, mais une échappée dans un monde pieux et calme où l'on trouve le bonheur dans les bras de Jésus. Elle travaillait avec acharnement. Son style agréable, son caractère consciencieux la firent aimer des sœurs. Elle avait déjà le goût de s'exprimer par la plume, cette silencieuse. Peut-être, chez Maman, cette passion de la plume correspondait-elle à l'intuition d'un destin familial à transmettre dans le moindre détail, pour qu'à l'avenir rien ne soit perdu de ces aventures anodines sur lesquelles, plus tard, inlassablement, se pencheront les affamés du mystère.

Marie-Louise, qui était avec elle au couvent, lui paraissait incarner un idéal de bonté et de sagesse, contrairement à Isidore, qui chapardait des pommes au marché et n'hésitait pas à ouvrir le tonneau de cidre pour se venger, quand on l'avait enfermé à la cave pour le punir d'une première bêtise. Il semblait à Zélie qu'on pardonnait tout à son frère, et rien à elle. Elle prit le relais et se pardonna encore moins. Les sœurs voyaient là un caractère exemplaire, mais Marie-Louise s'inquiétait en retrouvant chez sa cadette l'aptitude à se tourmenter dont elle-même tentait de se corriger. Et toujours flamboyait au-dessus de leurs têtes enfantines le grand cœur sanglant et fumant traversé d'une plaie béante...

Zélie se sentait donc d'autant plus incomprise qu'elle trouvait Isidore trop bien compris. C'est sans doute de cette comparaison qu'elle tira l'idée de n'avoir jamais assez bien fait. Une autre se serait résignée, fermée. Ma mère, d'un caractère acharné, sut faire une force de sa faiblesse et parce qu'elle ne croyait jamais assez bien faire, elle prit l'habitude de faire très bien. Le couvent fut le premier endroit où ce « très bien » fut reconnu. Elle se souviendrait plus tard, avec une fierté naïve, d'avoir eu le premier prix de style et d'avoir été onze fois première sur onze compositions. Elle s'en vantera gaiement auprès d'Isidore parti à Paris continuer ses études. Car le benjamin ne s'arrêterait pas au secondaire. Une éducation de bourgeois coûte cher. Celle d'Isidore devait manger la dot de Zélie. Elle se sacrifia volontiers. Cette privation lui ouvrait une voie nouvelle, celle du travail. Un travail extérieur, rémunéré, mais lequel ? Zélie demanda l'aide de la Vierge. Elle lui parlait de plus en plus souvent. Il lui semblait que la Madone l'écoutait. Et le 8 décembre 1851, pour la première fois, elle répondit. Zélie entendit sa voix et un bonheur très vif l'inonda. Elle sut qu'elle ne s'était pas perdue. La voix était à l'intérieur de Zélie. Elle la reconnut immédiatement. C'était celle de ses rêves d'enfant.

# Le point d'Alençon

«Fais faire du point d'Alençon», murmurait la Vierge, très calmement, dans la tête de Zélie. Elle venait de lui indiquer une méthode pour trouver l'oubli d'elle-même. Zélie se jeta dans le travail avec la passion d'une amoureuse. Elle y vit un martyre à sa portée.

Le point d'Alençon fut une manière de réparer le tissu troué de sa vie. Cette voix signala pour Zélie l'acquisition de cette mère intérieure sans laquelle une femme ne peut advenir comme telle.

Rien de surprenant dans cette idée. Alençon fabriquait surtout de la toile de chanvre et de la dentelle. Il y avait alors huit mille dentellières; c'était le métier féminin par excellence. Ma mère connaissait déjà ce travail. Elle en avait appris les rudiments à l'école. Zélie se croyait rien ou presque rien. Or, la dentelle d'Alençon se fait avec presque rien. La dentellière part d'un fil de lin, d'une finesse presque invisible.

La légende raconte que le point d'Alençon fut inventé par Marguerite de Lorraine, fille du duc qui fut le compagnon de Jeanne d'Arc. Marguerite était d'une grande bonté. On l'appelait «Mère de toute charité». Elle faisait de la dentelle pour Dieu et participait à sa manière à la construction des cathédrales. Aux femmes, on autorise ce qui est petit. Les pièces réalisées par Marguerite étaient belles comme des vitraux. Les églises en étaient illuminées. En 1521, pensant avoir fait assez de dentelle, elle devint clarisse à Argentan.

Zélie se rêvait à l'imitation de Marguerite. La dentelle lui donnait une mère de pensée. Elle pourrait ainsi, cette jeune fille pauvre qui n'était point duchesse, orner les églises à force d'œuvres éblouissantes, de toiles merveilleuses.

Faire de la dentelle, c'est remplir le vide. Pour confectionner le point d'Alençon, la dentellière n'utilise pas de fuseau. Le doigt est son instrument. Le point d'Alençon, occupation noble, est plus qu'un artisanat. C'est un art féminin, voué aujourd'hui à l'oubli, dévoré par le temps. Les dernières dentellières finissent de s'user les yeux. Qui aurait encore cette patience ?

Ma mère, heureusement, avait une bonne vue, condition préalable et nécessaire. Elle entra dans une école spécialisée pour perfectionner sa connaissance des neuf points de base. Ensuite, les dentellières choisissent, se spécialisent. Chacune travaille toujours le même point. C'est un art collectif. Chaque morceau ne fait pas plus de vingt centimètres. Ensuite vient la partie la plus délicate du travail : assembler les morceaux entre eux afin d'obtenir une pièce finale aux dimensions exigées. L'aiguille est alors infiniment fine, le fil plus mince qu'un cheveu. Tordu à trois brins, il en faut cent mille mètres pour faire une livre. Rien ne doit se voir, on tisse l'invisible. Il faut vingt-cinq minutes pour réaliser un centimètre de soudure. L'abnégation est nécessaire, car la pièce terminée n'appartient en propre à aucune des ouvrières.

La Vierge n'avait pas conseillé à ma mère de faire de la dentelle, mais d'en faire faire. Elle ne devint pas simple ouvrière. Elle concevait des modèles, et les faisait réaliser. Les belles dames se disputaient ce point, qui ne voile de la peau que les imperfections, à travers lequel le teint paraît plus crémeux, la peau plus douce. Ces dentelles ornèrent donc aussi bien les autels que les toilettes des élégantes. Le point d'Alençon était en matière de parure ce qu'il existait de plus beau. C'était ce que se répétait Zélie lorsque ses doigts, à force de travailler, se faisaient gourds, que ses yeux se brouillaient à n'en plus distinguer les fils minuscules, que son crâne, à force de vigilance, sentait retentir les coups violents de la migraine. La Vierge l'avait choisie pour fabriquer de la beauté.

## Femme d'entreprise

Elle réfléchissait à tout ce qu'impliquait cette phrase qui lui tournait dans la tête et qu'elle répétait comme une formule magique. La phrase tournoyait en elle plus vite encore lorsqu'elle se retrouvait prise d'un de ces terribles accès de migraine qui lui donnaient envie de hurler de douleur. A l'intérieur, quelque chose palpitait, un oiseau de paroles impossibles se heurtait aux parois de son crâne, des sentiments inconnus se débattaient. Ces migraines inquiétaient la famille. Les médecins n'y comprenaient rien. Zélie, pour se calmer, se répétait que la Vierge lui avait parlé. Au bout d'un moment, l'oiseau captif cessait de se débattre et alors ma mère, envahie d'une grande exaltation, se répétait encore: «Fais faire du point d'Alençon...»

A l'école des dentellières, Zélie se montra très douée. Les pièces qu'elle réalisait étaient exposées. Lorsqu'elle était occupée à créer une de ces fleurs admirables, son visage se transfigurait. Sa sévérité s'effaçait derrière une douceur incomparable. Un des directeurs s'en aperçut et l'entoura d'attentions malvenues. Ma mère interrompit alors son apprentissage.

Elle avait vingt-deux ans lorsqu'elle quitta l'école dentellière d'Alençon pour s'installer à son compte, 36, rue Saint-Blaise. Le salon du rez-de-chaussée de la maison parentale donnait sur la rue. On ne l'utilisait que rarement, on menait encore une vie trop modeste. Elle y installa son bureau. Elle avait réussi à entraîner Marie-Louise dans l'aventure. Le fil de lin ténu mais si solide tisserait entre les deux sœurs un lien plus étroit encore. La présence de Marie-Louise, sérieuse et posée, rassurait les parents, car Zélie manquait encore beaucoup de confiance en elle.

Louise-Jeanne et Isidore étaient bien soulagés de voir subvenir à leur entretien, par une occupation respectable et considérée, ces deux filles qui ne se mariaient pas.

Ma mère travaillait à façon. Elle organisait, trouvait et prenait les commandes, distribuait le travail aux ouvrières qui œuvraient à domicile. Elle décidait du dessin des pièces, recueillait les morceaux et veillait à leur impeccable rassemblement quand elle ne s'en chargeait pas elle-même. Ses ouvrières étaient de tous âges. Certaines attendaient un fiancé, d'autres étaient veuves ou mères de famille. Elles contribuaient ainsi à l'équilibre financier de leur ménage.

Le travail à la maison favorisait la popularité de la fabrication de la dentelle. Les familles n'aimaient pas voir leurs femmes et leurs filles dehors, dans ces lieux de perdition qu'étaient usines et magasins. Il suffisait de venir une fois par semaine, au jour fixé, livrer le travail à la demoiselle Guérin. Le jeudi, jour de marché et de réception des ouvrières, Zélie déployait une autorité nouvelle. Elle savait se faire respecter et même aimer. Elle ne voyait pas là qu'un commerce. La dentelle était devenue pour elle une passion. Elle ne se plaisait plus qu'assise à sa fenêtre, assemblant les pièces, relevant parfois la tête pour voir qui passait dans la rue. Ne sortaient des mains de Zélie, aux doigts déchirés par les piqûres d'aiguille, que des œuvres parfaites. Sa renommée s'étendit peu à peu. Ses pièces se vendaient cher, l'argent commençait à rentrer. Elle bénéficiait d'une considération nouvelle, qu'elle n'eût pas auparavant rêvé d'obtenir. Elle était délivrée du pénible sentiment de solitude qui l'avait oppressée. Elle avait auprès d'elle Marie-Louise, mais nouait aussi des relations avec ses ouvrières, qu'elle considérait comme une famille élargie, et avec ses clientes. Parmi elles se trouvait un certain nombre de belles dames d'Alençon. Zélie les observait. A leur contact, son goût se formait. Elle apprenait à se tenir, à s'habiller, à comprendre la mode. Pour imaginer le dessin des pièces, elle doit savoir ce qui plaît. Le point d'Alençon est de plus en plus en vogue. En 1858, Napoléon III paya vingt mille francs une robe sortie d'une fabrique d'Alençon qu'il offrit à l'impératrice. Celle-ci, la trouvant trop belle pour un usage mondain, la fit transformer en rochet et l'offrit au pape. Zélie pensait souvent à l'impératrice. Elle contemplait les gravures qui la représentaient. Il lui semblait qu'elle aussi veillait sur sa vie.

Il était pourtant difficile d'avoir une clientèle régulière, sur laquelle on pût compter. Le bouche à oreille fonctionnait lentement. Les clientes avaient leurs habitudes, il existait beaucoup de fabriques à Alençon, certaines importantes. Encore très jeune et très timide, Zélie craignait le commerce. Elle savait qu'à Paris une bourgeoisie nombreuse était prête à payer la dentelle fort cher. Il fallait donc aller à Paris...

## La mer de cristal mêlée de feu

Zélie ne se sentait pourtant pas le courage de faire le voyage. La grande ville l'effrayait. Vanter ses propres qualités était au-dessus de ses forces. En 1856, mon grand-père accompagna dans la capitale Marie-Louise, effarouchée, qui argumenta avec l'énergie du désespoir. La maison Pigache accepta de vendre le travail de Zélie, qui en devint la factrice. Zélie ne mesura pas l'étendue du sacrifice effectué par sa sœur. Le voyage à Paris fut toute une affaire. Marie-Louise prit froid, attrapa un mauvais rhume, qui, au retour, refusa de guérir. Le médecin diagnostiqua la phtisie. Il informa sans ménagements ma grand-mère que Marie-Louise n'en avait plus que pour trois mois.

Devant la perspective de sa mort, ma tante trouva le courage de prendre une décision difficile. Zélie était lancée dans la vie. Isidore réussissait ses études. Il semblait maintenant à Marie-Louise que le temps allait lui manquer pour réaliser son propre rêve.

La faiblesse pulmonaire n'était pas son seul handicap. Son éducation trop sévère aux mains d'une mère qui croyait que les enfants étaient les proies faciles du démon avait provoqué chez elle une inclination à se croire mauvaise. Elle traquait sans cesse le mal en elle-même et il lui semblait que le ménage intérieur, qu'elle accomplissait avec plus de férocité encore qu'elle ne traquait la poussière dans les recoins de la maison de la rue Saint-Blaise, était toujours à reprendre. Comme Marie Alacoque, elle se voulait parfaite, en souvenir des deux meilleures années de sa jeunesse, passées chez les dames de l'Adoration Perpétuelle. Ces religieuses avaient senti chez Élise (surnom inversé de celui de ma mère qu'on lui donnait souvent en famille) la vocation du cloître. Elle était partie du couvent la mort dans l'âme et s'était secrètement juré d'y revenir.

La moindre pensée était pour elle l'occasion de doutes torturants : avait-elle le droit de penser ainsi, était-ce condamnable, pourquoi avait-elle choisi d'agir de cette manière ? Elle pourchassait sans cesse un mal invisible. Ma grand-mère, inconsciente du martyre de sa fille, lui reprochait le moindre grain de poussière oublié, l'ombre sur un couvert, la trace légère sur une vitre. Marie-Louise recommençait nettoyage et polissage, mais elle s'affaiblissait insensiblement, exténuée par ses propres exigences.

Elle rêvait d'être clarisse, religieuse pauvre parmi les pauvres. Elle avait résolu de vivre hors du couvent comme elle l'eût fait à l'intérieur. Elle se sous-alimentait, travaillait trop, maigrissait, toussait en cachette. Elle était habile à dissimuler la souffrance. La famille avait pris l'habitude de compter sur elle et ne remarquait rien. L'attaque de phtisie fut l'éclatement foudroyant d'un mal que Marie-Louise avait favorisé par des efforts prolongés et secrets dont elle n'avait pas imaginé l'aboutissement désastreux.

Dans l'Apocalypse, Jean, le jour du Seigneur, eut une vision. Le ciel s'ouvrit, et retentit une voix qu'il avait déjà entendue et qu'il reconnut pour divine. « Voici, un trône était dressé dans le ciel, et siégeant sur le trône, quelqu'un... » La vision célèbre l'Agneau égorgé : « Digne est l'Agneau égorgé de recevoir la puissance, la richesse, la sagesse, la force, l'honneur, la gloire et la louange. »

Qu'on imagine un esprit d'enfant recevoir sans préparation ce message de sacrifice inspiré davantage par la peur que par l'amour : « Alors il se fit un violent tremblement de terre, et le ciel devint noir comme une étoffe de crin, et la lune devint tout entière comme du sang, et les astres du ciel s'abattirent sur la terre comme les figues avortées que projette un figuier tordu par la tempête, et le ciel disparut comme un livre qu'on roule et les îles s'arrachèrent de leurs places. »

La description de la colère de l'Agneau, les cris de la Femme dans les douleurs de l'enfantement, l'apparition du Dragon rouge à sept têtes et à dix cornes, ces messages terribles s'étaient imprimés dans le cerveau de la petite Marie-Louise avec une puissance unique, exceptionnelle, celle des premiers textes lus. Ils avaient façonné à jamais sa vision du monde. Chez un autre enfant, cette expérience aurait pu produire une horreur de la religion. Mais la majesté étrange du texte, sa beauté d'un autre âge séduisirent la petite Élise. Elle comprit que pour ceux qui savent prier, se trouve un accès au ciel.

Elle entreprit de s'aguerrir, de ne pas éviter la souffrance et le sacrifice mais de les rechercher, puisque c'est l'Agneau «comme égorgé» qui est digne de prendre le Livre et d'en ouvrir les sceaux. Il ne s'agissait pas de se précipiter dans la mort, mais d'accepter des souffrances si extrêmes qu'elles soient comme des milliers de petites morts dans la vie. Elle travaillait à vaincre sa peur, afin de ne pas se cacher pour éviter la colère de Dieu le jour où elle se déclarerait : cette colère par laquelle toutes grandes et avec fracas les portes du ciel s'ouvriraient. Elle verrait les sept candélabres, les sept étoiles, la bouche dont sortirait l'épée à double tranchant, et le visage comme le soleil qui brille dans tout son éclat. Et elle savait qu'il lui faudrait pour cela apprendre à être comme morte, tout comme Jean à cette vue était tombé aux pieds de Dieu, comme mort. C'était arrivé alors que Dieu avait posé sur Jean sa main droite et lui avait dit : «Ne crains pas, je suis le premier et le dernier, le Vivant ; je fus mort, et me voici vivant pour les siècles des siècles.»

Jésus, pour avoir été mort, détenait désormais la clé de la vie. Marie-Louise était sans doute la première de notre famille à souffrir cette maladie de l'absence qui est une nostalgie de l'Unique. Comme Zélie, elle avait été séparée trop tôt d'une mère qui l'avait jetée violemment dans la solitude de la vie, mais si Zélie et Isidore eurent Marie-Louise pour adoucir leur sort, Marie-Louise n'eut personne d'autre. Ma grand-mère l'avait retirée trop vite de cette contrée de tendresse que partagent la mère et l'enfant dans les premiers temps de la vie, et Marie-Louise avait tant bien que mal pansé une blessure qui ne devait jamais guérir, inaugurant le cycle de la séparation et de son refus qui se transmettrait désormais de mère en fille et de sœur en sœur, d'elle à ma mère Zélie, de Zélie à mes sœurs aînées et à moi-même.

A l'issue des semaines grises, les deux sœurs trouvaient un répit le dimanche à l'église, dans la beauté des chants et des formules répétées, dans la lumière colorée des vitraux rompant la pénombre, dans l'odeur de l'encens, dans la blancheur et le chatoiement des vêtements des prêtres et des servants, dans les fleurs et les dentelles de l'autel, dans les statues de la Vierge et des saints, et surtout, dominant tout, dans l'image de Celui qui avait été humilié, abandonné. Là était le lieu où la déchirure pouvait être réparée. Celui qui avait bu d'avance et pour tous les autres la lie de toutes les séparations et de tous les abandons. Marie-Louise, qui s'était sentie comme morte, levait les yeux vers Celui qui avait été comme mort, elle y trouvait la force de vivre et elle la transmettait à Zélie. Elle comprenait que la solitude n'était pas son seul pays, et que l'exil intérieur, grâce au Christ, peut devenir asile. Et, comme elle l'avait voulu, elle fut plongée dans la mort, et en fut sauvée par l'intercession de la Vierge de La Salette.

La Vierge de La Salette était apparue en 1846, dans l'Isère près de Grenoble, à deux jeunes bergers. Le récit de ces enfants produisit par sa simplicité un effet extraordinaire. Une foule de pèlerins accourut sur la montagne. Les extases renouvelées des enfants multiplièrent les conversions et les communions. L'eau de La Salette fut réputée miraculeuse. On accordait beaucoup d'importance à ces guérisons en ces années où le choléra terrifiait. Les messages des jeunes bergers furent relayés par la presse et les lettres des pèlerins à leurs prêtres. La Vierge leur disait que Dieu était offensé. Il fallait faire des neuvaines pour apaiser sa colère. Marie-Louise, qui vivait toujours dans le tremblement de la fureur divine, trouva là un langage familier. Elle avait dû l'offenser gravement pour qu'il voulût la faire mourir avant qu'elle ne fût prête et n'eût connu le bonheur du cloître.

Ma tante fit une neuvaine à la Vierge de La Salette, et elle se remit. La Vierge la sauva, les médecins n'en revinrent pas.

Miraculeusement, elle survécut, et malgré des rechutes, elle se sentit suffisamment digne au regard de Dieu, le 7 avril 1858, pour s'autoriser le cœur tremblant à frapper à la porte de la Visitation du Mans. Elle dit à la Supérieure : « Je viens ici pour être une sainte. » Elle avait vingt-huit ans et elle en était convaincue. D'autant que Zélie, elle, avait renoncé à cette ambition, et gagnait maintenant assez bien sa vie avec sa dentelle.

La Supérieure, malgré l'excellente impression que lui fit d'emblée la jeune femme, s'effraya en apprenant les graves attaques de tuberculose qu'elle avait subies. Mais Marie-Louise croyait maintenant plus que jamais à la force de la prière. Elle se disait que ce que la Vierge avait déjà fait pour elle une fois, c'est-à-dire l'impossible, elle le referait, et elle le refit en effet. Passant outre aux consignes habituelles, la Supérieure se laissa fléchir et accepta finalement Marie-Louise comme visitandine. Ainsi Marie-Louise pourrait affronter la colère de Dieu, cette mer de cristal mêlée de feu, selon Marie Alacoque.

## *Voici celui...*

Les dames du Sacré-Cœur, puis l'école des dentellières, puis la fabrique, cela faisait déjà pour Zélie un joli parcours. Le succès l'épanouissait. Elle se rencognait moins, au contraire elle se dépliait. On la trouvait distinguée. La fréquentation de ses pratiques la rendait moins farouche. Par les commandes qu'elle recevait, elle entrevoyait des mariages, des fiançailles, des fêtes. Elle se sentait étrangère à tout cela, mais en faisant des parures pour les autres, elle se parait en rêve. Avec le départ de Marie-Louise, la perspective d'une chaste vie à deux partagée dans la douceur à l'abri du monde s'estompait. Isidore lui aussi grandissait et s'éloignait. Le cœur lourd, Zélie envisageait une vie seule avec ses parents dans la maison de la rue Saint-Blaise.

Louis, de son côté, s'habituait à sa vie de célibataire. Ma grand-mère Martin s'en inquiétait. Elle voulait des petits-enfants, Louis étant des siens le seul qui lui restât. Où trouver pour lui une femme qu'il pût accepter? Fanie observait soigneusement les jeunes filles. L'une était coquette, l'autre très pauvre, la troisième bien peu jolie. Comme tant de femmes à Alençon, elle faisait de la dentelle à ses heures. Les cours de perfectionnement représentaient une manière industrieuse de sortir de chez soi et d'être en société. C'est là qu'un jour, elle rencontra Zélie et la remarqua. Elle vit en elle, en plus du sérieux et de la vivacité, une façon d'être retirée qui lui fit penser à Louis. Elle lui adressa gentiment la parole. Le visage grave se fondit dans la douceur.

Zélie ne savait pas encore qu'elle avait devant elle la mère du beau jeune homme aux boucles châtaines, croisé peu auparavant, le 8 décembre, sur le pont Saint-Léonard. Louis, le regard toujours lointain, n'avait pas semblé remarquer la jeune dentellière. Zélie, elle, avait perçu cette même expression nostalgique qui les appariait d'emblée. C'est alors que pour la deuxième fois, elle entendit résonner la voix maintenant connue qui lui disait : « Voici celui que j'ai préparé pour toi. »

Zélie baissa les yeux et passa le pont. A ses pieds, l'eau était grise et des courants l'animaient. Un petit vent glacé jouait avec ses jupes. Mais Zélie se moquait du froid désormais. La Vierge avait mis sa vie sur la voie, tout se résoudrait. Ce désespoir qui avait rongé les poumons de Marie-Louise, ce désespoir que provoque le manque de tendresse et qui troue le cœur, Zélie désormais pourrait le vaincre. Le vide béant laissé par l'absence des mots d'amour était habité maintenant par cette voix ferme et douce qui lui avait déjà parlé deux fois. La Vierge avait guéri Marie-Louise mais elle habitait Zélie. Elle était devenue une partie d'elle-même, elle n'aurait plus à la chercher derrière les murs d'un couvent. Marie-Louise partirait mais un homme viendrait vers Zélie, prendrait la place de sa sœur et plus encore. Il la protégerait des maux de la vie. Au moment de quitter le pont, elle se retourna et vit s'éloigner, la taille élégamment prise dans sa redingote, celui qui n'avait pas encore de nom, qui venait de croiser sa destinée sans le savoir. « Faites vite maintenant car j'ai beaucoup attendu », souffla Zélie à celle qui vivait en elle. La Vierge, cette fois, ne répondit pas et la jeune fille sut qu'elle devrait encore être patiente.

# Rencontre

Les jours suivants, le cœur de Zélie tressaillit dans sa poitrine. Il se cognait aux parois, semblait vouloir s'échapper, rejoindre à tire-d'aile le bel inconnu du pont qui habitait quelque part dans cette ville. Pendant ce temps, l'impatience de la jeune fille trouvait un écho mystérieux dans celle de Fanie qui, la revoyant au cours de dentelle, lui demanda son nom. Elle s'appelle Marie-Azélie Guérin, confia-t-elle à un prêtre. Le prêtre se renseigna plus avant. Zélie était irréprochable, on se demandait pourquoi elle ne s'était pas encore mariée. Peut-être un trop grand attachement à une sœur malade... Mais cette sœur projetait de partir au couvent.

Fanie parla à son fils. Elle lui dit que cette jeune fille-là n'était pas comme les autres, qu'elle l'attendait sûrement. D'ailleurs, il était temps parce qu'elle, Fanie, vieillissait. Ce n'est pas le rôle d'une mère d'être le soutien de son fils adulte. Lorsqu'il sut que Zélie, elle aussi, était sous le coup d'une vocation religieuse frustrée, Louis se prit à espérer. C'était un argument décisif.

Le dimanche à l'église, Fanie désigna Zélie à Louis. Zélie reconnut le jeune homme du pont, vit qu'il la regardait. Elle n'en fut pas surprise mais se réjouit. Elle baissait pourtant les yeux, craignant de l'effrayer par l'aveu d'un amour trop longtemps contenu qui ne demandait qu'à déborder. Elle se souvint qu'elle était une jeune fille très sage et releva les yeux pour les fixer sur la statue de la Vierge. L'espace d'un instant, le visage de pierre sembla s'éclairer.

Les prêtres avaient aplani le terrain. Avec des jeunes gens aussi singuliers, on ne pouvait pas s'en remettre aux caprices du flirt. La famille Guérin s'était montrée favorable. Les prêtres parlèrent séparément aux deux jeunes gens. Comme ils regardaient obstinément vers le ciel, il fallait les persuader qu'ils en verraient chacun le reflet dans les yeux de l'autre. L'idée qu'ils avaient au fond du cœur la même blessure profonde et le même refus décida Louis. Dieu leur avait refusé le cloître, dirent les prêtres, parce qu'il voulait les voir Le servir dans le mariage. Louis était satisfait de son célibat mais il lui venait parfois des tentations. Il se souvint des mots de saint Paul dans l'Épître aux Corinthiens : «Je dis toutefois aux célibataires et aux veuves qu'il leur est bon de demeurer comme moi. Mais s'ils ne peuvent se contenir, qu'ils se marient! Mieux vaut se marier que de brûler.» Toutefois, il hésitait encore. Il vouait à la solitude un amour amer. «Ainsi celui qui se marie avec sa fiancée fait bien, mais celui qui ne se marie pas fait mieux encore», ajoutait saint Paul. Louis s'était souvent répété ces mots pour justifier l'isolement dans lequel il s'enfonçait avec un plaisir mêlé de regret. C'était comme une forêt profonde qui vous attire, et dont on craint qu'elle ne se referme sur vous à jamais. Mais Louis vit que l'eau pure des yeux de Zélie était plus profonde encore que la forêt de solitude. Il sut qu'il pouvait avoir confiance dans cette jeune fille. Il entrevit l'extraordinaire sensation d'apaisement et de repos que procure la rencontre d'un être avec lequel on peut être soi-même et baisser la garde. Il aurait désormais pour protection la dentelle d'amour qu'elle tisserait autour de sa vie.

## Des jours très doux

La période des fiançailles fut pour Zélie une double fête, car elle avait lieu au mois de Marie. Le joli mai, depuis toujours mois des vierges, était depuis la proclamation, en 1854, à Rome, du dogme de l'Immaculée Conception, un moment de grandes célébrations religieuses. Le pape Pie IX voulut ainsi réhabiliter le rôle social, moral et familial de la femme, en cette période où la modernisation, l'industrialisation provoquaient un relâchement des mœurs. Tous les milieux étaient touchés. Les bourgeois profitaient de leur enrichissement pour entretenir des maîtresses. Les jeunes filles pauvres partaient travailler à l'usine où elles étaient exposées à la grossièreté des hommes. Il était bien besoin d'un modèle qui redonnerait foi en les vertus féminines.

Les cérémonies du mois de Marie furent donc une célébration de la féminité, destinée à ramener les femmes sur le chemin de l'église. La république ne reconnaissait guère la spécificité féminine et la différence des sexes. Les femmes se rendirent en grand nombre à ces cérémonies qui avaient lieu pour elles et par elles. Les fleurs étaient partout. On allait dans les jardins, dans la campagne, dans les bois, cueillir des brassées qui orneraient les églises et les petits autels domestiques. Zélie aimait en entretenir un chez elle. Elle le rafraîchissait chaque jour, admirait le contraste du vert violent des feuilles et du rose tendre des pétales. Elle pouvait prier devant tant qu'elle le voulait, c'était comme sa petite chapelle.

Mais rien ne valait la splendeur des décorations de l'église. La statue de la Vierge, comme une grande poupée vivante, était noyée sous les flots de satin, de tulle et de dentelle. A la lueur des cierges, le visage d'une pâleur nacrée semblait rosir et s'animer. Les roses étaient partout, en gerbes, en couronnes. Et les chants! L'Ave Maria évidemment, mais aussi un cantique qui, depuis 1853, était sur toutes les lèvres :

> *J'irai la voir un jour*
> *Au ciel dans ma patrie*
> *Oui j'irai voir Marie*
> *Ma joie et mon amour.*

Ce chant était particulièrement cher à Zélie. L'auteur, Pierre Janin, avait été guéri par la Vierge de La Salette. Il entra alors chez les maristes et composa ce chant pour la remercier.

Dans l'église, Louis se tenait à côté de Zélie. Tous deux respiraient le parfum sucré des fleurs mêlé à l'odeur entêtante de l'encens. Les cierges, par dizaines, créaient des mouvements de lumière. Louis croyait voir passer des anges derrière les feuillages. Zélie chantait, et parmi ces nombreuses voix qui se mêlaient à la sienne, elle discernait celle de Louis, qui partageait son amour pour l'Immaculée, la Rose Mystique. «Au ciel dans ma patrie, j'irai la voir un jour», se répétait Zélie. Elle se disait cette phrase chaque fois qu'elle était triste ou rencontrait une difficulté.

## Noces

Le mariage eut lieu moins de trois mois après la rencontre. Louis et Zélie s'étaient familiarisés l'un avec l'autre. Chacun prenait la place d'un être qui s'éloignait. Zélie remplaçait pour Louis non seulement Fanie mais aussi ses sœurs disparues. Il sentait sur elle quelque chose d'une empreinte précoce de la mort et souhaitait la protéger. Louis auprès de Zélie remplaçait Marie-Louise la protectrice. Le désir n'entrait pas dans leur rapport. Ils cherchaient seulement l'un près de l'autre chaleur et soutien. Les parents de Louis accueillirent très bien Zélie. Fanie et elle continuaient à s'estimer. Le jeune couple démarrait sur un bon pied. Zélie avait douze mille francs de dot dont sept mille économisés elle-même. Louis vingt-deux mille francs, l'horlogerie, la maison de la rue du Pont-Neuf, le Pavillon, des meubles.

Zélie et Louis voulurent un mariage très simple. La cérémonie religieuse eut lieu le 13 juillet 1858 à dix heures et demie du soir. Il arrivait alors qu'on se mariât à minuit. Sous les ogives priantes de Notre-Dame, le curé de Saint-Léonard, ami de Louis, reçut le consentement des mariés. Pas de robe blanche pour Zélie, mais une simple toilette de soie sombre. Elle a déjà vingt-sept ans, Louis trente-cinq.

Il n'y a pas de nuit de noces. Il y a une nuit ensemble, l'un près de l'autre. Ils se tiennent la main. Louis a expliqué son idée du mariage, Zélie est d'accord. Elle est innocente, ne recherche ni les baisers ni les caresses. Puisqu'elle a les mêmes aspirations monastiques que lui, que les prêtres leur ont expliqué qu'ils étaient, pour cette raison, faits l'un pour l'autre, ils feront de leur union une retraite conventuelle à deux. Louis n'a pas renoncé à son rêve du Pavillon. Il a simplement mis Zélie à la place de la Madone. Elle ne pouvait rien espérer de mieux. Son époux la comprenait parfaitement.

Zélie, toutefois, attend du mariage plus qu'un compagnonnage. Elle veut des enfants. Cela va de soi. Elle est si ignorante! Il ne lui vient pas à l'idée que cette façon de s'entendre idéalement avec son mari n'est pas le meilleur moyen d'en avoir, même si pour la Vierge, cela s'est décidé ainsi. Elle ne parle de rien à personne. Elle a conclu un pacte avec Louis. Il a dit que c'était leur secret.

Louis retourna donc très vite à son horlogerie. Le jeune ménage vint habiter la maison de la rue du Pont-Neuf. Vaste et comportant plusieurs entrées, on put y aménager deux appartements distincts. Les parents occupèrent le premier étage. Zélie vaqua au ménage et retourna à sa dentelle. Elle avait installé son bureau au rez-de-chaussée, à côté du magasin. Elle était satisfaite, autant qu'elle savait l'être. Le concile de Trente avait recommandé aux nouveaux mariés de s'abstenir pendant trois jours. C'était la coutume du «mois de Tobie», toujours très pratiquée dans les milieux pieux de certaines provinces comme la Bretagne et la Manche. Simplement, dans leur cas, le mois de Tobie se prolongeait.

Ils partirent, très brièvement, en voyage de noces. Non pas pour Venise, ni même Paris, ni encore Trouville qui devenait à la mode, mais au Mans, où ils se rendirent au couvent de la Visitation, voir Marie-Louise qui priait pour le bonheur du jeune couple. Le long du chemin, Louis rappelait à sa jeune épouse cette phrase de Jean de la Croix: «Il faut tuer tous ses appétits.»

Lorsque Zélie vit Marie-Louise dans le parloir exigu, derrière une double grille, elle fut saisie d'un terrible regret. Elle repensa à la phrase de Paul, que Louis lui citait lors des fiançailles: «Mieux vaut se marier que de brûler.» Mais elle, justement, faisant partie de ceux qui peuvent se contenir, n'aurait pas brûlé! Il lui sembla soudain qu'elle avait conclu un mauvais marché. Le mariage comme un cloître, certes, mais alors pourquoi le mariage? Louis n'était que la moitié d'un abri. Marie-Louise lui manquait terriblement. Il lui semblait que si elle pouvait se trouver avec elle derrière ces murs, elle aurait tout ce qu'elle désirait. Il lui vint un grand accès de nostalgie à l'égard de sa sœur qui lui était enlevée et dont l'état lui paraissait bien supérieur au sien. C'était trop de changements, d'émotions, de nouveautés. Elle avait peur de la vie comme lorsqu'elle était enfant. Le corps d'homme de Louis près d'elle lui sembla très étranger. Elle devinait autre chose en lui qu'elle ne connaissait pas, qui l'inquiétait.

Une détresse violente la submergea brusquement comme une très haute vague. Zélie, la raisonnable, la calme, éclate en sanglots. Elle écrira plus tard à sa fille Pauline que ce jour-là, elle a cru pleurer d'un coup les larmes d'une vie.

Louis est atterré, désarmé. Il ne sait pas consoler cette femme qui pleure. Il comprend que Zélie a besoin d'être seule avec celle qui serait désormais sœur Marie Dosithée. Il s'éloigne et Zélie raconte tout à Marie-Louise. Celle-ci, voyant l'état de sa sœur, craignait plutôt des brutalités. Au contraire, explique Zélie, Louis a voulu prendre pour exemple le mariage de la Vierge et de saint Joseph, qui vécurent mariés dans une continence perpétuelle. Après eux, plusieurs saints vécurent le mariage comme une pure union du cœur, renonçant au commerce charnel. Le modèle du mariage, pour Louis, était l'union spirituelle de Jésus-Christ avec son Église. Zélie, avec son mari, pourrait peut-être atteindre cette perfection dont les dames de l'Adoration Perpétuelle leur avaient autrefois donné un exemple en la bienheureuse Marie Alacoque. Ce mariage pourrait ainsi ouvrir à Zélie cette voie de sainteté à laquelle elle avait cru devoir renoncer.

Marie-Louise comprend parfaitement. Elle réconforte, apaise. Elle a tout fait, avant de partir à la Visitation, pour s'assurer que Zélie avait trouvé sa voie. Le couvent, Marie Dosithée le vivra pour deux, elle partagera sa vie avec Zélie à distance. Zélie s'est engagée, par le sacrement du mariage, à rester unie à Louis pour le meilleur et pour le pire. Les crises de nerfs sont fréquentes chez une jeune mariée. Ce qui tourmente ma mère, c'est son grand défaut, sa propension à se rendre la vie difficile, à se refuser le bonheur. Elle est à nouveau travaillée par le scrupule et ses accès de dépression qu'elle appelle des états désertiques. Elle doit se reprendre, elle le doit à son mari. Zélie a un destin de réussite dans le travail. La grande Thérèse d'Avila, lorsqu'elle créait un monastère, savait marchander pour acheter la terre. C'était une femme d'affaires avisée. Zélie doit comprendre qu'elle se rend utile à Dieu en faisant fabriquer de la dentelle qui vient orner les églises, et en permettant à de pauvres femmes de gagner honnêtement leur vie, les préservant ainsi du péché.

Pendant le voyage de retour, Louis entoure Zélie de ses bras comme le faisait Marie-Louise dans les moments de grande souffrance. A Alençon, la famille, voyant les traits tirés de la jeune mariée de retour de ce curieux voyage de noces, pense que l'époux a bien accompli son devoir.

## Une union si pure, des bras si tendres

Marie-Louise resta inquiète. Comment Louis supporterait-il la fragilité des nerfs de Zélie, ses accès violents de mélancolie ? Sa sœur écrivait sans cesse. Les accès de migraine avaient repris. Zélie, à Alençon, pensait toujours à la Visitation. Elle regrettait son mariage. Elle se voyait aux côtés de Marie Dosithée, marchant dans le parc du couvent, dans une blancheur absolue, une lumière transparente. Le plus souvent possible, elle retournait voir Marie-Louise. Pendant ces visites seulement, elle atteignait la paix. Elle rêvait de se cacher dans un recoin du couvent, pour qu'on ne la retrouve jamais. Marie-Louise était obligée de lui rappeler ses devoirs et de la renvoyer. Le couvent pour l'une, le mariage pour l'autre auraient dû distendre le lien si fort entre les deux sœurs. Mais Zélie ne pouvait l'accepter. Après chaque visite, elle repartait en larmes.

Louis était un saint homme, comme elle le dirait bientôt. Encore un saint ! Il ne manifesta ni jalousie, ni impatience, ni dépit. Il apprit à consoler. Zélie lui semblait d'autant plus proche qu'elle souhaitait s'éloigner de lui. C'est ainsi que sa femme lui parut vraiment sa femme. Car la douleur qu'elle exprime, c'est la sienne, il la reconnaît. Ce désespoir, il l'a éprouvé lui aussi. Alors qu'il tentait de calmer les sanglots de Zélie, il le revivait à travers elle, et à travers elle, il le dépassait. Zélie ne se défit jamais vraiment de la nostalgie du cloître, mais Louis, en cette période, parvint à s'en détacher définitivement. Il trouva une raison de vivre en compatissant.

Peu à peu, Zélie s'aperçut que son affection pour Louis, loin d'être compromise, se trouvait accrue. Les tristesses partagées les unissaient mieux qu'un acte de chair. Louis apportait à Zélie ce qu'elle attendait : un soutien sans faille. Dans la joie comme dans la détresse, il serait toujours à ses côtés. Fanie, inquiète dans les premiers temps, observait l'évolution du jeune couple. Elle vit que Zélie guettait le retour de Louis de la boutique, trouvait des prétextes pour aller le voir. On sentait la tendresse entre eux. Tout était gagné.

Pas encore. A nouveau, Fanie s'inquiète. Aucune grossesse ne s'annonce. Elle confie son souci au prêtre. Le confesseur de Louis le fit parler et l'assura qu'il ne convenait pas de prendre trop à la lettre les idées de saint Paul. Il y avait là une forme d'orgueil et un fourvoiement. Ils devaient accepter pleinement leur condition humaine. Si Dieu les avaient destinés au cloître, ils y seraient entrés. Mais Dieu les avait destinés au mariage, et le but du mariage était la procréation. Zélie ne devait pas attendre plus longtemps un miracle impossible. Elle plairait davantage à Dieu en faisant ce qu'il fallait pour mettre des enfants au monde.

Louis et Zélie avaient démontré leur capacité à vivre selon leur idéal. Continuer dans cette voie ne leur eût pas coûté : elle leur semblait douce. Mais Louis admit que le refus d'un commerce charnel était, d'une certaine manière, un refus des desseins célestes.

Ils avaient attendu d'être vraiment proches. Bien des mariages commençaient par un viol commis par un étranger sur une étrangère. Mon père et ma mère surent pleinement s'aimer, ils étaient vraiment mûrs pour accomplir leur mariage. Maintenant ils partageaient tout. Dieu leur réservait une part de son royaume qu'ils ignoraient encore.

Louis ne serait jamais l'ennemi de Zélie, elle le connaissait trop bien. Elle ne serait pas non plus cette oie blanche livrée malgré elle. Leurs corps, pour s'être côtoyés, s'étaient apprivoisés.

L'acte horrifiait souvent les femmes de ce temps parce qu'il leur était imposé. Zélie en venait maintenant à penser, selon les mots d'un obscur évangile, que «le Royaume des Cieux arrivera lorsque l'homme et la femme seront nus, et qu'ils n'en auront pas honte».

La décision prise par le couple apporta rapidement la preuve de sa pleine union. Zélie se trouva enceinte. Le 22 février 1860, elle accoucha d'une première fille. On la nomma Marie-Louise en l'honneur de sa tante qui devint sa marraine. On prendrait vite l'habitude de l'appeler simplement Marie. Elle était offerte à la Vierge, que Zélie remerciait de son bonheur.

Ce bonheur, un événement l'assombrit: un an après son mariage, Zélie perdit sa mère, emportée à cinquante-cinq ans, le 9 septembre 1859, par une congestion cérébrale. Déjà la naissance et la mort se trouvaient mêlées.

## Maternité

Zélie, par cette première maternité, retrouvait cette Marie-Louise qu'elle ne s'était jamais consolée de perdre. Ma sœur aînée entendrait sans cesse parler de ma tante, et lorsqu'elle serait en âge, ma mère l'enverrait en pension à la Visitation du Mans, confiant à sœur Marie Dosithée son éducation.

Louis le vierge se transforma volontiers en procréateur. Il se révéla aussi bon père que bon mari. La paternité ne lui sembla pas une charge, mais un soulagement. La vie de Louis et de Zélie avait vraiment trouvé un sens. Ils passèrent d'un coup dans l'âge adulte, laissant derrière eux les tourments de leurs années de jeunesse. Être au monde ne leur pesait plus. Ils n'avaient jamais su vivre pour eux-mêmes, ils surent très bien vivre pour leurs enfants et par eux. La grande blessure n'était pas guérie mais compensée. Momentanément, on n'y pensa plus. Louis consolait, les enfants comprenaient, Zélie travaillait et enfantait. Un équilibre était trouvé.

Zélie ne fit aucun effort pour espacer ses maternités. C'eût été désobéir à Dieu. Mes parents ne retrouvèrent pas leur ancien régime de chasteté. Plus tard, Louis, voyant s'altérer la santé de sa femme, le suggérerait, mais Zélie refuserait cette idée.

Elle s'épuisa à mettre ses enfants au monde. Mais elle n'y pensait même pas. Les premiers accouchements furent faciles. La douleur morale était pour elle bien plus redoutable que la douleur physique. Celle-là, il suffisait de serrer les dents et de n'y pas penser.

Ses enfants étant pour elle des dons divins, elle souhaita les redonner à son tour au ciel. «Je désirais en avoir beaucoup afin de les élever vers le ciel», écrirait-elle. La plupart du temps, les femmes souhaitent garder leurs petits pour elles. Mais ni le mariage ni la maternité n'étaient pour Zélie des fins en soi. C'étaient des moyens de s'élever vers Dieu. C'est de Dieu qu'elle voulait être proche. Il lui semblait qu'il devait en aller de même pour son mari et pour ses enfants. Ce désir-là étant pour elle le désir des désirs, elle ne pouvait imaginer qu'il ne primât pas chez ceux qu'elle aimait comme elle-même. Elle nous transmit cela comme une empreinte. Quelque chose dans notre sang même, à nous ses filles, dans notre chair et dans notre cerveau, poussait à cette envolée.

> *Au ciel dans ma patrie*
> *J'irai la voir un jour,*

chantions-nous toutes petites.


## Le diamant et la perle fine


Ma mère ne pouvait deviner les épreuves qui l'attendaient. Pourtant, elle avait connu une première alerte lorsqu'elle était enceinte de Marie. Elle l'avouerait plus tard à sa belle-sœur lorsqu'elle celle-ci se trouverait à son tour en danger de perdre un enfant. Finalement, Marie naquit à terme, rose et ronde. Mais Zélie insista pour la faire baptiser le jour même. La mortalité infantile était extrêmement élevée. Elle ne voulait pas risquer de priver Marie des sacrements. L'acte religieux fut l'un des premiers événements de la vie de ma sœur, comme ce serait d'ailleurs le cas pour les autres bébés de Zélie. Car d'emblée rôdait l'idée de la mort. Marie se révéla d'une très bonne santé.

Cette obsession n'était pas purement maladive. La mort de sa mère, alors qu'elle était enceinte, avait représenté un choc terrible et Zélie avait craint une fausse couche. Louise-Jeanne et Zélie n'avaient jamais vraiment signé la paix. Celle-ci appela sa fille Marie-Louise mais supprima vite la seconde partie du prénom, celle qui évoquait sa mère récemment disparue.

Zélie se remit à craindre Dieu comme l'être terrible dont Louise-Jeanne lui avait autrefois parlé.

L'enfance oubliée resurgissait au contact de sa petite. La mère de Zélie au ciel près de Dieu, sa fille croyait l'entendre réclamer un sacrifice.

Pourtant, en décembre, alors que Marie n'avait que neuf mois, Zélie demanda à la Vierge de l'aider encore une fois. Elle voulait très vite un autre enfant. Et de nouveau, la Vierge l'entendit. Marie-Pauline, la deuxième, vit le jour le 7 septembre 1861. Louis avait surnommé Marie son diamant. Pauline serait pour son père « la perle fine ». Zélie dirait : « Elle n'est guère jolie mais moi je la trouve belle et même très belle, c'est comme ça que je la voulais. »

## Jamais de plaisir

Pauline n'était pas aussi robuste que son aînée. Elle supportait mal le lait. Zélie craignit plusieurs fois de la perdre. Elle écrivit à son frère Isidore qu'elle devait renoncer à tout. « Je n'ai jamais eu de plaisir dans ma vie, non, jamais ce qui s'appelle plaisir.» Aveu terrible qu'elle tempérait en disant de mon père: « C'est un saint homme. Il me rend la vie bien douce.» Il n'est sans doute pas dans la nature d'un saint homme de donner du plaisir à sa femme. Zélie l'acceptait ainsi, cela convenait à son caractère qui ne s'autorisait aucune volupté et s'effrayait du bonheur. Elle avait décidé une fois pour toutes que la félicité ne pouvait se trouver ici-bas, et remettre en question ce sytème qui la sécurisait en l'enfermant dans son malheur quotidien l'eût trop angoissée.

Elle évitait ainsi le risque du désespoir. A cette époque, la mort était toujours proche. On était impuissant contre elle. On effectuait nombre d'exercices mentaux pour supporter l'idée de sa présence. Peu à peu, la vie est devenue plus confortable, l'idée de la fin s'est éloignée.

Ma mère feignait de nier l'existence du bonheur dans l'espoir de l'attirer. Mais lorsqu'il apparaissait, c'est elle qui courait se cacher. Elle n'était pas vraiment pessimiste. Elle supportait son malheur présent en pensant qu'elle serait plus tard très heureuse. L'imagination du paradis à venir lui permettait parfois de profiter de l'instant en imaginant ce qu'il en serait dans le futur. Elle n'avait pas à s'interdire ces moments-là, puisqu'il s'agissait toujours du lendemain.

Le fantôme de Louise-Jeanne lui interdisait tout relâchement. La morte exerçait sur sa fille une influence terrible. Ma tante Marie-Louise disait d'elle qu'elle était dure à la tâche, dure avec elle-même et dure aux autres. En fait, Louise-Jeanne avait été dure au monde entier car le monde lui semblait dur. Elle croyait que pour résister, il fallait être semblable à lui. Si Louise-Jeanne avait puisé une force dans cette dureté, Zélie en avait été très ébranlée.

Ma mère faisant partie du monde pour Louise-Jeanne, celle-ci l'avait combattue comme le reste. Zélie en avait conclu qu'elle était condamnée d'avance et toujours. Cet écrasement premier était indissociable de l'amour. Il rendait suspect le bonheur lui-même. Seul Louis, qui se sentait laminé par la vie pour d'autres raisons, lui paraissait un allié. Ils étaient deux enfants qui rêvent, mais aussi deux adultes sérieux et responsables. Et cela, peut-être plus que tout, les rend touchants.

Ma mère savait combien elle se privait. Scrupules et aridité étaient les deux fléaux de son être. Sa vie était une longue marche à travers un désert. Dans cette marche, Louis était devenu son guide. Il n'avait pu lui faire quitter ce lieu. Les moments de tristesse violente éprouvés au début de son mariage étaient le deuil de ce que Louis ne pouvait pas accomplir pour elle et qu'elle avait dû, sans même se l'avouer, espérer qu'il fît pourtant. Mais c'est bien parce qu'elle ne risquait rien de tel avec lui qu'elle l'avait accepté. La Vierge lui avait offert un époux vierge, à son image.

Louis compensait ce manque d'une autre manière. Il montrait à Zélie des oasis qui n'étaient pas toujours des mirages. Il transformait sa faiblesse en force. Il jeûnait et se sentait mieux après. Zélie l'accompagnait mais en était épuisée. Louis emmenait Zélie dans le petit matin vers l'église déserte. Ils sortaient de la maison quand cinq heures avaient sonné. N'ayant rien avalé, Zélie avait faim et froid. L'église était sombre, la lumière des vitraux de glace. Le corps entier de Zélie semblait saisi par la mort. Louis priait, Zélie n'y parvenait pas. Elle ne trouvait pas Dieu, Il n'était pas réveillé, il n'y avait personne au ciel. Puis, elle entendait un bruit. La porte de la sacristie s'ouvrait, un prêtre entrait, cette présence humaine ramenait Dieu dans la pierraille de la vie. Louis et elle étaient posés sur ce tas de pierres comme deux orphelins. Louis même oublieux d'elle, perdu dans sa prière, ne sentant ni la faim ni le froid, hors du corps, et elle à côté, à genoux, l'oubliée des oubliés, l'esprit vide, dont le corps refusait de se taire et qui n'existait que par la douleur.

Zélie regardait le prêtre qui marchait engourdi par un reste de sommeil. Les prêtres étaient solides, hors d'atteinte, leurs yeux ne rencontraient jamais vraiment les vôtres. Mais elle, comment pouvait-elle rester séparée de la vie, maintenant qu'elle s'était mise à faire des enfants? Devant la joie d'un bébé, il devient bien difficile de se défendre du sentiment du bonheur.

Pour cela, sans doute, Zélie aimait faire les enfants, plutôt

71

que les élever. Après chaque naissance, l'épuisement la prenait. Elle ne savait plus comment agir, s'angoissait à tout propos, perdait patience. Louis tirait Zélie de ces réflexions. Il se levait, la tenant par la main. Ils sortaient de l'église. La brume s'était levée. La fumée des cheminées serpentait gaiement dans le ciel. Louis allait à la boutique, Zélie rentrait à la maison. L'ouvrage l'attendait, les enfants la réclamaient. La vie la reprenait.

## Léonie

Une fois les premières alertes passées concernant Pauline, elle se mit à désirer un garçon. Zélie se souvenait de la naissance de son frère Isidore. Elle avait dix ans et il avait été un cadeau du ciel. C'était un Jésus en sucre rose, qui criait et gigotait. Mais du jour au lendemain, ç'en avait été fini de l'enfance de Zélie. Tout d'un coup, elle n'était plus la petite dernière. Elle n'était que l'enfant du milieu, position terne. Elle se trouvait encadrée de deux. Isidore, le père et le fils, aussi tyranniques et exigeants l'un que l'autre. Zélie avait compris qu'elle n'était qu'une fille. Jusque-là, elle ne s'était pas vraiment posé la question. Maintenant, elle voyait bien qu'une fille n'existe pas pour elle-même mais pour servir les autres, les hommes surtout. Elle l'avait presque trop accepté, avec une rage de bien faire qui ne l'avait jamais quittée depuis. Elle croyait y parvenir par sa volonté. Elle serait finalement quelque chose à force de se vouloir rien. Zélie fit de la résignation l'art du dépassement.

Mais Isidore l'avait beaucoup amusée. Elle parvenait à oublier le reste pour ne penser qu'à lui qui tendait vers elle ses bras potelés, accourait vers son giron sur ses petites jambes chancelantes. Il était si drôle. Elle avait connu avec lui des moments d'un bonheur autorisé, fait de l'oubli d'elle-même. De tels instants, trop brefs, elle les retrouvait avec ses filles. L'insouciance et la gaieté enterrées remontaient. Ensuite, le poids du monde lui retombait dessus. Elle se prenait à rêver à l'enfant suivant. Il n'était pas encore là. Elle pouvait donc l'imaginer aussi merveilleux qu'elle le souhaitait.

Le numéro trois se fit attendre deux ans. Zélie ne fut pas vraiment mécontente de ce répit. Pauline restait difficile et pleurait beaucoup. L'épuisant, c'était de devoir être à la fois au four et au moulin. L'entreprise dentellière marchait bien et accaparait Zélie. L'horlogerie, en revanche, battait de l'aile. Maman en prit son parti. Elle était un peu déçue. Avec un mari bon commerçant, elle aurait pu arrêter de travailler pour se consacrer à sa famille. Mais elle avait épousé un saint, et les saints sont de piètres vendeurs. Aux amateurs d'oignons de gousset, Louis discourait de vie éternelle. Cela déconcertait le client. Mais mon père apprit très bien à gérer l'argent de l'entreprise dentellière.

La bonne Louise entra dans la famille. Elle logeait dans une mansarde au deuxième étage, juste au-dessus de la tête de Zélie qui pouvait ainsi vérifier ce qu'elle faisait, car le plancher vermoulu craquait beaucoup. Non qu'elle soupçonnât cette fille de mauvais penchants. Elle avait, en fait, un caractère rude et renfrogné, n'était guère pieuse. Louis trouvait qu'elle ressemblait à sa belle-mère. D'ailleurs, elle portait presque le même nom : Louise Marais. La famille était vraiment abonnée aux Louis, ainsi qu'au son «z» qu'on retrouvait partout, dans Élise, Zélie, Louise et Isidore. Les prénoms Guérin bourdonnaient comme des abeilles.

A son tour, Zélie le plaisantait. N'avait-il pas voulu nommer une de leurs filles Yvonne, parce que ce prénom breton lui rappelait le temps de sa jeunesse ? Zélie avait refusé. Elle ne voulait pour ses enfants que des noms de sa tradition.

Elle ne tentait pas pour autant de régenter son mari. Elle respectait son indépendance. Il avait gardé son «retiro» comme il appelait le Pavillon. Mais il s'apprivoisait. Il cultivait fleurs et fruits, bricolait un peu. Il avait installé une balançoire pour les filles. Zélie s'inquiétait. Il allait faire vomir Marie-Pauline, trop petite et encore fragile. Les enfants adoraient leur père. Il savait jouer avec elles, mieux que Zélie toujours absorbée par les soucis.

Marie-Léonie, la troisième, naquit le 3 juin 1863. Tout de

suite, elle fut difficile. Les deux aînées étaient brunes et robustes, de vraies Guérin. Léonie ne ressemblait pas à ses sœurs ni à sa mère. Elle paraissait presque transparente, la peau si fine qu'on y voyait courir les veines bleues, les cheveux très fins aussi et très blonds, les yeux d'un bleu très clair, l'air d'un ange.

Les pressentiments de Zélie se montrèrent vite fondés. A quelques mois, une toux sèche secouait le corps minuscule en longues rafales. Le médecin hésitait, parlait de coqueluche chronique. Ce verdict faisait trembler Zélie car Pauline, elle aussi, en avait souffert. Léonie se débattit longuement entre la vie et la mort, montrant un acharnement à survivre stupéfiant pour un être si faible. Elle en resta marquée à jamais. Elle serait «le canard» (le vilain petit...) de la famille. Elle n'était pas souriante, son expression était ingrate, elle ne réagissait pas quand on lui parlait. Elle pleurait sans cesse. La bonne la supportait mal. Elle la rudoyait. Un jour, Zélie la surprit en train de lui donner des tapes. La fille protesta que c'était pour son bien. Il fallait apprendre à vivre à cette enfant. La bonne était simple et ne concevait pas d'autre éducation. Par ailleurs, elle était brave et travailleuse. Zélie songea à la renvoyer puis la garda. Elle refusait d'admettre que Léonie fût retardée. Zélie, elle-même, ne voulait pas le reconnaître, mais chaque fois qu'elle regardait Léonie, le manque de vivacité de son visage l'angoissait.

## Marie-Hélène

Une quatrième fille, Marie-Hélène, naquit le 13 octobre 1864. A la naissance, Hélène était jolie et avenante mais faible, très faible. Zélie était épuisée.

Elle avait passé tant de nuits blanches à se ronger d'inquiétude pour Léonie que sa santé en était affectée. Pour la première fois, elle ne put allaiter son bébé. Il fallut le placer à la campagne chez une nourrice. Louis se chargea de sélectionner la femme sur des recommandations de son entourage. Il voulait s'assurer qu'elle était vraiment sérieuse. Il avait d'excellentes raisons de se méfier. Il existait un commerce de nourrices. Les femmes de la campagne avaient un corps plus robuste. Leurs seins laissaient couler un lait abondant dont leurs propres enfants, souvent, ne venaient pas à bout. Les bourgeoises de la ville, avec leurs corsets, leurs existences confinées, leur honte du corps et de ses sécrétions si peu convenables, s'évertuaient à ressembler à des fleurs coupées. Elles refusaient une féminité qui paraissait archaïque, encombrante. La bourgeoisie se voyait déjà l'égale de l'aristocratie, détachée de la terre dont elle venait. Et les ouvrières imitaient les bourgeoises dans leur mise et leurs manières, voulant elles aussi oublier le monde des champs.

Ma mère, travaillant pour subvenir aux besoins de sa famille, était en avance sur son temps. Elle était mue par une ambition personnelle, un désir de réussite, de revanche sur le passé. Elle se refusait à reconnaître cette ambition, car elle avait pour modèle la femme chrétienne telle que l'Église en donnait l'image: dévouée aux siens mais cachée dans la maison, effacée derrière son mari, uniquement préoccupée de ses maternités et de son foyer. Zélie ne pouvait se reposer sur Louis pour satisfaire un désir d'ascension sociale, car il n'avait aucune ambition de carrière. D'une certaine manière, il resterait toujours un fils, lui qui se voulait à l'image du Christ. Il était passé de la protection nourricière de sa mère à celle de sa femme. Cela ne l'empêchait pas de donner à Zélie ce qu'elle attendait. Il lui faisait des enfants, il était un père irréprochable. Il les aimait et s'en occupait. Il plaçait solidement et prudemment l'argent que Zélie faisait rentrer, assurant l'avenir financier de la famille. Il était fait pour être rentier. Mes parents trouvèrent là un équilibre au prix d'un déséquilibre dont Zélie faisait les frais par une double vie, courant de l'atelier au berceau, faisant d'autant plus d'enfants qu'elle avait peu de temps pour les élever. Elle préfigurait ces destins de femmes modernes qui s'épuisent à jouer tous les rôles à la fois. Ma mère travaillait, mais ce travail s'accomplissait à la maison. Dentellière, elle ne sortait pas du domaine féminin. Patronne, elle ne commandait qu'à des femmes. L'entreprise portait le nom de mon père.

Zélie voulait une grande famille. L'amour dont elle avait manqué autrefois, il le lui fallait maintenant. Elle avait besoin de nous autour d'elle pour la réchauffer. Les enfants, c'était de l'amour.

Elle pouvait bien se faire plaisir puisque ce plaisir-là lui servait à plaire à Dieu. Zélie couvrait ses bébés de dentelle, ce tissu des anges. Il fallait qu'ils ressemblassent au petit prince, fils impérial de Louis-Napoléon. L'impératrice avait voulu le voir vêtu pour son baptême d'une robe en point d'Alençon, véritable chef-d'œuvre. L'enfant, couché sur un coussin assorti, disparaissait sous les flots éblouissants. Les journaux avaient raconté l'affaire. La merveille avait été réalisée par Lefébure, une grande maison, qui avait tiré de cette cérémonie un renom supplémentaire. Cela avait rejailli sur la communauté dentellière tout entière. Zélie travaillait aussi pour cette firme. Elle avait dit un grand merci à l'impératrice, elle l'avait incluse dans ses prières.

L'impératrice était venue visiter la ville. Depuis lors, le point d'Alençon était associé à ce qu'il y avait de plus raffiné et de plus chic. En fait, se disait Zélie, ce n'était pas au petit prince de la terre que cette robe de baptême eût dû être destinée, mais au prince du ciel, au petit Roi de Gloire. Mais lui, sans doute, n'avait pas besoin de cette gloire-là.

## Isidore à Paris

En 1863, Isidore avait reçu le titre de bachelier ès sciences. Il partit à Paris poursuivre des études de médecine et de pharmacie. Zélie s'inquiétait, car Papa lui avait avoué, à cette occasion, les tentations qui l'avaient assailli au temps de son séjour dans la capitale. Son Louis, qui était un saint, avait eu bien du mal à résister. Qu'en serait-il alors de son frère, qui conservait un côté garnement ! Elle multipliait les mises en garde, exaspérant Isidore.

Zélie supporta douloureusement le séjour de son frère dans la capitale. Elle s'était encore rapprochée de lui après le départ de Marie-Louise. Elle se sentit abandonnée, craignit qu'il ne l'oublie, qu'il ne revienne jamais. Elle était persuadée que si le lien entre eux venait à se distendre, Isidore ferait les plus grandes sottises. Leurs rapports avaient maintenant bien changé, mais elle avait beaucoup de mal à l'accepter. Désormais, Isidore n'était plus seulement le protégé, mais aussi le protecteur. Ils s'étaient toujours chamaillés, mais avec la distance, ces querelles rendirent Zélie nostalgique. Elle se rendit compte qu'elle avait pris du plaisir à se disputer avec son frère. C'était une façon innocente de passer le temps. Elle lui écrivait : «Viens, viens !» Il se faisait attendre. Elle se fâchait, le traitait d'ingrat. Isidore se vengeait en critiquant le style de ses lettres.

Zélie craignait qu'il ne s'éloigne de l'Église. Isidore passait par une crise d'indépendance, faisait l'esprit fort, écoutait ses camarades carabins. Quand elle était en colère, elle lui souhaitait le paradis «le plus tard possible car je crois que tu n'y entreras que quand tu ne pourras faire autrement». Isidore choisit le parti de la vie. Il y avait pour lui quelque chose de morbide dans l'obsession du sacrifice de ses sœurs. Il avait connu un climat familial très différent. Tout ou presque lui était permis. Cet univers de tristesse le faisait fuir. Zélie lui demanda d'aller mettre un cierge à Notre-Dame-des-Victoires à qui elle vouait un culte. Elle lui enjoignit de ne pas avoir honte : personne ne le connaissait dans cette église. Isidore ne voulait pas être trop soumis à la Vierge et à son principe féminin...

Lorsque mon grand-père se rendit à Paris vérifier que son fils travaillait comme il fallait, Zélie lui enjoignit de tirer leur portrait à tous les deux. Elle fit encadrer le cliché, qu'elle disposa fièrement sur la cheminée. Pauline reconnut son grand-père, le parrain de Marie. Mais elle ajouta à propos de son oncle : «L'autre, c'est un curé.» Zélie fut ravie, mais Pauline se trompait. Seul de la famille, Isidore n'avait jamais eu la vocation religieuse. Il vivrait sa foi d'une autre façon : en politicien et journaliste.

Il se cherchait une épouse. Zélie se montra jalouse, craignit de voir son influence supplantée. Elle se livra aux plus sombres prédictions. Il se casserait le cou, il ne voyait que la futilité. Seules l'intéressaient la beauté, la fortune. Elle le croyait incapable de choisir judicieusement. Elle seule eût pu lui trouver la perle rare. « Tout ce qui brille n'est pas d'or », lui rappela-t-elle. Elle se trompait. Isidore savait ce qu'il entreprenait et bâtissait sagement son avenir. Mais son ambition sociale inquiétait Zélie. Elle pensait qu'il allait trop vite et trop loin. Et redoutait, comme à l'habitude, la vengeance du Ciel.

Zélie écrivait souvent à Isidore pour lui donner des nouvelles des enfants. Il était le parrain de Pauline. Pauline était peureuse de nature, mais plus intelligente que Marie. Si Marie était la préférée de Papa, Pauline était le chouchou de Maman. Elle était très caressante, embrassait sa mère sans cesse, devinant qu'elle en avait besoin. Avant même qu'elle sût parler, Zélie eut l'impression qu'elle comprenait tout. En grandissant, Pauline deviendrait sa confidente. Quand Zélie lui demandait d'envoyer un baiser à Jésus, elle le faisait aussitôt.

Pauline était aussi très coquette. Au moment de sortir, elle se précipitait vers l'armoire où se trouvait sa plus belle robe, et réclamait qu'on lui débarbouille la figure.

Ses mots d'enfants délicieux charmaient son grand-père. « C'est un phénix », écrivait encore Zélie. Rien n'était trop beau pour qualifier ses enfants.

Marie, elle, était amoureuse de la vie. Gourmande, elle adorait les gâteaux, les fêtes familiales quand on sort les nappes brodées et qu'on chante. Pauline était plus cérébrale, Marie plus pratique. Volontaire et turbulente, belle et douée, elle n'aimait pas l'école, en ressentit très vite un véritable dégoût qui la faisait tomber malade. Zélie ne voulait pas la forcer. Très attentive, elle croyait à l'éducation moderne.

Pourtant, très vite, Marie rappela à Zélie Marie-Louise enfant. Elle lui trouvait le même caractère volontaire. Lorsqu'on dit à Marie qu'elle pourrait se marier un jour, elle se renfrogna, se mit à pleurer. Elle voulait déjà épouser le Bon Dieu.

Léonie fit une rougeole avec convulsions et manqua de nouveau mourir. En grandissant, elle criait moins. Au contraire, elle fit tout ce qu'elle pouvait pour être aimée. Pourtant, la laideur s'acharnait sur elle, avec un grave eczéma purulent qui couvrait le corps entier. Le sirop antiscorbutique prescrit par le médecin n'agissait pas. A la demande de Zélie, Marie-Louise dit une neuvaine à la voyante béatifiée de Paray-le-Monial, la bienheureuse Marguerite Marie. De son côté, Louis se rendit en pèlerinage à Notre-Dame de Séez, tandis que Zélie priait sans cesse. De cette enfant dont elle disait qu'elle ne lui ferait pas tant d'honneur que les autres, elle croyait maintenant qu'elle serait la sainte de la famille. Pendant des années, elle multiplierait les plaies, les infections, les boutons. Elle fit preuve d'une patience pathétique devant la douleur. Elle s'inquiétait pour sa mère qu'elle sentait mal en point, à qui elle regrettait de donner du souci. Finalement, Léonie, entre la vie et la mort pendant seize mois, fut sauvée. Zélie attribua cette guérison à la neuvaine dite par Marie-Louise.

Zélie était persuadée des pouvoirs de guérison de sa sœur. Le cœur de Léonie, qui battait très fort, se calma, ainsi que l'inflammation des intestins et l'estomac purulent. L'enfant, qui ne tenait pas sur ses jambes, se mit, juste après la neuvaine, à «courir comme un petit lapin».


## La boule


Parfois, le soir, épuisée, elle marmonnait à voix haute. Louis en était épouvanté. «Il ne faut pas dire des choses pareilles. Et moi? Ce n'est pas chrétien, il ne faut pas souhaiter la mort.» «Je ne la souhaite pas, elle est là, je la sens», dit encore Zélie, pour elle-même cette fois.

En se déshabillant, Zélie tâta la boule qu'elle avait au sein. Au début, c'était très petit. Zélie n'a pas fait attention. C'est normal d'avoir les seins gonflés après une naissance. Mais la boule est restée. Elle a grossi, elle est devenue perceptible, dure et roulant sous les doigts. « C'est rien, c'est comme un bouton, se dit-elle, ça va disparaître. » Mais elle avait été prise d'une grande peur, avait frissonné.

Elle n'en avait parlé à personne, comme si de ne rien dire avait pu l'empêcher d'exister. Et la boule avait grossi lentement en elle comme un enfant de plus, un enfant malin. Y penser lui tournait la tête. Elle se trompait dans ses comptes, oubliait des commandes. Or elle en avait de plus en plus. Plus elle était fatiguée, plus on lui donnait de travail. Quelque temps après, un soir en se déshabillant, elle avait à nouveau senti la boule rouler sous ses doigts. Elle avait encore grossi. Zélie avait été frappée de stupeur. Ça ne pouvait pas lui arriver à elle, une jeune femme, une mère avec des enfants petits, dont les seins servaient...

Elle ne disait toujours rien. Elle luttait comme lorsqu'elle avait mal à la tête, ou aux dents. Cela n'existait pas. Elle n'avait pas le droit d'avoir mal. Sa mère le lui avait appris. Ne rien montrer. Garder sa souffrance pour soi et l'offrir à Dieu puisque c'était déjà de Dieu qu'elle venait et qu'il fallait lui rendre tout ce qu'il donnait. Elle se répétait : « Je suis dure à la peine. » Et sa peine, elle l'enfouissait.

La boule n'était toujours pas douloureuse. Si c'était grave, se mentait Zélie, j'aurais mal. La bonne la surprit qui se tâtait le sein. Zélie n'avait presque plus de lait, les derniers-nés avait dû être mis en nourrice. Devant le geste, la bonne eut une intuition, elle avait compris. Il y avait eu une femme dans son village qui en était morte. Elle se touchait le sein toujours de la même manière et au même endroit. Louise avait reconnu le geste. « Qu'est-ce que vous avez là ? » demanda Louise. « Rien », répondit Zélie en sursautant, l'air coupable. « Faut voir le médecin », dit la bonne. « Les médecins ne savent rien », répondit Zélie. La bonne comprit qu'il était inutile d'insister. Dans cette maison, il n'y avait que Dieu qui comptait. Il servait à tout et même d'excuse, pensa-t-elle. Puis elle se reprocha de blasphémer.

Zélie se posait quand même des questions. Était-ce cette boule qui avait fait tarir son lait? Qui l'avait empoisonné, donnant aux bébés ces accès de dysenterie qui leur tordait le visage, les faisait se recroqueviller sur eux-mêmes, serrer les poings, devenir très rouges et ensuite même presque bleus? Ces crises les laissaient vidés par les vomissements et les diarrhées, blancs et faibles, trop épuisés pour pleurer, agités par intervalles d'infimes miaulements de chatons malades. Est-ce qu'elle tuait ses enfants quand elle croyait leur donner la vie?

Les inquiétudes à propos de la qualité de son lait rongeaient Zélie, provoquaient à nouveau des crises de migraine terribles et des accès de prostration nerveuse. Louis essayait de la calmer. Le médecin l'avait dit, toute contrariété éprouvée par la mère était susceptible de tarir le lait. Il n'existait pas de lait artificiel. Le lait de femme, c'était la vie. Zélie en rêvait la nuit. Son lait coulait comme une rivière qui tarissait soudain, laissant un mince filet sur des cailloux. Le lait, le lait, le lait! Elle voyait du blanc partout, le blanc des draps et des linges d'enfant, de la dentelle, du lait. Elle se noyait dans le blanc.

La boule devenait douloureuse. Zélie lui assigna une cause précise: jeune fille, elle s'était cogné la poitrine à l'angle d'une table et s'était fait très mal. C'est là que «la glande», comme elle l'appela bientôt, s'était formée. Son sein était comme engourdi. Elle se décida à en parler à Isidore dans une lettre du 23 avril 1865. Elle envisagea une opération, mais elle n'avait pas confiance dans les médecins d'Alençon. Isidore pourrait-il se renseigner à Paris? C'était un appel au secours. La seule chose qui la retenait, affirmait Zélie, c'est que Louis ne pourrait se débrouiller seul avec les enfants pendant qu'elle serait partie...

Les craintes de Zélie étaient légitimes. Ce type d'intervention était rare, très dangereux, et extrêmement douloureux. Mais de nouvelles préoccupations détournèrent ma mère de ses projets à Paris. D'ailleurs, Isidore quitterait bientôt cette ville. Il avait décidé de ne pas continuer jusqu'au doctorat. Il abandonnait la médecine, il serait pharmacien. Alors que sa famille semblait sombrer dans la maladie, il choisit de dispenser des remèdes...

Zélie accepta finalement de s'en remettre à ces docteurs d'Alençon en qui elle croyait si peu. C'est Louis qui, bientôt, quêta les conseils d'Isidore. Il s'inquiétait beaucoup pour la santé de sa femme. Son père mort, elle lui devenait encore plus précieuse. Il la devinait malade, craignait que ce ne fût grave. Dès cette période, mon oncle apparut comme le nouveau chef de la famille. Mais Isidore ne pouvait rien. Zélie s'habitua en quelque sorte à son mal et la famille avec.

## Mort du capitaine Martin

L'année 1865 fut particulièrement lourde. A peine était-elle remise de la naissance d'Hélène que son beau-père, âgé de quatre-vingt-huit ans, se trouva mourant. Il était à demi paralysé. Zélie dut s'occuper du vieillard en plus du reste. Ses migraines reprirent de plus belle. En même temps, mon grand-père Guérin tomba lui aussi malade. Une jambe enflée l'empêchait de marcher. Zélie craignait la paralysie. Il s'en tira mais l'état du capitaine Martin empira. Il mourut le 27 juin 1865. «Il est mort comme un saint: telle vie, telle fin.» Zélie ne se croyait pas une telle affection pour ce vieil homme bourru. Pourtant, elle se vit atterrée, anéantie par cette mort.

Elle voyait dans cette fin une préfiguration de la sienne. La raideur du cadavre l'épouvantait. Elle pressentait d'autres morts autour d'elle, qui se préparaient. Heureusement, au-dessus de tout cela flottait toujours le merveilleux sourire d'Hélène. Zélie ressentait pour sa petite fille lointaine un besoin de plus en plus dévorant. Chaque occasion de retrouvailles était un émerveillement. Pourtant, c'était loin. En l'absence de moyens de transport, Zélie accomplissait le trajet à pied. Elle partait d'Alençon à sept heures du matin, douchée par la pluie, poussée par le vent. Elle serait tombée de fatigue en chemin sur le bord de la route. Seule l'idée de tenir bientôt dans les bras son amour, son petit bijou, lui permettait de continuer. Le soir, il fallait refaire la route en sens inverse, dans l'obscurité, le danger. Le sourire d'Hélène valait pour Zélie plus que de l'or. Elle voyait là le visage d'un ange. Écrivant à Isidore, elle tenta de lui expliquer ce qu'elle ressentait pour elle, mais c'était inexprimable. Hélène était unique. Elle aurait voulu avoir le bonheur de la posséder entièrement. Qui peut posséder entièrement un être, fût-ce un enfant ? Zélie était nostalgique d'un lien total que connaissent seulement sur terre la mère et l'enfant, avant la naissance et dans les premiers mois, quand ils ne font qu'un encore. Ensuite, le bébé prend son indépendance, le souvenir s'estompe. Chez ma mère, la trace de cette expérience était avivée par la séparation précoce.

Une fois rentrée, elle se consolait en regardant ses aînées. Elle les promenait parées comme des princesses. «Oh, se disait-elle, je ne me repens pas de m'être mariée!» Elle rayonnait, écrivait à Isidore : «C'est à moi! J'en ai encore deux autres qui ne sont pas là, une belle et une moins belle que j'aime autant que les autres, mais elle ne me fera pas tant d'honneur.»

Ma mère parlait de ses filles comme de poupées, ces fameuses poupées dont la privation était le pire souvenir d'enfance. La moins belle poupée, celle qui est un peu abîmée et qu'on cache derrière les autres, c'était Léonie. Elle semblait appeler le malheur. Elle avait des bleus suspects. Zélie continuait à soupçonner la bonne Louise de la frapper en son absence. En tout cas, elle lui criait toujours dessus. Louise n'en démordait pas. On ne pouvait pas faire autrement avec une engeance pareille. «Léonie avait une tête de bois, en plus elle était sournoise et criait par comédie!» L'enfant poussait des cris perçants, difficiles à supporter, se balançait violemment, tombait tout le temps et se cognait aux meubles. Pourtant, Louise était bien patiente avec les autres. D'ailleurs, Léonie lui semblait très attachée, se cramponnait à elle en hurlant. La bonne tirait sur son tablier : «Vas-tu me laisser tranquille!»

Le problème, avec Léonie, c'est qu'on ne la comprenait pas.

Sur son visage se peignait une détresse nue. La détresse profonde, archaïque, incompréhensible, que nous portons au fond de nous. La détresse de venir au monde, tachés dans un monde taché. La déréliction du péché originel qui nous est transmise en héritage, au fil des âges, de génération en génération, dans une chaîne sans fin. Peut-être les femmes la ressentent-elles plus durement, parce que la première à fauter fut une femme, Ève. Cette douleur est la douleur de savoir, et donc d'être humain. Si Ève n'avait pas voulu savoir, ces deux êtres seraient restés à jamais enfermés dans le jardin d'Éden, beaux, heureux et sans crainte. C'est par la connaissance qu'ils ont connu la douleur de naître, et par cette douleur, ils ont eu une descendance. Certains êtres, qui nous paraissent imparfaits, archaïques, nous rappellent cette douleur, et quelque chose nous éloigne d'eux, nous interdit d'écouter la langue très ancienne qu'ils nous parlent.

Les portes du jardin d'Éden se sont ouvertes et refermées à jamais, pourtant le monde est un jardin immense. La nature est un livre que Jésus met devant nos yeux. « Toutes les fleurs qu'il a créées sont belles, l'éclat de la rose et la blancheur du lys n'enlèvent pas le parfum de la petite violette ou la simplicité naissante de la pâquerette. Si toutes les fleurs voulaient être des roses, la nature perdrait sa parure printanière. » J'ai écrit cela en pensant à Léonie. C'est elle qui me l'a appris. Avec elle, j'ai compris que si l'on remarque d'abord la rose, la pâquerette aussi participe à la beauté du monde, et la violette minuscule, si on prend la peine de la trouver sous les feuilles où elle se cache, a tout autant à donner. Ma mère se trompait lorsqu'elle croyait que Léonie ne lui ferait pas autant d'honneur.

## La boue de la terre

Les rôles étaient déjà distribués: Marie était forte mais timide, **Pauline** intelligente et drôle, Léonie faible de corps et d'esprit, mais patiente et courageuse. Hélène était la beauté, cette beauté du monde des anges dont Zélie parlait avec sœur Marie Dosithée... «Nous nous entretenons ensemble d'un monde mystérieux, angélique, écrit-elle à Isidore. A toi, il faut parler de la boue de la terre.» Dans cette boue, parfois, se trouvait le miracle. Un fossoyeur exhuma le corps d'une clarisse morte depuis trente-six ans. Il était, dit l'homme, en parfait état de conservation. En donnant son coup de pioche, il entama un bras du cadavre. Le sang jaillit. Le fossoyeur ramassa de la terre imbibée de ce sang, et la montra à la ronde. Ma mère était très friande de ce genre d'histoires, surtout depuis qu'elle se savait secrètement malade.

Si les vivants portaient la mort en eux, les morts, bien qu'immobiles, étaient presque vivants. Zélie précisait qu'elle n'avait pas vu la nonne miraculeuse. Mais elle tenait l'histoire «d'une personne digne de foi». L'histoire de la clarisse, écrivit Zélie à son frère que ses études médicales rendaient sceptique, elle y croyait comme si elle le voyait. «Car je sais que, parmi ces religieuses, il y a de vraies saintes.» La boule, qu'elle n'appelait pas encore la tumeur, pourrait ainsi être vaincue. Les saintes savent guérir, leur sang coule au-delà de la tombe.

## «Esclave du pire esclavage»

Le grand souci de Zélie demeurait son métier. «Ce coquin de point d'Alençon», comme elle l'appelait, lui rendait la vie dure. Les commerçants parisiens lui assuraient des débouchés dans la capitale. Quand il n'y avait pas de demande, Zélie se retrouvait facilement avec vingt mille francs à rembourser pour de la dentelle qui n'avait pas preneur et lui restait sur les bras. Pourtant, elle devait continuer à passer commande, chaque jeudi, aux ouvrières qu'elle avait eu bien du mal à former, et qu'elle craignait de voir passer à la concurrence.

Heureusement, elle savait s'attacher ses ouvrières par des liens moins immédiats. Lorsqu'elles étaient malades, elle allait les voir. Son aide leur permettait de subsister, chose très importante en cette période où n'existait aucun secours social.

Quand il y avait de la demande, en revanche, il y en avait toujours trop. Les journées n'étaient pas assez longues pour y répondre, et Zélie devait renvoyer vers la bonne ses filles qui pleurnichaient. Elle était constamment partagée, déchirée même, car lorsque les enfants criaient, elle les entendait depuis l'atelier, et son intervention seule pouvait les calmer. «Je suis une esclave du pire esclavage», s'écriait-elle.

Louis n'avait pas encore abandonné l'horlogerie. Elle prospérait depuis qu'une partie bijouterie avait été ajoutée. Les paysans venaient faire leurs emplettes de nécessité en face, dans un bazar populaire nommé Au gagne-petit. Ils guignaient en même temps les chaînes, les boucles d'oreilles. Mais Louis continuait à manquer les ventes du dimanche matin, les plus importantes de la semaine. Ce jour-là, estimait-il, seul le Seigneur devait être servi. On lui proposa de percer une porte sur le côté de la boutique, donnant sur un couloir de la maison des Martin. Ainsi certains clients importants pourraient entrer à la dérobée. Louis s'indigna, refusa, malgré les conseils de son confesseur qui le trouvait trop strict. Car la France entière pensait maintenant à s'enrichir... L'expansion du commerce de Louis serait freinée par son austérité.

Il ne se tournait pas pour autant les pouces. C'est lui, maintenant, qui entreprenait les voyages à Paris autrefois effectués par M. Guérin père. Son honnêteté, sa promptitude à payer les ouvrières et les fournisseurs assirent la réputation de la maison. On commençait à dire de lui: «C'est un saint.» Les connaissances artistiques acquises lors de son apprentissage de l'orfèvrerie et de l'horlogerie d'art lui servaient maintenant pour concevoir de nouveaux modèles de dentelles. Il fallait devancer la mode, deviner les goûts d'une clientèle qui n'appréciait la tradition qu'alliée à la nouveauté.

Après des journées si dures, Zélie ne parvenait pas à trouver le sommeil. Elle refaisait mentalement ses calculs, tâtait la boule au sein qui l'élançait toujours. Elle priait, mais elle avait l'impression que la Vierge ne l'entendait plus. Quand elle finissait par s'endormir, elle faisait des cauchemars, se perdait dans un labyrinthe de fil. Le point d'Alençon, autrefois sa passion, était devenu son persécuteur. Subitement, la dentelle se criblait de trous, de défauts. Elle voulait crier, mais aucun son ne sortait de sa bouche. Elle s'évanouissait dans un univers ouaté. Elle commençait à craindre sérieusement pour sa vie.

## Fiançailles d'Isidore

Isidore nourrit le projet de s'installer dans une pharmacie du Mans. Zélie fut ravie car ce n'était qu'à deux heures de voyage, et puis là-bas vivait Marie-Louise, qu'elle appelait maintenant «la sainte du Mans». Elle pourrait aller voir ses deux chéris en même temps. Elle rêvait que Louis et elle, un jour, pourraient s'y installer aussi. La famille entière se retrouverait ainsi réunie.

Au dernier moment, Isidore changea d'avis. Il trouva à Lisieux un commerce plus prometteur. C'était la boutique d'un certain Fournet, la pharmacie la mieux située, à l'angle de la place Saint-Pierre et de la Grand-Rue, à l'ombre de la cathédrale. Riche et spacieuse, elle abritait un commerce d'apothicaire depuis 1550. Un prêt de Zélie lui permit de l'acquérir. Lisieux semblait terriblement loin: soixante-dix lieues! Elle supportait toujours aussi mal les séparations, qui prenaient inéluctablement pour elle la couleur de l'abandon. Elle ne pouvait se décider à voir en Isidore un homme adulte et qui savait gérer ses affaires. Elle craignait qu'il ne menât la même vie que la sienne, cette vie de travail infini qui s'étendait devant elle à perte de vue, comme une plaine grise. Elle le plaignait. «Tu travailleras autant que les trappistes et ta récompense sera moins grande.» Toujours, elle faisait des comparaisons entre la vie «réelle» et l'existence monastique. En projetant ses sentiments dépressifs sur un jeune homme dont la vie avait été plus facile que la sienne et qui, donc, ne les comprenait pas, elle le poussait à s'éloigner. Ensuite, elle s'étonnait, elle se désolait.

Le choix de la pharmacie Fournet n'était pas seulement motivé par le commerce. Le vendeur était doté d'une fille charmante âgée de dix-neuf ans, Mlle Céline. Les jeunes gens se convinrent au premier coup d'œil. Isidore, pragmatique, avait trouvé sa femme en même temps que le magasin, malgré les inquiétudes persistantes de Zélie qui ne pouvait approuver une épouse qu'elle n'avait pas elle-même choisie. Ils se marieraient le 11 octobre 1866. Douce, pieuse et fort bien apparentée, Céline le fit entrer de plain-pied dans la société des notables de Lisieux.

## Le premier ange

Zélie crut perdre Marie-Hélène. Elle survécut. Deux ans passèrent dans la difficulté. Zélie voulut encore un enfant, fit une neuvaine pour que la Vierge lui accorde, cette fois, le garçon tant attendu. Une fois de plus, la Madone l'entendit. Marie-Joseph vint au monde, le 20 septembre 1866. Zélie espérait que les prénoms conjoints de Marie et de Joseph protégeraient l'enfant. Comme c'était le premier garçon de la famille, Zélie pensa que Dieu avait voulu compenser ainsi la mort de son beau-père. On prénomma donc l'enfant Marie-Joseph-Louis.

Mon père battit de nouveau la campagne, courant les nourrices. Certaines de ces femmes malhonnêtes, âpres au gain, prenaient plus d'enfants qu'elles n'en pouvaient satisfaire. Les pauvres petits, affamés, dépérissaient, d'autant qu'elles n'avaient aucune hygiène. Les nourrissons vivaient comme des animaux dans la crasse, les excréments, risquant l'attaque d'un cochon ou d'un rat.

Louis eut la chance de trouver la bonne Rose Taillé. On conduisit Joseph à Damigni, au village du Jardin. La mode de l'allaitement maternel se répandait. Il se créait ainsi un lien différent, beaucoup plus proche. Zélie se rendait compte de ce qu'elle perdait de joies et s'en lamentait. Elle refusa d'éduquer ses enfants par la crainte comme elle-même l'avait été. Elle avait en horreur les châtiments corporels. L'amour et la persuasion étaient ses armes éducatives. Elle pensa tout obtenir de nous par l'amour.

A la naissance, le petit garçon promettait, il était grand et fort. Zélie crut qu'il serait de santé aussi robuste que Marie. Elle voyait, disait-elle, sa fortune faite, ses enfants étaient toujours son trésor. Avec celui-là, elle n'aurait plus besoin d'en avoir d'autres. Elle le voulait prêtre, l'imaginait montant à l'autel et prêchant. Cette naissance la réconcilia aussi avec la défection d'Isidore. Pour ma mère, la vie était faite de pertes ou de risques de pertes. Avoir beaucoup d'enfants — valeur suprême — la garantissait contre le dénuement, la prémunissait contre l'angoisse. Toute cette vie autour d'elle la protégeait de la mort qui approchait toujours à pas de loup. Les enfants lui interdisaient de céder à cette fascination. Elle devait rester en vie pour eux. Cette mort à la fois terrifiante et magnifique, elle la voyait pourtant comme une douce aurore après la nuit de la vie.

Très vite, pourtant, Joseph fut tordu par les coliques.

## Mariage d'Isidore

Zélie, alors très enceinte du petit Joseph, ne put assister au mariage d'Isidore. Elle regretta de manquer une si belle fête. Son enfant né, elle reçut somptueusement le jeune couple. Elle fut immédiatement séduite par Céline. Isidore, contrairement à ses craintes, avait choisi une femme qui saurait canaliser son côté turbulent pour l'aider à devenir un homme de premier plan dans la ville. Zélie en conclut que son frère était un favorisé du ciel. Sa chance continuelle ne pouvait s'expliquer que par une protection spéciale du Bon Dieu.

L'installation d'Isidore dans sa superbe pharmacie assit la famille dans la bonne bourgeoisie. Mes parents, eux aussi, prospéraient. Les économies s'accumulaient. L'ambition sociale n'en était pas la cause. Ils sortaient peu. Les rares soirées auxquelles ils se sentaient obligés de se rendre les ennuyaient plutôt. L'avarice ne les motivait pas non plus, car la charité aux pauvres figurait en bonne place sur les livres de comptes. Ils vivaient toujours simplement, n'en demandaient pas davantage. Zélie continuait à comparer son travail à celui de sa sœur qui n'amassait que pour le Ciel. «Et moi, je me vois là, courbée vers la terre, me donnant une peine extrême pour amasser de l'or que je n'emporterai pas et que je ne désire pas emporter; qu'est-ce que j'en ferais là-haut!»

Joseph, qui lui donnait plus de bonheur que ses filles, lui permettait d'accepter le déclin de la santé de son père. M. Guérin était devenu sénile. Mes parents le prirent avec eux.

Le vieil homme n'était pas facile. Il fallait accepter ses petites manies. Louis s'y résolut par amour pour Zélie. Le vieillard se plaignait, il eût préféré aller vivre avec son fils. Zélie en fut ulcérée, d'anciennes peines se réveillèrent.


## Céline, la bonne fée


Alors qu'elle croyait avoir perdu l'amour d'Isidore depuis son mariage, Zélie s'aperçut bientôt qu'au contraire elle en avait gagné. Sa belle-sœur Céline devint une alliée, presque une sœur. Ma tante était réaliste et bonne vivante, aimant les toilettes, les fêtes et les voyages, sans devenir jamais mondaine ou dispendieuse. Elle profitait de la vie, elle était gaie, généreuse et sage. Elle tempérait l'austérité de Zélie, voulait qu'elle se fasse plaisir. Elle la gâtait à travers ses filles. Maman ne pouvait s'empêcher de lui reprocher ses largesses. Céline devinait les tourments de sa belle-sœur. Elle savait se faire aimer et nous l'adorions. Au jour de l'an 1867 arriva une malle de cadeaux de Lisieux. Jeux, dînette de porcelaine, vêtements,

ZÉLIE

poupées émerveillèrent Marie, Pauline, Léonie et Hélène. Elles n'avaient pas l'habitude de telles largesses. Elles devinrent turbulentes, les cris de joie se changèrent en pleurs. Les petites tentaient de s'emparer des jouets des plus grandes. Mon grand-père, dérangé par les hurlements, se fâcha et menaça de confisquer les joujoux. Les filles répliquèrent vertement qu'il n'en avait pas le droit: c'était leur tante qui les avait envoyés. La dissipation gagna Zélie, qui se laissa aller à jouer avec le jeu de patience. Mais ses habitudes reprirent vite le dessus. Elle avait un envoi de dentelles très pressé à finir, dut veiller jusqu'à une heure du matin pour rattraper le temps perdu. Elle avait payé son enfantillage, elle enjoignit sa belle-sœur de ne plus envoyer de cadeaux.

Les trop beaux présents envoyés à ses filles lui faisaient peur. A travers leur capacité de s'amuser, elle retrouvait son propre interdit. Il en allait de même du bonheur que lui procurait Joseph. Pour ses étrennes, elle l'habilla comme un prince. Le petit garçon, ravi, riait aux éclats. Zélie le montrait fièrement à tout le monde. Louis lui reprocha en riant de le promener comme un saint de bois. Joseph avait déjà trouvé sa place...

Oui, ses enfants étaient pour Maman sa revanche sur la vie. Alors que les gens qui s'aiment se perdent habituellement dans la contemplation l'un de l'autre, Louis et Zélie ne se regardaient pas: ils regardaient ensemble, main dans la main, vers un même point, Dieu. Quand elle regardait ses enfants, ma mère les mettait dans cette lumière qu'elle cherchait. C'était là sa plus belle preuve d'amour, mais cela les éloignait d'elle et de la vie. Et ce perpétuel écartèlement entre ici et là-haut la rendait très malheureuse.

Zélie, dans son pressentiment sombre, était visionnaire. La nuit qui suivit cette première et si joyeuse journée, à trois heures du matin, on frappa à la porte. La nourrice envoyait chercher Zélie. Le petit Joseph était très malade, on craignait pour sa vie. Zélie s'habilla en toute hâte. Elle vit alors, pendue devant elle, sa robe de fête. Elle se dit qu'elle avait payé trop cher son plaisir. On ne l'y reprendrait plus. La nuit était glaciale. La neige tombait, le verglas rendait dangereux le chemin de la maison de Rose. Louis tint à l'accompagner.

Elle n'avait pas voulu le lui demander. Elle hésitait toujours à partager les corvées. Mais Louis connaissait ses devoirs de père. Est-ce que Zélie n'occupait pas un peu trop de place auprès de ses enfants? Le médecin l'accuserait d'avoir causé l'érésipèle de Joseph en le faisant venir à Alençon par ce temps glacial pour participer à la fête. Une mère a toujours tort, elle en fait toujours trop et pas assez à la fois.

Quelques jours plus tard, Joseph semblait sauvé. Dieu ne m'a pas donné un garçon pour le reprendre si vite, se dit Zélie qui croyait encore que le Très-Haut obéit à la logique humaine. Elle se trompait. Joseph mourut le 14 février.

## Jean-Baptiste

Cette mort provoqua chez Zélie un terrible effondrement. Mon oncle ne voulut pas nous laisser lire, à mes sœurs et à moi, les lettres qu'elle avait écrites alors, lorsqu'il nous donna sa correspondance au couvent. Il les avait détruites pour nous épargner. Je me suis souvent demandé ce qu'il y avait de si terrible dans ces feuillets.

De cette première mort, ma mère resta inconsolable. Elle se mit à se rendre constamment au cimetière, y demeurait des heures, pleurant sur la tombe minuscule. Lorsque j'étais enfant, ces visites semblaient son unique but de promenade.

Mon oncle crut qu'un changement de cadre l'aiderait. Il l'invita à venir chez lui. Ma tante Céline voulut organiser une sortie à Trouville. Sans succès. Zélie ne voulait pas qu'on dépense pour son plaisir. Elle visita Lisieux. Elle pensa que, peut-être, un jour elle s'y installerait. Mes parents sont aujourd'hui inhumés tous deux derrière la basilique.

Mon père voulut lui faire très vite un second garçon pour remplacer le premier. Zélie dit une neuvaine. Le 19 décembre 1867 naquit Jean-Baptiste. C'était un petit Jésus qui arrivait juste à temps pour transformer la maison en crèche vivante. Mais cet accouchement fut long et accompagné de douleurs terribles. L'enfant semblait à demi asphyxié. Il fut ondoyé par le médecin avant sa naissance, promis au ciel avant de connaître la terre. Au bout d'une semaine, Zélie se rassura. L'enfant était fort et alerte. Mais il pleurait beaucoup, se tordait de coliques. Quand la bonne Rose, qui habitait maintenant Semallé, vint le chercher, il cria pendant trente-six heures d'affilée. Rose le veilla et ne se coucha pas pendant deux jours. Elle refusait d'emporter l'enfant, craignant qu'il ne meure chez elle. On aurait dit que le bébé savait qu'il allait quitter sa mère et refusait ce départ. Son désespoir était l'écho de celui de Zélie. Mais elle croyait toujours au lait de Rose. Finalement, il se calma, et Rose l'emporta. Zélie reçut bientôt de bonnes nouvelles : il était très mignon, tranquille, et dormait beaucoup. Cependant, la peur ne la quittait pas un instant. Elle revoyait son premier garçon sur son lit de mort, appelait aussi Jean-Baptiste «le petit Joseph», faisant endosser au second le souvenir de ce défunt.

Pourtant l'année paraissait bien engagée. Le deuxième Joseph, écrivait Zélie à Isidore, poussait comme un champignon, il était gentil comme un petit bouquet. C'était un enfant gai qui riait souvent, comme son frère. Zélie répétait cela pour se rassurer. Tous les jours, elle suppliait le Bon Dieu de lui laisser son Joseph. Rose était plus pessimiste. Elle répétait à Zélie que l'enfant allait mourir, qu'il était comme l'autre. Elle se rongeait si bien les sangs que Zélie elle-même dut la consoler.

En février de cette année, mon oncle et ma tante eurent leur première fille, Jeanne. Pour aider Céline, Zélie lui envoya d'Alençon une bonne de toute confiance. Maman avait très bonne réputation auprès des domestiques. Elle les considérait comme ses enfants.

## Le deuxième ange

Zélie se sentait débordée par ses enfants trop nombreux, trop rapprochés. Elle hésitait à reprendre le bébé avec elle à cause du surcroît d'embarras que cela lui donnerait. Rien de si doux que de s'occuper des petits, disait-elle, seulement elle avait d'autres préoccupations. Mes parents, dès cette époque, auraient sans doute pu se passer des revenus de la dentelle. Maman affirmait que, sans ce labeur, elle eût été très heureuse. Mais justement, il fallait travailler à la dentelle. Faisait-elle de la dentelle dans le but de se punir, ou la dentelle la rendait-elle heureuse bien qu'elle ne pût supporter de se l'avouer? Les deux sans doute.

Et pourtant, elle nous aimait: quand le petit dernier fut très malade, elle alla le voir à Semallé deux fois par jour. Elle partait le matin à cinq heures, et s'y rendait de nouveau le soir, à huit heures, revenant de ces visites le cœur serré.

Et toujours, dans la maison, la présence difficile de mon grand-père Guérin. Il souffrait de douleurs rhumatismales, d'un anthrax et d'étouffements. Soixante-dix-neuf ans, c'était un grand âge. Il se lamentait sans arrêt à propos de sa mort prochaine, et ne cessait de parler d'Isidore à Zélie, qui le soignait avec le plus grand dévouement.

Après une accalmie, le commerce se réveilla. Zélie se retrouva accablée de commandes et les clients étaient très pressés. Elle se levait à quatre heure et demie du matin, et terminait à onze heures du soir. Au lieu de se réjouir, elle se tourmentait de ne pouvoir consacrer son temps à soigner son père.

La mère de Rose Taillé tomba malade à son tour et devint infirme. La nourrice, qui ne pouvait plus s'en occuper, ramena Jean-Baptiste à Alençon. Il ne toussait plus mais souffrait encore des intestins. Il n'avait pas pris de poids depuis l'âge de trois mois. Il était toujours gai, pleurait très peu. Heureusement, car c'était le mois d'août et les aînées, en vacances, remplissaient la maison de leurs chamailleries et de leurs cris. Juste comme les commandes ralentissaient à nouveau, l'état de l'enfant empira. Il ne supportait pas le retour à Alençon, le changement de vie, vomissait tout ce qu'il mangeait. La toxicose estivale rendait le mois d'août meurtrier pour les petits. Les médecins le déclarèrent perdu. Plié de douleur, il n'était qu'un cri plaintif. Son martyre arrachait le cœur de Zélie. Celle-ci attendait que Dieu fasse un miracle.

Mais dans la nuit du 23 août 1868, elle vit son fils souffrir tellement qu'elle cessa de demander ce miracle. Au contraire, elle supplia Dieu en pleurant de le délivrer. Lorsqu'il mourut au matin, Zélie en fut soulagée.

Depuis la naissance elle n'avait cessé de souffrir de dépression puerpérale. Elle se répétait que tout était pour le mieux, ses garçons étaient heureux là-haut. Elle parlait sans cesse d'aller les rejoindre.

Quelques jours plus tard, mon grand-père fut pris à son tour d'une très forte fièvre. Isidore accourut à son chevet. Agenouillés côte à côte auprès du lit du vieillard, le frère et la sœur dirent la prière des agonisants. La nuit du 2 septembre fut épouvantable. Zélie, déchirée, regardait son père souffrir. Chaque respiration était une lutte épuisante. Elle espéra jusqu'au dernier moment. Au petit matin, le vieillard, momentanément apaisé, fit le signe de croix. Zélie s'assoupit.

La bonne la réveilla à cinq heures, juste comme son père allait mourir. Mon grand-père fut enterré au cimetière Notre-Dame d'Alençon, près des deux petits anges. Zélie fit dire pour lui de nombreuses messes afin qu'il se trouvât promptement délivré du purgatoire. Elle ne pouvait admettre la mort de son père. Son affection pour cet homme peu démonstratif éclatait soudain. Il avait toujours été avec elle, elle ne l'avait jamais quitté, elle se souvenait des petits services qu'il lui avait rendus. Elle le cherchait partout dans la maison.

## La hulotte des ruines

Jusqu'au bout Zélie, malgré son épuisement, avait soigné son père, courant du lit de mort au berceau de mort. Lorsque ce fut fini, Zélie se sentit couler dans une eau noire comme celle du fleuve au cœur de l'hiver. Elle suffoquait, ne se croyait plus capable de lutter.

Pourtant, ses quatre petites filles étaient bien mignonnes, et son mari si gentil qui la regardait d'un air désolé.

Sa maison, qui lui avait autrefois paru claire, semblait très sombre. Ses yeux, épuisés par le travail de la dentelle, s'écarquillaient sur la Bible. Elle lisait le psaume de la prière dans le malheur :

> *Je ressemble au pélican du désert*
> *Je suis pareille à la hulotte des ruines ;*
> *Je veille et je gémis,*
> *Comme l'oiseau solitaire sur le toit ;*
> *La cendre est le pain que je mange,*
> *Je mêle à ma boisson des larmes*
> *Devant ta colère et ta fureur,*
> *Car tu m'as soulevé, puis rejeté ;*
> *Mes jours sont comme l'ombre qui décline,*
> *Et moi comme l'herbe je sèche.*

Zélie répétait le psaume. Dieu finirait peut-être par avoir pitié d'elle. Puisqu'elle acceptait tout. «Ça me tuera, se dit-elle. Quand ça m'aura tuée, je monterai là-haut, rejoindre mes enfants qui m'attendent. Il y a aussi mon père et ma mère. Si ça continue, ça m'en fera davantage en haut qu'en bas.»

## Un sommeil, la fin du jour

La douleur s'était déposée au fond de Zélie et y stagnait. Elle n'avait plus de larmes. Elle se rendait au cimetière, l'air indifférent. Quinze jours avant la mort de leur père, Marie-Louise lui avait envoyé une image pieuse. Elle y avait écrit : «La mort est un sommeil, c'est la fin du jour, la fin de l'exil.» L'âme devait alors recevoir le prix de son travail sur terre, comme une enfant qui retrouve son père tendrement aimé. Pourtant pour la première fois, Zélie, agenouillée près de la tombe paternelle, constata qu'elle ne pouvait pas prier. Elle se rendit quelques pas plus loin sur la sépulture de ses fils, mais la même indifférence l'emplissait tout entière. Elle se trouvait privée de pensées, le cœur serré à l'étouffer. Elle quitta le cimetière, se traîna jusque chez elle. C'était l'heure du repas. Elle s'assit machinalement, incapable de manger. Autour d'elle, ses filles babillaient gaiement. Zélie n'avait jamais souffert autant, sa douleur était désormais devenue totale. Elle crut que cet état durerait toujours. D'autres malheurs s'abattraient maintenant sur elle et elle serait devant eux comme une pierre.

L'indifférence de ma mère n'était pas un manque d'amour : au contraire, elle avait trop aimé. Elle se protégeait ainsi pour ne pas devenir folle de douleur. Puis, elle réagit. Elle avait tellement pleuré après la mort de son père qu'elle en avait attrapé une extinction de voix. Soudain, la douleur et la sécheresse s'estompèrent, elle s'éleva au-dessus d'elles, elle éprouva une jubilation mystique. Dieu avait voulu faire une grâce à ses filles en donnant à son père une sainte mort.

Le mot «saint» réparait tout. Mais cette sainteté, elle n'y croyait que par moments. Mes parents décidèrent de demander immédiatement cent cinquante messe pour leurs parents. Plus tard, ils en feraient célébrer d'autres. Désormais, tous les dimanches, le cimetière remplaça les champs et les bois. La promenade dominicale, traditionnel moment de détente de la semaine, fut ainsi transformée en devoir de mort. Zélie avait recommencé à souffrir. Cette fois, ce n'était plus elle qui mettait ses pas dans ceux de son père défunt, c'était lui qui la suivait. Elle revoyait sans cesse le signe de la croix qu'il avait fait avant de mourir. Peu à peu, son père se confondait dans ses pensées avec le Christ qu'il souhaitait tant imiter.

Ma mère, à son tour, voulut imiter son père et souffrir pour lui. Elle n'avait pas l'assurance de sœur Marie Dosithée, persuadée que Dieu l'avait accueilli dans son paradis. Pour Marie-Louise le mysticisme était un mode de vie, mais Zélie n'y avait accès que par moments. Malgré les messes, elle continuait à redouter qu'il ne fût au purgatoire. Ses défauts, ses rudesses, ses injustices, ses maniaqueries de vieillard lui revenaient. Elle décida de lui offrir les bonnes œuvres et les malheurs de sa vie entière. Tout ce qu'elle ferait et éprouverait se trouvait hypothéqué en faveur du disparu. Elle émit le vœu héroïque d'effectuer après sa propre mort un séjour au purgatoire, dans le but d'écourter celui de son père. Elle paierait dans la mort même une autre mort. Depuis qu'elle y avait des êtres aimés, le monde de l'au-delà lui était devenu si familier et si vivant que le mort n'était pas mort pour elle.

Elle fut plus que jamais sujette au scrupule, à la culpabilité, au perfectionnisme. Prise d'une violente rage de dents, elle se réjouit : sa douleur soulagerait le disparu. Son incapacité à accepter la séparation revenait toujours. Elle détestait ce qu'elle appelait l'égoïsme parce qu'elle ne pouvait s'accepter comme différente, autre. Lorsque, au bout de quelques jours, les douleurs devinrent intolérables, elle pensa, comme une enfant qui a mal travaillé à l'école, qu'elle ne donnait pas à son père les satisfactions qu'elle lui devait...

Elle s'arrangea pour vivre, à la place du défunt, une sorte de purgatoire dans la vie. En s'imaginant que ce qu'elle vivait de négatif était transformé en positif dans un autre monde, elle pouvait le supporter sans se désintégrer tout à fait.

## Pauline et Marie en pension

Au début du mois d'octobre 1868, elle conduisit Marie et Pauline en pension auprès de sa sœur au couvent de la Visitation du Mans. Ce sacrifice, comme elle l'appelait, augmenta sa tristesse et son sentiment de perte. Mais dans l'état où elle se trouvait, elle ne pouvait pas donner à ses petites l'attention dont elles avaient besoin. Leur gaieté avait fini par disparaître devant la tristesse de leur mère. Marie-Louise, alarmée par l'état de sa sœur, proposa de prendre le relais. Zélie accepta de se laisser décharger en pensant qu'elle donnait ainsi à sa sœur ce qu'elle avait de plus cher. Elle pensait que ses petites seraient très heureuses là-bas auprès de leur tante, qui saurait les mettre elles aussi sur la voie de la sainteté.

On se préoccupait beaucoup de l'éducation des filles. Une partie des catholiques considéraient, avec Tocqueville, qu'une éducation démocratique était nécessaire «pour garantir la femme des périls dont les institutions et les mœurs de la démocratie l'environnent». Mais les milieux bien-pensants considéraient encore l'enseignement des filles à l'extérieur comme un pis-aller. La meilleure éducation était celle de la famille, et la meilleure école de jeunes filles était la maison, où elles apprenaient leur futur métier, celui de mère, en observant la leur et en l'assistant. Les femmes étaient les garantes de la moralité et des vertus familiales. Les hommes étaient présentés, dans les traités d'éducation à la mode, comme des barbares, à l'instar des enfants. Seule la douceur féminine et ses vertus saurait les civiliser.

L'éducation à domicile supposait que la mère fût secondée par des maîtres et des précepteurs. Elle était donc l'apanage des milieux très aisés. Mes parents n'étaient pas encore aussi cossus, la maison devenait trop petite et Zélie n'en pouvait plus.

Elle se souvenait que les deux années passées au Sacré-Cœur avaient été les plus heureuses de son enfance. Sœur Marie Dosithée intervenait, comme elle l'avait toujours fait, aux moments clés de la vie de sa sœur. Celle-ci le lui rendait, puisque, à ses yeux, le seul inconvénient de la claustration était de ne pouvoir avoir d'enfants. Grâce à ses filles, Zélie connaîtrait, par procuration, cette existence monastique qu'elle continuait à regretter. Elle résolvait au mieux ses contradictions. Ambitieuse pour ses filles, elle les voyait déjà religieuses, ne pouvant imaginer pour elles d'autre réussite que celle qui lui avait échappé.

Les enfants parties, Zélie se trouva à nouveau happée par les mille tâches de la vie. La vente avait repris, on venait de lui commander quarante mètres de dentelle, des pièces très difficiles qu'elle devait livrer pour Noël. Et puis, les problèmes de domestiques: l'une la volait, l'autre tombait malade...

Et toujours la pensée de son père l'obsédait. Elle le croyait incapable de supporter les peines du purgatoire, tout en répétant qu'il avait l'air d'un saint avant de mourir. Mais il n'avait pas été habitué à pâtir comme elle. De plus en plus, ma mère faisait de sa souffrance sa gloire. Cette passive endurance devenait sa principale activité. Le sexe d'Ève avait été mis au monde pour cela. Elle devait prendre sur elle la douleur des hommes, comme le Christ. Son père mort étant désormais cause de sa souffrance, elle voulait souffrir pour deux. Ainsi parvenait-elle à faire de son infériorité féminine une forme de supériorité. Elle était plus forte que les forts. Mater dolorosa, elle était mère de tout le monde, de son père, de son mari, de sa servante comme de ses enfants.

Sa maternité se confondait avec sa rage de souffrir. Ce qu'elle ne pouvait empêcher, elle l'intégrait en le revendiquant. Son corps n'était plus que douleur. Il n'y avait pas seulement ce mal à la poitrine dont elle ne parlait plus. Elle avait mal à la gorge, aux dents, à la tête. Le sang lui affluait au visage. On lui trouvait une mine à faire peur. Ses douleurs la tenaient éveillée la nuit. Elle continuait à se rendre au cimetière, à ne plus sortir que pour cela. Fidèle à son refus de l'éphémère, elle n'acheta pas de couronne, ce qui fit jaser. Elle préféra une dalle plus riche, la plus belle croix de pierre. Quand la croix arriva, elle fut déçue. Rien n'était jamais aussi bien qu'elle l'eût voulu. Elle pensa qu'elle avait gaspillé son argent, décida de faire dire encore des messes. Ce qui allait directement au ciel ne semblait jamais perdu.

Elle trouvait que Dieu lui prenait tout, s'arrangeait quand même, n'abandonnait jamais. Il ne l'écoutait pas, ne suivait pas ses conseils. A Sa place, elle eût fait les choses autrement. Elle émergea de son accès d'indifférence durcie, prête à tout. Isidore, alarmé, tentait de la raisonner. Il trouvait qu'elle avait trop d'enfants. Lui se contenterait de deux filles et d'un garçon mort à la naissance. Les Martin devenaient une famille de femmes. Les petits mâles y semblaient sous le coup d'une malédiction. Isidore était du parti moderne. Il ne s'acharnait pas contre le sort, sa foi ne l'empêchait pas d'être pragmatique. Mais Zélie refusait d'écouter son frère. Elle voulait absolument un garçon de plus, qu'elle envisageait d'ailleurs comme voué à la mort dès la conception. Attendant sa propre disparition, elle vivait sa fécondité comme une provocation jetée à la face des autres et peut-être à celle du ciel. Puisque le Bon Dieu voulait absolument lui prendre ses fils, il pouvait au moins lui en laisser encore un jusqu'au baptême, ainsi elle aurait un ange de plus. Ses enfants morts lui restaient sous forme d'anges, et avec ces anges, Zélie entreprit de repeupler le ciel. Plus ils seraient nombreux à l'attendre là-haut lorsqu'elle y monterait, plus elle y serait heureuse. Cette morte en sursis voulait désormais enfanter des morts.

Tout autour d'elle paraissait désormais voué à l'au-delà. Quand Isidore évoqua un espoir de paternité, Zélie lui parla de la fragilité des enfants et des douleurs qu'ils coûtent. Évoquant son arrivée au paradis, elle s'y voyait toujours au bras de Louis, qui serait donc parti avant elle ou en même temps.

Allant chercher ses filles pour les vacances de Noël, elle trouva Marie-Louise malade. Depuis le miracle qui lui avait permis d'échapper à la mort par tuberculose, celle-ci restait atteinte d'une bronchite chronique dont les crises étaient très douloureuses. Sa consomption était maintenue en sommeil par la foi fabuleuse qui lui avait autrefois permis de soulever la montagne de sa maladie.

La Visitation : des bâtiments à deux étages, carrés, des fenêtres à petits carreaux, un vrai jardin de couvent, sauvagerie apprivoisée aux bosquets denses. D'un côté le couvent luimême, de l'autre le collège. Les élèves appartenaient le plus souvent à la haute société. Marie et Pauline y étaient entrées sur intervention de leur tante. Cette ascension sociale justifiait le sacrifice de la séparation.

Pourtant Zélie, lors de cette visite, n'eut pas envie de voir ses filles jouer avec de petites demoiselles nobles. Elle ne pensait qu'à l'état de sa sœur. Marie Dosithée, couchée dans sa cellule pauvre et nue, sans chauffage par cet hiver humide et glacé, à peine couverte, la poitrine marquée d'un douloureux vésicatoire, se leva à grand-peine pour accueillir la visiteuse. La visitandine avait toussé à en perdre la voix. Elle parlait très bas, au prix d'un immense effort. Ma mère dut, pour laisser sa sœur en repos, écourter sa visite.

La maladie reprenait chaque hiver. Marie-Louise eût dû alors profiter d'un climat plus clément, comme il était recommandé aux tuberculeux par les grands froids. Sa vie de recluse rendait cela impossible. Prise dans ses contradictions habituelles, ma mère disait à la fois que sa sœur n'était pas mourante, et qu'elle venait de la voir pour la dernière fois. Déjà, elle imaginait les visites qu'elle ferait au couvent, son aînée n'y étant plus, parlait de sa douleur, vivait son deuil d'avance. Il lui semblait que son courage l'abandonnerait lorsque Marie-Louise serait morte. Et puis, elle était si utile à ses enfants !

Les épreuves traversées avaient modifié le caractère de Zélie. Son désir éperdu de sacrifice avait pour pendant un certain égoïsme, destiné à rassembler autour d'elle les lambeaux d'une vie qui semblait vouloir la quitter. Son catastrophisme s'était accru, et sa tendance à la projection laissait retomber le voile de son deuil sur ceux qui lui étaient chers.

## Naissance de Céline

Le système de paiement des dettes de souffrance instauré par Zélie s'étendit à ses filles avec la collaboration de Marie-Louise. Marie croissait en beauté. Sa timidité persistante la rendait patiente. Marie Dosithée, remarquant que plusieurs des molaires de l'enfant étaient cariées, la prévint qu'il faudrait les arracher. Mais la douleur ressentie serait autant de décompté sur le temps de purgatoire de son grand-père. Ainsi, la souffrance avait une valeur.

Marie alla au supplice avec l'abnégation des premiers martyrs de la chrétienté. Le dentiste en resta pantois, mais ces efforts s'avérèrent inutiles. L'homme de l'art expliqua qu'on n'arrachait pas les dents de lait qui n'étaient pas douloureuses. L'enfant eut encore la force de regretter l'épreuve à laquelle elle venait d'échapper.

Par ce courage, Marie, qui malgré la régularité de ses traits n'avait ni le charme de Pauline ni les grâces d'Hélène, sut trouver le chemin du cœur de notre mère. Son perfectionnisme et sa façon d'être prête à tout pour gagner de l'amour touchèrent Zélie, dont elle devint peu à peu plus proche. Le 8 janvier, jour du retour à la pension après les vacances de Noël, Zélie et Marie se jetèrent dans les bras l'une de l'autre et pleurèrent à chaudes larmes.

L'exubérance de Pauline, en revanche, la préservait des excès de douleur. Elle préférait les excès de joie, et sœur Marie Dosithée en fit le reproche à Zélie. Le charme de Pauline lui procurait de grands succès auprès de ses camarades de pension. Mais elle était très vive, qualité qu'on croyait bon de décourager chez une fillette, et qui la priva de la rosette ainsi que du titre d'Enfant de Jésus. Mon oncle Isidore, d'ailleurs, se plaignait que Jeanne, sa première-née, fît preuve de cette même vivacité, si peu acceptable pour son sexe. Ces choses-là se corrigent, expliqua Zélie. Pauline commençait déjà à se calmer. Zélie ne l'avait pas gâtée. Malgré l'âge tendre de l'enfant, elle ne lui passait rien. Zélie rappela au jeune père inquiet que ce trait de caractère venait de lui, qui dans son enfance était «malin comme un diable». D'Isidore, on ne disait jamais qu'il était saint...

En février, une des grandes élèves du couvent eut la typhoïde. Les deux aînées furent ramenées du Mans par un ami de la famille. Elles arrivèrent auréolées de gloire, car elles venaient enfin d'être admises dans la congrégation des Enfants de Jésus. En échange, les vacances de Pâques allaient être supprimées. Zélie ne fut pas contente de les voir arriver. Elle était débordée de travail, et elle gardait désormais un état d'esprit négatif. Elle semblait par moments se désintéresser de ses enfants, alors qu'à d'autres elle les adorait.

Au milieu de son marasme, elle s'aperçut, avec une joie mêlée d'épouvante, qu'elle était de nouveau enceinte, mais ce qui eût dû la réjouir se présenta une fois de plus comme un enfer. Elle était persuadée d'attendre un garçon qui mourrait comme les deux autres. Elle ne se sentait plus à son aise que dans le malheur. Les moments de répit étaient pour elle l'appréhension d'un drame à venir, qu'elle devinait pire pour ne l'avoir pas encore éprouvé. Quand elle allait mieux, elle se disait qu'elle devait être forte pour que cet enfant-là ne connût pas le sort des précédents. La nouvelle vie qui s'annonçait lui permettait de continuer elle-même à vivre. Mais lorsqu'elle assistait à la messe, ses idées noires augmentaient et la bouleversaient. Elle commença alors, dans son désespoir, à penser qu'il n'y avait qu'une position face à Dieu : l'abandon. Contrairement à son attente, elle accoucha d'une fille le 28 avril 1869. Céline survivrait, cela parut immédiatement évident. Les filles tenaient le coup chez les Martin. Seuls les petits princes de Zélie se montraient très pressés de rejoindre le royaume de gloire. On donna au bébé le prénom de ma tante de Lisieux, si pleine de vie et de santé. Elle entra avec enthousiasme dans la vie. Ses petits pieds tricotaient l'air comme si elle se voyait déjà en promenade. Zélie n'éprouva à son propos aucun des sentiments négatifs qui avaient accompagné la naissance des Joseph. Les idées noires étaient réservées aux mâles. D'ailleurs, à la naissance de Céline, mes parents décidèrent de ne plus avoir d'enfants. L'espoir d'un garçon abandonné, les risques de santé impliqués par une maternité devenaient pour Louis insensés, dès lors qu'il connaissait l'existence de cette « glande » au sein que Zélie s'obstinait toujours à ignorer du mieux qu'elle pouvait.

L'ombre de la mort, Zélie la voyait maintenant sur Marie-Louise. Sa sœur guérie de sa crise, elle persistait à l'imaginer mourante. Elle n'avait pas de scrupule à cela, étant dans l'innocence de la perte, l'emballement des départs prochains. Elle se disait que sa sœur serait ravie de passer. Marie-Louise devait préparer le paradis pour elle. La mort lui sembla alors l'embrassement suprême, celui qu'elle n'avait pu connaître dans le mariage. Elle serait enlevée dans des bras puissants et invisibles, transportée là-haut où résidait désormais la joie. Ses filles près de sa sœur qu'elle imaginait sur le départ, Zélie se trouva soudain heureuse. Le bonheur était désormais un vide, un manque. La présence de l'autre devenait lourde, torturante. Pourtant, cette torture, Zélie l'appelait. Ce vide, elle le remplissait.

## Un enfant, encore

Malgré la décision prise, un enfant fut encore conçu à l'automne 1869. Zélie et Louis ne purent s'en empêcher. Enceinte en même temps que sa belle-sœur, Zélie reprit espoir et se plut à les imaginer avec chacun un fils. Elle attendait la naissance sans inquiétude, ce qui aurait dû lui mettre la puce à l'oreille. Mais les deuils subis commençaient à s'estomper. Ses filles allaient bien, le couvent leur réussissait. Marie était couverte de croix et de rubans : croix d'excellence, ruban d'application... Marie-Louise passa un hiver sans maladie. Ma tante Céline, ravie de leur complicité de femmes enceintes, continua à la gâter. Zélie s'en plaignit : « Je me suis promis de ne jamais dire ce que je désirais, parce qu'on ne me donne pas ce que je voudrais, c'est toujours moitié plus beau. » Elle avait la terreur d'accepter ce que le destin pourrait lui reprendre ensuite.

Elle pensait déjà mettre en nourrice l'enfant à naître. Ces petits jamais assez nombreux étaient pourtant de trop. Elle les aimait, et son amour même était une menace. Elle ne s'appartenait plus. En haut, dans son sein, la tumeur grandissait. En bas, dans son ventre, l'enfant poussait. Toutes les parties maternelles étaient envahies. Son corps était dévoré. Seules lui appartenaient sa tête et ses mains pour travailler.

Elle rencontra une amie qui désirait vainement des enfants. Cette femme voulait aller à Lourdes, mais elle était retenue par l'idée que si ça marchait, ça marcherait trop bien. Dieu l'accablerait alors d'enfants, ça ne s'arrêterait plus. Elle préférait finalement ne pas en avoir, plutôt que d'en être esclave. L'esclave, c'est ainsi que ma mère se nommait. Par le biais de paroles attribuées à une autre, elle pouvait parler de ce qu'elle ne pouvait s'autoriser à ressentir.

Dieu, au moins, la comprenait. Il savait que ce n'était pas la paresse qui l'empêcherait de nourrir ses enfants, car elle ne craignait pas sa peine.

# *Hélène*

Insidieusement, un nouveau malheur se préparait. Le pessimisme qu'on avait toujours reproché à Zélie se vérifiait au-delà de ce qu'elle avait imaginé. Hélène mourut le 22 février 1870. Zélie, qui s'était habituée à sa taille frêle et à sa santé délicate, avait cessé de se tourmenter à son propos. Mais l'enfant était minée en secret par la consomption. Les accès de fièvre infantile cachaient l'atteinte sérieuse des poumons. Le médecin arriva trop tard. Hélène, héroïque, consacra ses dernières forces à consoler ma mère. Elle était triste de voir pleurer Zélie à cause d'elle. La fin fut déchirante. Elle se força à absorber du bouillon en croyant qu'ainsi sa mère allait mieux l'aimer. Elle paya cet effort par des souffrances terribles. Elle regardait la bouteille de potion ordonnée par le médecin et voulait la boire d'un coup, pensant qu'elle serait guérie. Juste avant de mourir, elle répétait: «Oui, je vais être guérie, oui, tout de suite...» Elle partit soudain, laissant sa mère saisie de surprise, son père sanglotant qui répétait son nom. Puis mes parents se reprirent et se dirent qu'ils l'avaient offerte à Dieu.

Cet acte de soumission leur permettait, sans se rebeller contre le sort, de ne pas se sentir totalement passifs et impuissants devant ce qui leur était imposé. Mais cette mort provoqua chez Zélie une de ses terribles crises de culpabilité. Elle se reprochait d'en avoir été la cause en poussant Hélène à avaler le bouillon fatidique. Peut-être l'avait-elle tuée aussi en lui faisant manger des rôties au vin dans l'espoir de la fortifier? Pourquoi n'avait-elle pas vu venir la mort? A force de la redouter, lorsqu'elle arrivait elle ne pouvait plus la regarder en face. La bonne, elle, avait compris qu'Hélène était perdue.

Zélie voulut faire seule la toilette et l'habillage de la petite morte. Elle crut en mourir, mais ne pouvait supporter l'idée que d'autres la touchent. Lorsque ce fut fini, elle trouva l'enfant plus belle ainsi que vivante... Elle fut surpassée par

Marie-Louise qui trouva qu'elle avait bien de la chance : ces élus qu'elle donnait au ciel seraient «sa couronne et sa joie...». Si Dieu envoyait à Zélie autant d'épreuves, c'était pour la récompenser un jour magnifiquement, en lui donnant «le grand saint qu'elle avait tant désiré pour sa gloire...». Toutes ces morts devaient servir à quelque chose. Zélie se croyait à nouveau enceinte d'un garçon qui serait missionnaire. Or, le prochain enfant Martin qui vivrait, ce serait moi. J'aurais en effet cette vocation, je serais empêchée de l'accomplir par mon sexe. Les Martin auraient la gloire, et ils l'auraient par des voies féminines. Mes parents avaient toujours été dévoués à la Vierge, et c'est par le féminin que leur désir devait s'accomplir. Je serais le fruit des morts qui m'avaient précédée. Ma vie serait d'avance vouée à la mort, elle ne serait qu'un sursis pour accomplir le plus vite possible ce qui devait s'accomplir, un court passage avant d'aller rejoindre ceux, plus faibles que moi, qui avaient tout donné pour ma gloire. Cette gloire que je restituerais en même temps à Dieu. Rien ne devait m'appartenir.

La mort d'Hélène affaiblit Zélie qui se trouva à son tour prise de fièvres. Elle se traînait. Elle pensait qu'elle n'avait plus assez d'enfants. Elle voulut faire revenir Céline, maintenant âgée d'un an, de chez la nourrice. Il ne restait à la maison que Léonie qui se développait mal, dont l'intelligence était retardée, la santé précaire.

Depuis qu'elle avait mis à Hélène sa dernière robe, Zélie se voyait sans cesse mourir comme elle, il lui semblait être dans le cercueil à la place de sa fille. Elle continuait ses comparaisons, regrettait maintenant Hélène plus que ses fils. Hélène était morte d'avoir été trop belle et gentille. La religieuse qui faisait la classe lui avait dit que les enfants comme elle ne vivaient pas. Il y avait eu autour d'Hélène une sorte de conspiration.

Elle renvoya bientôt Céline chez la nourrice. Elle eut à son propos cette expression étrange : «C'est un sable mouvant.» La présence de ses enfants n'était plus une invitation à vivre mais à mourir. Elle avait peur de s'en occuper. Totalement privée de courage et d'énergie, elle voulut aussi mettre à la

Visitation Léonie, la seule qui restât encore à la maison. On refusa de la prendre. Ce fut un coup de plus.

Louis et Zélie se décidèrent alors à vendre la bijouterie à un neveu. Ils avaient maintenant assez d'argent pour élever les enfants qui leur restaient.

Alençon préparait la grande cavalcade de Pâques. Il y aurait grand bal. Les dames commandaient des toilettes dans le plus strict secret, elles craignaient qu'on éventât leurs trouvailles. Zélie trouva cela risible. C'étaient ces frivolités-là qui lui donnaient tant de travail et lui usaient les yeux.

La bijouterie vendue, elle disposa de davantage de temps. Louis pouvait maintenant la seconder dans l'administration de son travail et le gouvernement des enfants. Elle reprit définitivement Céline. Celle-ci était la favorite de Louis qui s'en occupait très bien, et elle était gâtée par sa tante dont elle portait le nom. Elle était toujours mieux habillée que les autres. Mais Zélie restait effrayée d'avoir à s'occuper de l'enfant à venir. Cette crainte l'envahissait à tel point qu'elle redouta de tomber malade.

## La première petite Thérèse

Ma première incarnation, Marie-Mélanie-Thérèse, naquit le mardi 16 août 1870 à onze heures du soir, le lendemain de la fête de Marie. On crut y voir un bon signe. Mais elle ne serait qu'un essai, je viendrais ensuite. Si je compte les morts qui m'ont précédée, j'arrive à six: mes deux grands-pères, mes deux frères, Hélène et enfin cette petite sœur éphémère.

Elle fit son entrée dans le monde sans trop déranger. Elle était discrète presque jusqu'à la transparence. Zélie ne mit qu'une heure à accoucher. L'enfant ne pesait que quatre livres deux cents. Zélie tenta de l'allaiter pendant quatre jours. Mais elle avait trop peu de lait, même pour une enfant si frêle. Le bébé hurlait de faim. On rajouta des biberons. Elle ne le supporta pas. Le médecin prescrivit d'urgence la recherche d'une nourrice. Zélie en trouva une à Alençon, ce qui lui permettrait de voir l'enfant très souvent. Dès le lendemain, les coliques caractéristiques des bébés Martin, qui les faisaient se convulser, le visage bleu et hurlant de douleur, s'étaient calmées. Thérèse tétait vigoureusement la nourrice et quand elle ne tétait pas, elle dormait.

Harcelée par la culpabilité, Zélie ne put s'en réjouir. Elle ne supportait pas de sentir sa fille si près d'elle dans les bras d'une autre. C'était comme si la nourrice, qui l'avait sauvée, la lui eût volée. Quelqu'un lui prenait toujours ses enfants qu'elle peinait tant à avoir, tout comme les clientes lui prenaient la dentelle qui lui coûtait de tels efforts. Et, en lui commandant cette dentelle, ces femmes riches et choyées la séparaient de ses bébés, qui finissaient en nourrice.

Son amour de la parure féminine, qu'elle n'avait jamais vécu que par le truchement d'une autre femme et qu'elle sublimait à travers ces merveilleux fils de la Vierge destinés à d'autres, était mort avec la petite Hélène. Désormais, elle se sentait prête à se consacrer entièrement à un bébé. Mais ses soins rendaient l'enfant malade. Une étrangère s'en sortait mieux.

Le point d'Alençon fut condamné à son tour. «Mort et enterré pour longtemps», déclara Zélie. En fait, ce maudit point qui la réduisait en esclavage, comme ses enfants, était devenu un membre de la famille. Ce sacrifice fut un deuil supplémentaire.

Elle prit finalement une femme à domicile pour veiller sur elle et sur la petite Thérèse. Il y avait de la place, maintenant, dans la maison. Elles se partageraient en quelque sorte une nourrice, Zélie redeviendrait enfant avec ses enfants.

Trop tard: la petite Thérèse mourut le 8 octobre. Elle n'avait pas trois mois. Le médecin, à qui Zélie la montra après l'avoir retirée à la nourrice, déclara qu'elle était morte de faim.

Parfois, les nourrices, lorsqu'elles n'avaient plus assez de lait pour nourrir deux enfants, le cachaient aux familles. Le pressentiment de Zélie, qui ne supportait pas de savoir Thérèse chez cette femme, était juste.

# La guerre

Une fois de plus, ma mère voulut remplacer cette enfant. Comme il y avait eu un second Joseph, il y aurait une seconde Thérèse. C'est parce que cette première petite Thérèse est morte de faim que je suis venue au monde. A la fin de ma vie, je retrouverais mon double. Je pratiquerais le jeûne. Je m'exercerais à mourir de faim.

Cette année-là, la guerre se déclencha. La France fut envahie par les Prussiens. L'armée française fut balayée à Sedan. A la guerre succéda la guerre civile. La Commune éclata. Ce fut la Semaine sanglante, la défaite des Communards, le triomphe des Versaillais.

La France était humiliée. L'armée prussienne occupait de nombreux départements. Le 22 novembre 1870, on annonça l'arrivée des Prussiens à Alençon pour le lendemain. La moitié de la ville s'enfuit, après avoir caché ses trésors et son argent, qui sous un arbre, qui sous son plancher. Mes parents, eux, ne bougèrent pas. Malgré les bruits qui couraient sur la sauvagerie des soldats, Zélie refusa d'abandonner Louis, qui restait pour défendre la propriété familiale. La tradition guerrière l'avait repris. Il rêvait de s'engager dans les francs-tireurs. La situation financière devint difficile. Rentiers, mes parents se pensaient en sécurité, mais ne parvenaient plus à faire rentrer l'argent. Plusieurs fois, par un phénomène naturel, l'horizon s'embrasa, on crut le voir teinté de sang. Mais les Prussiens annoncés n'arrivaient pas.

Le 30 décembre, Zélie alla au Mans chercher ses filles. La ville était dans un état pitoyable. Il y avait des malades et des blessés partout. Le couvent de la Visitation fut réquisitionné par la municipalité, transformé en hôpital. Zélie dut arracher Marie et Pauline aux religieuses, qui craignaient qu'on ne leur envoie encore plus de malades si leurs élèves partaient. Elles étaient épouvantées. Elles voyaient là une manœuvre des anticléricaux, une manière de s'en prendre à l'Église, d'ouvrir les couvents. Au dernier moment, Zélie poussa ses filles dans le train bondé. Elles rentrèrent à Alençon sans encombre.

Les Prussiens arrivèrent finalement le 17 janvier 1871 à sept heures. Au dernier moment, les habitants n'eurent plus le courage de se défendre et abandonnèrent les préparatifs. La ville attendit dans un silence rompu seulement par le roulement lointain du canon, qui se rapprochait peu à peu. Vers six heures du soir, le canon se tut. Tapie dans la terreur, la ville vit les blessés entrer les premiers. Certains n'avaient plus de pieds, de mains, d'autres encore avaient le visage en partie arraché. Les ambulances passaient, pleines de gémissements. Les Prussiens voulaient tuer, ils le proclamaient par le noir des drapeaux, la tête de mort sur le casque des soldats.

Pour Zélie, cette guerre était une boucherie, cette boucherie un châtiment. C'était la condamnation divine de la prospérité d'une nation orgueilleuse qui pensait à son estomac plutôt qu'à Dieu. Elle répétait ce que les curés disaient dans leurs prêches.

Le lundi après-midi, un sergent frappa à la porte. Toutes les maisons devaient accueillir des Prussiens. Certains se retrouvaient avec vingt-cinq soldats à loger. Zélie tint tête avec courage, mais elle en eut neuf. Ils ne volaient pas, parlaient poliment, mais mangeaient comme des ogres. Ils refusaient le pain mais engloutissaient des fromages entiers, avalaient le ragoût de mouton comme de la soupe. Ils occupaient le premier étage. La famille, tassée, campait au rez-de-chaussée. L'organisation de la maison était bien difficile à gérer.

Au bout de quelques jours, les bestiaux des fermes autour de la ville furent confisqués par le duc de Mecklembourg en guise d'amende. Les boucheries se vidèrent, les crémeries aussi. Mon père, à qui cette défaite rappelait de tristes souvenirs de famille, fut repris d'un de ces accès de dépression qui l'abattaient lorsqu'il était jeune homme. Il ne mangeait plus, ne dormait plus. Tout retomba sur les épaules de Maman. Les filles se chamaillaient, enfermées dans un espace étroit. Ces vacances forcées les enchantaient malgré tout. Elles se disputaient les derniers cadeaux de leur tante : une boîte de peinture, des albums à colorier.

Tante Céline était de nouveau enceinte. Léonie, elle, fut

finalement acceptée à la Visitation. Une fois de plus, Zélie se réjouit de voir s'éloigner une de ses filles. Elle se trouvait si tranquille qu'il lui semblait être en paradis...

Le 30 juillet, mes parents déménagèrent pour s'installer rue Saint-Blaise. Louis avait rénové l'endroit, les pièces étaient spacieuses, avec une belle entrée carrelée, d'où montait un escalier de bois sculpté. Ma mère aimait cette maison qui avait appartenu à son père. Elle était gracieuse avec les fenêtres en arceaux du premier étage, précédées d'un balcon de fer forgé. Le deuxième étage était mansardé. On accédait au jardin par une grille située sur le côté. Le matin, la bonne lavait à grande eau les deux marches étroites qui menaient à la porte d'entrée.

Mais Léonie fut renvoyée au bout de quelques mois. On trouva son intelligence trop faible pour suivre les classes, et son caractère difficile exigeait trop de Marie-Louise, dont la santé était à nouveau compromise.

Puis, le couple de mon oncle et de ma tante se trouva frappé. Les deux premières grossesses de tante Céline avaient été extrêmement difficiles. Pour la troisième, elle dut rester allongée pendant six mois. Elle accoucha finalement, le 16 octobre 1871, d'un petit Paul qui mourut peu après, par la faute d'un médecin incompétent. Cela replongea Zélie dans la culpabilité. Elle crut que son propre accouchement, trop facile, avait été cause de la mort d'Hélène. Elle avait alors supplié Dieu de ne pas la laisser souffrir longtemps. Elle était maintenant persuadée qu'il lui avait répondu : «Puisque tu n'as pas le temps d'être malade, tu auras le temps d'avoir beaucoup de peine.» Le Dieu de Zélie était désormais un Dieu sadique. Elle écrivit à Isidore qu'elle ne pouvait pas le consoler, car elle aurait eu besoin de l'être elle-même. Elle se sentait vidée, n'avait plus rien à donner.

En mai 1872, mon père partit en pèlerinage à Chartres. On avait prédit des événements révolutionnaires. Ébranlé par la guerre, il voulait intercéder auprès de la Madone, avec six autres hommes d'Alençon. Deux mille personnes se retrouvèrent dans la ville. Ne sachant pas où coucher, Louis passa la nuit dans la chapelle souterraine. Mais les événements attendus ne se produisirent pas. Zélie en conclut qu'on ne pouvait rien prévoir. Il était inutile d'intervenir sur le sort: seul Dieu connaissait le temps et l'heure.

Elle était encore enceinte. Elle craignait de ne pouvoir élever l'enfant. Elle se préparait à quitter le monde. Elle ne voulait plus voir personne, sauf sa famille. Isidore venait d'acheter une droguerie en plus de la pharmacie. Elle lui dit qu'il se trompait s'il croyait devoir sa réussite à ses capacités. Dieu seul était responsable.

Pourtant, Zélie allait mieux. La vie à venir lui donnait espoir, elle attendait l'enfant, l'appelait déjà son cher petit ange. «J'aime les enfants à la folie, j'étais née pour en avoir, mais il faudra bientôt que cela finisse», écrivait-elle. A ma naissance, ma mère avait quarante et un ans.

# II

## *ENFANCE*

# J'étais souriante

Je fis mon entrée dans la vie très facilement. Peu après mon arrivée, je souriais déjà. J'arrivai le 2 janvier 1873, à onze heures et demie du soir, comme un cadeau de nouvel an. J'étais forte et bien-portante, je pesais huit livres. Zélie m'avait sentie robuste dans son ventre et en avait conclu que j'étais un garçon. Elle ne fut pas trop déçue de la méprise. L'accouchement avait été le plus facile. Elle n'avait vraiment souffert qu'une demi-heure. Elle me trouva gentille. Elle était persuadée que, lorsqu'elle chantonnait en me promenant dans ses bras, je chantais avec elle. Je remplaçais non seulement la petite Thérèse mais aussi Hélène avec qui elle me voyait une ressemblance. Je fus baptisée le lendemain selon la coutume familiale.

Cette précaution sembla vite justifiée. Zélie s'était juré de ne pas mettre en nourrice son dernier enfant et voulut absolument m'allaiter. J'attrapai très vite la maladie des bébés Martin, cette entérite qui les faisait mourir l'un après l'autre. Je fis d'emblée l'apprentissage de la douleur. Les crampes marquèrent au fer rouge mes entrailles minuscules. Le lait maternel s'avéra un poison : le pire me vint tout de suite du meilleur. Je voyais au-dessus de mon berceau, comme un miroir pour mon visage rouge et convulsé, la face inquiète de Zélie. Marquée par les stigmates du deuil — sept morts dans la famille pendant la dizaine d'années précédant ma naissance —, ma mère semblait environnée d'une atmosphère obscure, désolée. Le désespoir se mêlait chez elle à sa foi violente, primitive, inébranlable. Tout cela tendait les traits du visage. Ses yeux ternis par trop de larmes s'animaient parfois d'une lueur presque frénétique. Ma tante Marie Dosithée en était venue à porter sur elle un jugement plein d'admiration. Elle lui trouvait un courage prodigieux, une résistance incroyable. «L'adversité ne l'abat pas, la prospérité ne l'élève pas», concluait la visitandine.

En fait, l'alternance de hauts et de bas qui rythmait sa vie tant familiale que professionnelle maintenait ma mère à un niveau de malheur à peu près constant, comme si le Bon Dieu se fût armé, pour évaluer son destin, d'une balance.

Ma mère avait le cœur fendu de me voir souffrir. Elle avait déjà l'âge d'être grand-mère. J'étais son dernier fruit, la perle de sa couronne, une rose tardive parmi les épines.

Maman me trouvait l'air d'un ange, elle voulait quand même que je vive. Une fois de plus, elle partit un matin tôt pour Semallé, afin de décider Rose Taillé à venir m'allaiter à Alençon.

En traversant la forêt, la mort dans l'âme, elle rencontra deux maraudeurs. Elle les regarda sans crainte. Au point où elle en était, elle n'avait plus peur de rien. Ils pouvaient bien la tuer si ça leur chantait. Les voyous la laissèrent sauve. A son regard, ils avaient senti qu'elle était déjà de l'autre côté.

Rose refusa d'abord. Elle ne voulait pas quitter ses propres enfants et elle avait vu mourir deux petits Martin. Elle avait déjà trente-sept ans, et plus tant de lait. Mais elle eut pitié de Zélie. Un compromis fut trouvé: Rose ne resterait que huit jours à Alençon, puis elle rentrerait à Semallé avec moi. Il était donc dit que Zélie serait séparée de son dernier bébé. Mais elle n'avait pas le choix. Elle n'avait confiance qu'en Rose.

Ma mère se remit donc en marche une heure après avec Rose. Elles furent de retour à Alençon à dix heures et demie. Peine perdue: je refusai le sein de Rose, malgré ses efforts. Ma mère monta alors dans sa chambre demander à saint Joseph la grâce de ma vie. Le saint dont elle avait donné le nom à ses deux petits garçons se laisserait-il fléchir? Les larmes coulaient sur le visage de ma mère qui pleurait pourtant très rarement, alors qu'elle descendait l'escalier en hésitant, craignant de trouver le pire. Mais c'était le meilleur: pendant que Zélie priait, je m'étais brusquement décidée à téter. Je ne voulais plus quitter le sein de Rose. J'y restai voracement attachée pendant presque deux heures. Je me gavai de ce lait qui était la vie. Subitement épuisée, je lâchai prise. Un peu de liquide coulait sur mon menton. Je ne bougeais pas. Le sang de Zélie se glaça dans ses veines. Le silence, terrible, était rompu par les sanglots d'une ouvrière venue porter sa dentelle, et qui assistait à la scène. Ma mère était si convaincue que j'étais morte qu'elle remercia Dieu : sur mon visage paisible ne se lisait aucune souffrance. Aucun souffle non plus ne s'échappait de ma bouche, pourtant ces femmes étaient penchées sur moi. Personne ne bougeait, l'assistance était frappée de stupeur. On me croyait avec les anges. J'y étais peut-être. Qui sait quels voyages nous effectuons à certains moments ? Au bout d'un quart d'heure, j'ouvris les yeux et je souris. J'étais complètement guérie.

Ma mère me tint pour miraculée. M'ayant vue presque partir une fois, elle craignait toujours qu'on ne me reprenne. Un peu plus tard, j'eus de la fièvre. La poitrine était atteinte. Le docteur rassura Maman : ma vie n'était pas en danger. Mais elle m'offrit en sacrifice à Dieu. Elle était persuadée qu'elle ne pourrait pas me garder. Elle me voyait morte. Elle préférait croire cela, pour sentir la douleur moins fort quand elle arriverait. Puis, elle se dit qu'elle avait trop souffert déjà dans sa vie. Elle devait ranimer son courage, m'accepter vivante.

Rose m'emmenait partout avec Eugène-Alexandre, mon frère de lait. N'ayant pas de voiture d'enfant, elle me transportait dans une brouette garnie de bottes d'herbe odorante. Elle me trouvait mignonne, un large sourire fendait son bon visage rond tanné par le soleil. Elle me disait sa tendresse avec les mots rocailleux de son bocage.

J'étais blonde aux yeux bleus, comme ma sœur Léonie qui, pour cette raison, m'a aimée aussitôt, se reconnaissant en moi, elle l'étrangère.

Je fus l'enfant de l'hiver, mais dès que le printemps pointa, le soleil dora ma peau rose, mes joues rebondies. Souvent, le dimanche, mes parents et mes sœurs venaient me voir. C'étaient des parties de campagne délicieuses, agrémentées de goûters merveilleux. Mes sœurs se bourraient du pain bis de Rose, moelleux et craquant, abondamment tartiné de crème fraîche. Les enfants de Rose, mes camarades de jeu, préféraient le pain blanc de la ville, friandise de luxe. On se les échangeait.

Maman me recoiffait et me débarbouillait. Mes boucles étaient toujours en bataille. Céline me chantait des chansons, Léonie me racontait à l'oreille des histoires rien que pour nous deux. Le soir, quand ils repartaient, j'avais joué tout mon saoul, je dormais aussitôt.

Je suis très robuste, je pèse quatorze livres. La plus robuste des enfants Martin, une vraie Taillé. Zélie peine à me porter. Rose pas du tout, elle est accoutumée aux fardeaux, aux grappes de bébés.

Je m'habitue à la rue Saint-Blaise. Rose m'y laisse de plus en plus longtemps. Mais je ne suis pas à l'aise avec ma mère. Je préfère les ouvrières, des campagnardes qui apportent leur travail. Je reconnais quelque chose de Semallé dans ces femmes simples. Je leur tends les bras, je les embrasse. Dès qu'une cliente arrive, je hurle à nouveau.

J'aime les paysannes, leur puissante stature, leur odeur forte, leur toile rêche, leurs gros jupons. La sophistication des gens à la mode ne me dit rien qui vaille. Cette distinction s'imprime en moi très fortement. Je préférerai toujours la pauvreté, les mets simples, la bure du carmel.

Janvier 1874. J'ai un an, déjà deux dents, une troisième qui perce. Je marche maintenant seule, j'accueille volontiers ma mère. Elle me trouve un sourire d'ange, un air très doux. Je comprends qu'elle m'aime, c'est un autre amour.

Ces premiers temps insouciants passèrent trop vite. Ils marquèrent mon âme d'une douce empreinte. Je me sentais entourée d'amour. Je ne le perdrais que pour vouloir le retrouver, en ayant connu la saveur qui ne s'oublie pas. Je passerais ma vie à cette tentative.

Ma mère remarqua vite mon intelligence. J'avais aussi beaucoup de mémoire, si bien que des souvenirs très précoces se gravèrent en moi. Je devais toujours garder cette caractéristique de l'enfance que la plupart des gens perdent en grandissant: je restai en correspondance directe avec les choses. Je m'ouvrais à tout sans détours. C'est ce qu'on appelle l'innocence. Je n'ai jamais pu renoncer au climat de mes premiers mois, baigné de la présence de deux mères. C'est pourquoi mes souvenirs m'ont été si précieux. Ce fut ma façon de ne pas être trop orpheline. Je restai à jamais la petite Thérèse, ces années toujours présentes en moi comme un trésor. Ma mémoire était pleine de soleil.

J'étais très tendre. Je n'avais jamais assez de caresses et de baisers. Je savais les attirer par des mines et des petits jeux. J'aimais le bonheur et le plaisir.

**Pourtant,** quelques jours après ma naissance, le 9 janvier 1873, Napoléon III mourut. Le 24 mai marqua le passage à un régime parlementaire avec l'avènement de Mac-Mahon, et le 25 mai, la naissance de l'Ordre moral. La fête impériale avec ses dérèglements était bien terminée. Je commençais ma vie sous le signe de l'austérité.

## *Mes sœurs*

Trois mois **après ma** naissance, j'étais toujours à Semallé, je me portais bien. Marie, elle, tomba malade. Elle n'était pas très heureuse au Mans, ne s'était jamais vraiment habituée à la Visitation, où elle était interne, alors que Pauline était externe. Marie Dosithée la trouvait mélancolique. Elle avait hérité du caractère scrupuleux, de notre mère, dont elle supportait très mal d'être séparée. Elle se tourmentait pour un rien, se faisait des montagnes de tout. A ma naissance, elle crut que j'avais pris sa place. Elle n'avait pas **réagi** ainsi lors des précédentes arrivées. Peut-être son titre de **marraine** était-il trop lourd. La maternité signifiait pour elle malheur et maladie. On dut la ramener à la maison. Le médecin parla de fièvre typhoïde mais son état de faiblesse se prolongea. Elle retomba en enfance.

Zélie se rappelait un incident qui avait eu lieu trois ans plus tôt, avant sa première communion. Ma mère, croyant la mettre dans les dispositions d'esprit nécessaires, se trouva reprise à cette occasion des anciennes méthodes d'éducation dont elle avait tant souffert. Elle eut l'idée de raconter à Marie l'histoire d'un enfant qui avait péché. A confesse, le prêtre aurait vu un serpent sortir de sa bouche. Ce récit terrifia Marie. Elle fut prise de fièvre, eut des hallucinations. Elle voyait des serpents partout. Elle tentait de les tuer et il en revenait toujours. A la suite de cette histoire, s'accuser devint pour elle un amer plaisir. Sa vie entière, elle soulagerait ainsi sa conscience. Elle décida qu'elle ne se marierait jamais. Elle pleurait si on la plaisantait au sujet d'un fiancé futur. Ma mère s'en réjouit, voyant là, à juste titre, le signe d'une vocation religieuse. Le jour de sa communion, elle lui trouva l'air d'une petite sainte. Elle ne comprenait pas que Marie, qui était très sensible et qui l'adorait, et qui avait été plus que nous toutes témoin des souffrances de notre mère, ne pouvait imaginer de mener la même vie.

Cette fièvre dangereuse qui l'avait saisie avant sa communion la reprit donc après ma naissance. Elle avait faim mais ne pouvait manger. Elle disait que, quand elle irait me voir chez la nourrice, elle dévorerait un pain de trois livres à elle toute seule. Elle était trop faible pour marcher. Papa la prenait dans ses bras, comme un bébé, pour l'emmener prendre l'air au jardin.

Les méthodes d'éducation de Marie Dosithée étaient sans doute pour quelque chose dans cet état. Grâce aux efforts de ma tante, Marie était premier prix de catéchisme. Marie Dosithée avait trouvé comment la prendre, avait presque trop bien réussi. Elle jouait sur les sentiments tendres, profonds et passionnés que ma sœur dissimulait sous des dehors renfermés. Sa timidité résultait de la violence de ses émotions. Quand Marie pleurait l'éloignement de ma mère, Marie Dosithée lui refusait le baiser du soir. L'enfant, accablée, privée de tendresse, apprenait à ravaler ses larmes. Elle s'intériorisait, ne s'exprimait que par les fièvres et la maladie.

Marie était obsédée de pureté. Elle craignait les taches du corps et de l'âme. La contamination était omniprésente. Elle vivait dans la terreur des autres et des blessures qu'ils peuvent infliger. Elle refusait le bonjour, le mot gentil. Zélie, alarmée, secrètement contente, lui expliquait qu'elle ne se ferait jamais aimer. «Qu'importe du moment que toi tu m'aimes», répondait Marie, qui savait que dans son excès de réserve Zélie reconnaissait son propre tempérament. Marie était prête à renoncer à tout pour un seul être, sa mère. Elle fut longtemps la préférée de Louis. Mais c'était Zélie qu'elle voulait atteindre. Mon père, dont elle décourageait les efforts, finit par s'attacher à Céline.

## Pauline

Pauline, moins belle que Marie, plus féminine, était bien plus sociable. Elle allait vers les autres, les séduisait avec le courage que lui donnait l'amour sans faille de Zélie, qui lui avait d'emblée été acquis. Elle était arrivée deuxième, Zélie attendait déjà un mâle. De ce désir, elle avait gardé un côté garçon manqué. Louis l'appelait «son petit Paulin». Elle était franche, très décidée malgré sa petite taille. La vie à la Visitation lui était rendue difficile par un sentiment d'infériorité sociale. Elle se désolait de ne pas avoir de particule. Seul notre parent, M. de Lacauve, en avait une dans la famille. Ses compagnes, nobles et plus riches, décrivaient à l'envi leur intérieur. Pour ne pas être en reste, Pauline mentait. Elle ne pouvait risquer d'être méprisée par ses compagnes en avouant qu'il n'y avait pas de salon chez nous. On n'avait pas le temps de faire salon chez les Martin, on travaillait. Alors, une petite chaise de paille au fond du pavillon devenait un canapé jaune. «Le jaune, c'est très chic», répondait la camarade. Pauline était partagée entre le soulagement d'être approuvée et la honte d'affabuler.

Heureusement, Zélie correspondait très souvent avec ses filles. «Si tu savais comme je t'aime, en toi, tout m'attire, je ne sais pourquoi je compte sur toi plus que sur les autres», écrivait-elle à Pauline. Ces lettres étaient pour Pauline et Marie de véritables trésors. Marie ne se séparait jamais de cette correspondance, la ramenait même à Alençon pendant les vacances. Si bien qu'un jour, la bonne, par mégarde, se servit de ces feuillets mille fois lus, froissés, pour allumer le feu.

Pauline, ambitieuse, comprenait très bien l'importance des études. Elle travaillait pour elle, alors que les efforts de Marie ne tendaient qu'à la faire aimer. Elle voulait rester toujours vierge pour avoir au ciel une couronne de roses blanches, alors que sa mère n'aurait droit qu'à des roses rouges. L'importance que ces efforts revêtaient pour mes parents ne lui échappait pas. Cette pension au-dessus de leurs moyens était la revanche de Louis. Seule l'école secondaire permettait d'acquérir la culture des notables, leur langage et leur façon de penser. C'était particulièrement important en cette période d'étroitesse d'esprit et de conformisme. Il était primordial de s'habiller, de parler et de se comporter exactement comme il fallait. C'était le triomphe des idées reçues.

Zélie voulait que ses filles soient les égales de ces belles dames qui lui commandaient de la dentelle, et même plus encore, puisqu'elle avait trouvé à Marie, le jour de sa communion, l'air «d'une petite sainte». La Visitation était le moyen d'y parvenir. A Marie qui désirait s'amuser un peu, Pauline répondit qu'elles ne pouvaient pas se permettre de perdre leur temps, comme leurs camarades : la pension coûtait trop cher.

Marie, se sentant différente, se repliait alors que Pauline déployait ses ressources pour faire front. Elle se tenait très droite, le menton haut, surveillait son langage et son maintien. Elle n'avait pas encore de vocation religieuse, se voyait faire un beau mariage. Ses mots, ses gestes, ses pensées même seraient aristocratiques. Elle aurait la noblesse du cœur et de l'allure à défaut de celle du nom. Pourtant, à l'occasion, elle ne craignait pas le compromis. Elle avait besoin de l'estime des autres, et faisait tout pour l'obtenir.

Pauline étant externe, sa vie au collège était moins difficile que celle de Marie qui, interne, était entièrement soumise aux méthodes éducatives de Marie Dosithée. Marie étant l'aînée, à elle la rigueur, la plus grande exigence. Pauline, plus tard, à force de chocs successifs, se dépouillerait jusqu'à comprendre que tout n'était rien et que lorsqu'on atteint le rien, il y a le reste, c'est-à-dire Dieu. Le goût de plaire de Pauline, sa confiance venaient de la passion que Zélie lui vouait. Passion que ma mère ne cherchait pas à cacher, dans une innocence où l'épanchement sans fard s'alliait à une extrême pudeur. «Je ne peux résister au plaisir de t'écrire, cela me fait du bien, je pense à toi toute la journée», écrivait Zélie avec les accents de Mme de Sévigné. Seule l'idée qu'un bonheur éprouvé ne saurait qu'être puni amenait ma mère à modérer un peu cet emportement. Là, elle offrait ses autres enfants au ciel, elle était terrifiée à l'idée que Dieu, voyant le prix qu'avait pour elle sa deuxième fille, puisse en exiger le sacrifice. «Il faut que je ne pousse pas trop loin mon amour, car si le Bon Dieu allait te prendre avec lui, qu'est-ce que je deviendrais?» Le rapport entre ma mère et ma sœur se trouvait d'une certaine façon inversé. Pauline devenait le soutien de la vie de Zélie.

## Léonie

Si Marie était l'amour de son père et Pauline celui de sa mère, ma troisième sœur, Léonie, parvenait difficilement à se faire aimer. Louis la comprenait mieux que Zélie. Il était toujours plus indulgent. Zélie exigeait de ses filles la perfection. Elles devaient la consoler des tourments de son existence, prouver qu'elle n'avait pas souffert pour rien. Souffreteuse, les yeux chassieux, purulents, avec une légère loucherie qui, s'estompant, lui donnerait avec le temps une coquetterie charmante, maladroite, partagée entre les accès de maussaderie et de violence, enfermée en elle-même, citoyenne d'un monde imaginaire et mystérieux auquel elle seule avait accès, elle entrouvrait la porte, rarement, à ceux qui avaient su gagner sa confiance. Elle était la bête noire de la bonne qui avait encore à son égard des crises de colère. C'est aussi dans le but de les séparer que Zélie voulut envoyer Léonie à la Visitation. Pourtant, Léonie connaissait des éclaircies. Subitement, les nuages qui assombrissaient son esprit se dispersaient. Elle avait alors le meilleur caractère, concédait Zélie qui rejoignait momentanément l'opinion de Louis. Mais elle se réjouissait de savoir Léonie en pension, alors qu'elle regrettait d'être séparée de Pauline.

Ma tante Marie Dosithée ne comprit pas cette enfant de sept ans, à qui elle trouva une intelligence de trois ans. D'ailleurs, personne ne comprenait Léonie, pas même ma mère, incapable d'analyser son caractère.

Léonie était restée des mois entiers entre la vie et la mort et quelque chose d'inexprimable lui était resté. Quand, finalement, elle avait opté définitivement pour la terre, il était déjà trop tard. Elle avait entendu chanter les anges, le ciel s'était entrouvert, et pourtant Dieu l'abandonnait ici-bas après la tempête, comme un naufragé sur son îlot, entouré de sauvages. Elle errait hébétée, avait de terribles périodes de révolte.

Zélie, pourtant, misait sur le temps. Elle connaissait sa détermination à vivre. Léonie avait lutté, elle avait gagné. Ma mère pensait dans ses moments optimistes qu'à long terme son intelligence aussi finirait par s'ouvrir, son caractère par s'adoucir. Les blessures d'une petite enfance de tempêtes cicatriseraient. Mais elle provoquait, attirait sur elle l'agressivité. «Cette terrible petite fille, c'est un combat continuel», écrivait Marie Dosithée qui la punissait sans cesse, tout en reconnaissant qu'elle était très aimante. Les châtiments ne servaient à rien, et la visitandine se découragea.

Lorsqu'elle fut de retour à Alençon, Zélie fit donner à Léonie des leçons particulières par une répétitrice titulaire du brevet supérieur. A dix ans, Léonie repartit pour la Visitation. Mais elle apprenait toujours difficilement. « Je crois que c'est de l'argent perdu», se lamenta Zélie, tout en s'acharnant à donner à sa troisième fille les mêmes chances qu'aux autres. Léonie était très attachée à la bonne, Louise, qui la frappait et l'injuriait à l'occasion. De même, elle adorait sa tante Marie-Louise qui la punissait tant. Ma mère considérait que Marie Dosithée était la seule qui eût de l'empire sur elle. Léonie faisait d'énormes efforts pour s'intégrer au collège. Sa tante était désormais son modèle. Elle voulait être visitandine comme elle, avec elle. Voyant Léonie si heureuse de revenir à la pension, peu à peu Marie Dosithée changea d'avis. L'enfant avait gagné son cœur. Elle comprit que l'intelligence de Léonie n'était pas absente mais peu développée. L'enfant bénéficiait d'une force de caractère admirable, d'un bon jugement. C'était une nature forte et généreuse. Avec ces moyens, elle vaincrait son handicap, briserait les obstacles qui se dressaient sur son chemin. Elle était faite pour la lutte.

Léonie et Marie Dosithée avaient en commun cette force inébranlable. Marie Dosithée considérait maintenant que, comme elle, Léonie avait bénéficié de la grâce de Dieu. Elle résolut de se faire le véhicule de cette grâce. Au bout d'un mois, elle abandonna le régime de sévérité qui figeait Léonie dans son marasme. L'excès de souffrance avait marqué l'enfant, et elle avait besoin pour guérir d'une extrême douceur. Il ne fallait pas lui reprocher ses manques, mais chercher ses qualités, lui dire qu'on remarquait ses efforts. Cela produisait un effet magique. Une fois de plus, ma tante appliqua la solution familiale miraculeuse: l'amour. Les deux ressuscitées se comprenaient.

Malheureusement, cette deuxième tentative échoua. Marie Dosithée réussissait seule avec Léonie, mais celle-ci se rebellait et perdait la tête devant les autres enfants qui la terrifiaient et l'excitaient à la fois. Sa dissipation lassa. Elle fut de nouveau renvoyée. C'est ainsi que ma petite enfance fut marquée par la présence de Léonie, qui se trouvait à la maison alors que ses aînées en étaient absentes.

## Céline

Céline avait à peine quatre ans quand je suis née. Elle était petite pour son âge, chétive et maigre, très sujette aux fièvres. Zélie craignait qu'elle ne prît le chemin d'Hélène. Ma plus proche sœur avait été frappée par la douleur de notre mère au moment de la mort d'Hélène. Elle avait sans cesse entendu Zélie chanter les louanges de celle qui, disparue, atteignait dans son esprit cette perfection qu'elle demandait en vain à ses autres filles. Hélène avait merveilleusement su se faire aimer. Céline, pour se faire pardonner d'être toujours là, dut vite elle aussi apprendre à plaire. Elle était aidée par une intelligence très vive, une grande imagination, un réel sens artistique. Lorsque Marie, malade, revint à la maison, Céline fut mise en pension chez une amie de la famille, Philomène Tessier, pendant deux mois.

Philomène apprit à Céline à chanter des chansons, et même à lire. Louis en fut ravi. Céline détrôna Marie dans l'affection de notre père. Il aima toujours ma sœur aînée mais elle lui devint moins proche. Zélie était accaparée par sa souffrance, ses enfants, son travail. Louis se sentait un peu délaissé. Il n'avait plus l'horlogerie pour occuper ses journées, lui permettre de rencontrer des gens. Céline cherchait son père dans la maison, le suivait sans cesse. Elle était prête à tout pour s'en faire aimer.

Toutefois, venue tard, elle ne trouvait pas sa portion large. Elle apprit à se battre pour attirer l'attention, les petits cadeaux. Elle n'avait guère le sens de l'abnégation. Un jour, elle se disputa avec une petite pauvresse dans la rue. Celle-ci la gifla. On demanda à Céline de tendre l'autre joue en lui pardonnant. Elle refusa net, trouvant qu'il y avait des limites à la charité. Zélie lui dit qu'elle devait aimer les pauvres. Elle obtint en retour des protestations indignées. Non, Céline ne les aimerait jamais. «Qu'est-ce que ça lui fait, ça, au Bon Jésus? Il est bien le maître, mais moi aussi, je suis la maîtresse», s'écria l'enfant.

Elle savait ce qu'elle voulait. Mais elle réfléchissait beaucoup. Le lendemain, elle avait changé d'avis. Elle décida d'aimer les pauvres quand même. La pensée Martin avait pris le dessus.

J'admirais mes sœurs. Elles m'apparaissaient comme de hauts lys, blancs et parfumés, balancés au vent de Dieu, ployant sous sa grâce.

# Après Rose

Je fus sevrée à dix-huit mois. On me ramena définitivement rue Saint-Blaise. D'abord, je pleurai. Je connaissais bien Maman mais Rose avait toujours été près de moi. Je la cherchais. Puis je m'habituai. Rose revenait me voir les jours de marché. De la campagne, je gardai l'amour de la nature. Papa avait, lui aussi, l'âme jardinière. Il m'emmenait dehors dès qu'il faisait beau. Il me nommait les plantes, les fleurs.

Pour faire plaisir à Céline, il avait installé une balançoire. Elle hurlait de bonheur. «Plus fort, toujours plus fort!» Moi aussi, j'en voulais. Maman avait peur que je tombe. Mais j'insistai tellement qu'on m'assit. Je me cramponnai à la corde. J'ai les poings solides, les bras forts. Je crie: «Je suis une grande fille.» Mon père prend confiance, me pousse. Ma mère, attirée par mes cris, sort de la maison. En me voyant, elle éclate de rire. Je crie qu'on me pousse plus fort. Louis va chercher une autre corde, il me ficelle à la balançoire. Quand ça monte, le cœur me manque. Je vais au ciel, j'ai des ailes. Puis je redescends dans le vert de l'herbe. Je voudrais remonter, toujours. Qu'il n'y ait plus de corde, et qu'on me catapulte dans les nuages.

Maman me raconte sans arrêt le ciel. C'est un rideau bleu qui cache le paradis. Elle m'en parle comme une exilée. Elle s'ennuie de ceux qu'elle aime et qui sont là-haut. Elle serait mieux avec ses anges qu'avec nous. Je voudrais y aller moi aussi, mais elle l'a mérité davantage. J'aurai mon tour. D'ailleurs, rien ne presse. Je me plais sur terre. On me trouve jolie, on me chouchoute. J'ai des cheveux soyeux et ondulés. Marie me fait des anglaises. Mes boucles seront toujours ce que j'aurai de plus beau. Mon regard direct voit plus loin que les gens, ma bouche est espiègle et volontaire. Je presse les lèvres l'une contre l'autre comme pour garder un secret. J'ai une fossette sous la lèvre inférieure.

Quand elles rentrent de pension, mes grandes sœurs jouent avec moi comme avec une poupée. Léonie m'aime toujours violemment. Je la trouve belle. Je ne lui demande pas d'être autre chose que ce qu'elle est. Nous nous aidons à grandir.

Céline retrouve en moi quelque chose d'Hélène, dont la mort l'avait tant impressionnée. Je remplis un vide. Elle est la plus proche. Je l'imite. Elle en est fière.

Je suis la plus petite. On est bien content de m'avoir après ces morts. On me couve, j'amuse la famille. Je suis ravie d'avoir mes sœurs pour s'occuper de moi. Je vivrai avec des sœurs ma vie entière, dans une communauté de vierges.

Je saute partout, je n'arrête pas. Maman m'appelle son lutin. C'est surtout à elle que je veux plaire. Elle est le centre de la famille, celle vers qui tout converge. Je la sens attirée ailleurs, en attente, comme sur un quai de gare. Elle me regarde parfois comme on regarderait en arrière. Je lui souhaite de partir puisque c'est ce qu'elle désire. Elle m'emmène au cimetière. Je vois bien que c'est son endroit préféré. On s'arrête devant les tombes des petits anges. Elle me raconte comme ils sont heureux là-haut. Mais je vois qu'elle est triste. Je crois que c'est de rester en bas. Je la câline. Je lui dis : « Oh, je voudrais bien que tu mourrais, ma pauvre petite mère ! » Ça lui fait un coup : elle me dispute. Je suis un monstre et une ingrate. Mais elle m'emmène quand même à la gare chercher mes grandes sœurs. Mourir, c'est prendre un train pour le ciel.

Dans les moments où je l'aime particulièrement, je souhaite aussi la mort de Papa. Ça n'a pas non plus l'air de le ravir. Les grandes personnes sont très compliquées. Elles ne savent pas ce qu'elles veulent. Qu'est-ce qui peut arriver de mieux que de mourir ? Là-dessus, je ne changerai jamais d'avis.

Je me souviens vaguement d'avoir été un jour très près des anges. Quand l'entérite m'a reprise au troisième mois de ma vie, ma tante Marie Dosithée a prié pour moi saint François de Sales, fondateur de sa congrégation. Elle est persuadée que j'ai survécu grâce à son intervention. Elle a imposé à Zélie de me nommer Françoise. Sinon le saint offensé me reprendrait, ma mère n'avait qu'à commander un cercueil. Je m'appelle donc Marie-Thérèse-Françoise. Marie pour la Vierge, comme toutes les filles Martin et comme ma sœur aînée, dont c'est le prénom usuel et qui est ma marraine. Thérèse pour la grande sainte d'Avila et aussi pour la petite sœur Thérèse morte avant moi. Et Françoise pour le saint de ma tante qui m'a sauvée. Ma mère est héroïque. Mais elle est plus douce avec moi qu'avec les autres. Je suis la dernière. Déjà, avec Céline, elle a perdu les résolutions de fermeté qui avaient guidé l'éducation des aînées. Elle l'a gâtée, aidée par la bonne Louise qui l'adore. Céline ne se prive pas de faire des bêtises. Elle a le goût de l'aventure. Si, moi, je suis le lutin de Maman, Céline est l'intrépide de Papa. Mais Maman pardonne tout.

Je ne suis pas douce, et je suis encore plus entêtée que Céline. Rien ne peut me faire céder. Quand je commence à parler, «non» est mon mot favori. Je le dis avec une telle force qu'on a du mal à ne pas faire mes volontés. Et je regarde toujours les gens droit dans les yeux.

Je veux savoir si j'irai au ciel, moi aussi, et quand. Ça m'apparaît comme de grandes vacances. Ici, on attend seulement le départ. Je pose la question à Maman. Elle me dit qu'il faut que je sois sage. Je sais déjà que sous mes pieds, au plus profond de la terre, couve le feu de l'enfer où on précipite les mauvaises filles. Mais je ne m'en crois pas menacée. Comment les bras de Maman pourraient-ils me lâcher? Elle m'emmènera partout avec elle. Je n'ai peur de rien. Si je tombais, elle me rattraperait.

Je ne peux quand même pas vivre toujours dans ses bras. Et si, en rentrant du jardin, je la trouvais déjà partie? Alors, c'est très simple: je m'envolerais. On dit bien parfois que j'ai l'air d'un ange. Les ailes me pousseraient. Je suis prête à tout. Je vole déjà sur la balançoire. Il suffit de bien s'élancer. La foi soulève des montagnes, et je ne pèse pas lourd. Arrivée là-haut, ma mère me rattrapera et ne me lâchera plus.

Je construis le monde à mes mesures, avec mon cerveau d'enfant. Ma mère est presque aussi puissante que le Bon Dieu. Il ne peut qu'être d'accord avec elle. Les adultes ne savent pas cela aussi bien que moi. Ils vivent dans un monde rétréci.

# *Les roses*

Dans le jardin, il y a un rosier grimpant. Les roses sont écloses. Rien n'est si beau. Mes mains d'enfant arrachent la tige juste sous le bouton. Je m'égratigne les bras. Les pétales tombent en pluie odorante. Je secoue le buisson. Marie accourt. Elle dit que c'est interdit. Elle me gronde. Je suis trop petite, je ne connais rien. Elle a douze ans et demi de plus que moi. Elle me paraît immense. Elle est toute rouge, moi aussi. Mes joues brûlent. Je retire ma main, je ne toucherai plus aux roses. Mais je porte ma main pleine de pétales à mon nez pour les respirer. Par terre, un massacre. Maman arrive. Elle comprend. Elle veut me donner une rose, une vraie avec une grande tige. Elle avance la main pour la cueillir. Je crie qu'il ne faut pas. Je pleurerais presque. Pourtant, j'en ai envie. Une rose, c'est le paradis dans ma main. Le paradis de Marie : le buisson lui appartient. Pourtant, Maman rit, elle en coupe deux. Elles sont parfaites, épanouies. Je suis toute rouge à nouveau. Je n'ose pas prendre les roses de Marie. Même si Maman le permet. Je veux qu'on m'aime. Il n'y a que ça qui compte. Maman rentre à la maison avec les fleurs. Elle les mettra dans le vase d'opaline. Je la suis. Le jardin est enivrant. Senteurs, couleurs et le bruit des sabots du cheval qui passe dans la rue. Je n'aime rien tant qu'être dehors. Mais quand je ne vois plus ma mère, je suis orpheline. Déjà. Je suis orpheline dix fois par jour. Chaque fois c'est un coup. Je ne m'y ferai jamais. Zélie m'entend trottiner derrière elle dans le couloir. Elle me dit de retourner au jardin. Elle sait pourquoi je suis rentrée. Par la porte ouverte, je vois le ciel bleu, le vert de l'herbe. J'hésite. Maman dit que lorsqu'elle n'est pas là, nous sommes quand même ensemble. Chacune vit dans le cœur de l'autre, comme un portrait dans un médaillon. C'est vrai, mais je suis trop petite. J'ai peur que mon cœur se vide. On pourrait me prendre le portrait. Qui ? Le Bon Dieu qu'elle aime tant. Je surveille Zélie sans arrêt. Je suis sa gardienne, sa sentinelle.

# Le papier peint

Maman pense que j'éprouve trop d'émotions. Elle me voudrait plus tranquille ou plus espiègle. Je prends tout à cœur. Je suis vive, j'agis avant de réfléchir. Je fais des bêtises par curiosité. Il y a des fleurs sur la tapisserie, un vrai champ, mais on ne peut rien cueillir. Je passe la main dessus. C'est décevant, plat. Un coin se soulève. Qu'est-ce qu'il y a dessous? De la terre? Je tire sur le papier. Il se déchire. Une fleur reste dans ma main. Le mur est jaunâtre et laid. Dans mes doigts, le papier se racornit. Quel désastre! Papa ne sera pas content. C'est lui qui avait choisi la tapisserie pour faire plaisir à Maman. Heureusement, il n'est pas là.

Le soir, j'entends son pas dans le couloir. Un pas de géant qui ébranle le monde. Papa est d'un naturel généralement doux, un peu distrait. Pour se fâcher, il se force, prend une grosse voix. On dirait un autre. Maman l'accueille. Elle ne lui dit rien. Elle a oublié. Pas moi. Je ne veux pas vivre avec cette vilaine tache dans la tête.

J'essaie de parler à Papa. Mais je ne peux pas. Les mots restent bloqués à l'intérieur. Je vais chercher Marie: «Dis à Papa que j'ai déchiré le papier!» J'attendris tout le monde. Les bêtises qu'on avoue sont pardonnées. Reconnaître qu'on a mal fait est une punition suffisante. Les péchés salissent l'âme. Jésus le sait et s'offense. Rien n'est pire que d'être sale aux yeux de Celui qui voit. Il faut frotter son âme jusqu'à ce qu'elle soit blanche, comme Louise le linge. Je voudrais être blanche tout le temps, naturellement. A défaut, je prends le goût d'avouer. Je publie mes fautes. Je ne veux rien cacher. Je suis comme une fenêtre ouverte.

## Le petit matin

Chaque matin, Maman part pour la messe à cinq heures et demie. Elle rentre à temps pour la soupe du petit déjeuner, qu'elle mangera bien chaude. Avant son départ, je dors encore dans mon berceau. Elle n'ose pas m'y laisser. Je pourrais tomber en me réveillant. Maman me prend délicatement, tout ensommeillée. Elle me dépose dans le grand lit, pousse le berceau contre le bord pour faire rempart. A son retour, je n'ai pas bougé. Elle se rassure. D'ailleurs, à l'église, elle n'oublie pas de me recommander aux pauvres âmes du purgatoire. Un matin, en rentrant, elle me trouve toujours endormie, assise sur la chaise à côté du lit, la tête sur le traversin. Je ne suis pas tombée, c'est un miracle. Pour Zélie, tout ce qui peut aller mal ira mal. Quand il y a une exception à la règle, c'est forcément dû à une intervention surnaturelle. C'est mon ange gardien, m'explique-t-elle, qui veille sur moi quand elle n'est pas là.

Le Bon Ange est mon compagnon de tous les instants, l'ami invisible, le double merveilleux. Sa présence est comme un léger souffle. Parfois l'air semble bouger, j'entends un bruissement d'ailes. J'ai confiance. Je sens l'amour partout autour de moi. Je ne crains rien de la vie.

## Papa

Mon père est très bon, très gentil. Son regard est très clair. Je sais m'en faire aimer, mais il y a de la concurrence. Il fond devant Céline qui est si drôle. Moi, je suis le bébé, la petite, la dernière. Je voudrai toujours l'être. « Les derniers seront les premiers. »

Je suis très fière quand il m'emmène avec lui au Pavillon.

Je l'aide à cueillir les fraises. J'ai du mal à ne pas les manger au passage. Je les serre maladroitement dans mes mains. Le jus coule, il ne me gronde pas. Je lui demande quand nous irons à nouveau pêcher en barque. J'aime l'eau, le balancement du bateau. Mais il faut savoir se taire, rester immobile, se dire qu'on est un poisson.

J'aime être à l'écoute du monde, me fondre dedans. J'observe tout sans en avoir l'air. Adulte, j'ai continué à être comme un enfant. D'abord on me trouvait précoce, plus tard on me trouva puérile. Je n'ai peut-être jamais été vraiment enfant, ou bien je le suis toujours restée. C'est bien d'être petit. On possède beaucoup de richesses invisibles qu'on perd ensuite. On parle mieux à Dieu.

J'ai une très grande soif de connaissance. Lorsque Marie revient de la Visitation, elle donne des leçons à Céline. Moi aussi, je veux les suivre. Marie refuse. Elle dit que je suis trop petite. Je ferais du bruit, je les gênerais. Mon intelligence, on ne voulait pas la voir. Rester à la porte de la chambre était un crève-cœur. Finalement, Marie n'a pas pu supporter de me savoir en pleurs dans le couloir. J'avais décidé d'être sage, et discrète comme une souris. Je me ferais plus petite encore que je ne l'étais, puisqu'on ne voulait pas me laisser être plus grande. J'ai appris ainsi l'obéissance. Je faisais tout ce que Marie voulait, par désir de comprendre. Alors, elle me laissa entrer dans la chambre et assister aux leçons.

## La communion de Léonie

Marie m'offrait beaucoup de petits cadeaux, parce que j'étais sa filleule. Mais je préférais Pauline, comme Maman. Peut-être d'ailleurs pour cette raison. Sans doute aussi à cause de sa détermination. Pauline savait absolument ce qu'elle voulait et marchait droit vers son but sans s'en laisser détourner. Digne et souple. Elle était mon idéal. Je pensais constamment à elle, je voulais l'imiter. En assistant aux leçons que Marie donnait à Céline, j'appris à écrire. Je n'avais pas de cahier, car on croyait que je ne comprenais pas. Je traçais les lettres du nom de Pauline avec le bout de mon doigt sur le carrelage.

Marie ne savait pas ce qu'elle ferait plus tard. Elle ne voulait pas se soumettre. Elle voulait vivre, être indépendante. Trop sensible, elle se révoltait contre le malheur. Sa rébellion s'exprimait par l'ironie.

Moi, je rêvais d'aller à la Visitation avec Pauline. Elle savait déjà qu'elle serait religieuse, ce qui comblait les vœux de notre mère. Je connaissais la valeur du secret, du travail dans l'ombre. Dès l'âge de deux ans, à travers Pauline, je m'étais vouée à Jésus.

Léonie était mon second ange gardien. Souvent, le soir quand il faisait beau, mes parents et mes sœurs aimaient aller se promener. Léonie, sans se plaindre, se privait de sortie pour me garder. Elle adorait me chanter des chansons. Aujourd'hui encore, sa voix m'accompagne, comme un écho des bonheurs passés.

J'avais deux ans et demi quand Léonie fit sa première communion, le 23 mai 1875. Toute de blanc vêtue, elle me parut magnifique, une vision du paradis. J'étais en blanc moi aussi. Au moment de franchir la porte du presbytère, Léonie me prit dans ses bras. J'entrai dans ce nuage de blancheur.

La cérémonie religieuse me parut splendide. Le soir, encore éblouie, je ne protestai pas lorsque je dus aller me coucher. Il y avait un grand dîner. La famille et les amis étaient invités. Ma mère, aidée par mes sœurs, avait sorti la plus belle nappe damassée, la vaisselle de fête. J'avais vu dans la cuisine des plats de roi, surveillés par la bonne. A l'étage, dans mon petit lit, je ne pus dormir. J'étais excitée par cette journée et par le bruit des conversations des convives, l'écho des toasts portés, le tintement de l'argenterie sur la porcelaine.

J'entendis un pas dans l'escalier. Je reconnus Papa. Je le reconnaissais toujours. Il s'était douté que je ne dormirais pas. Sur une assiette, il m'apportait des morceaux de la pièce montée. Dans l'obscurité, il me les fourra dans la bouche, murmurant: «Mange, ma petite reine.» Je n'ai plus regretté d'être petite.

J'apprécie d'autant plus la compagnie de mon père qu'à part lui il n'y a que des femmes dans la maison. A Semallé, Rose avait quatre garçons, de gros joufflus turbulents engraissés à son bon lait, des paysans qui se battaient et avaient pour moi, la petite fille de la ville, des gentillesses rudes. Je commençais à marcher, je les suivais, participais tant bien que mal à leurs jeux violents. J'étais la petite princesse. Le jour de mon retour à Alençon, la famille Taillé m'avait admirée dans ma robe de dentelle, ma capote, mes souliers bleus. Les garçons pleuraient, me trouvaient jolie comme une sainte d'église. Mais à Alençon, je n'étais plus que la petite reine de mon père. Mes toilettes n'étonnaient personne, on nageait dans la dentelle. Mes sœurs avaient porté mes robes avant moi.

J'ai dû apprendre à me conduire comme une dame, plus comme le garçon manqué que Rose avait toléré. J'acquis la discrétion, les grâces féminines. Peu à peu, je perdis le genre Taillé pour devenir Martin.

## La petite préfète

Je m'ennuie souvent. Dans ces moments-là, je pense à Pauline. Elle est en pension, ce paradis des petites filles. Si je suis sage, un jour j'irai aussi. C'est pour ça que je veux apprendre aussi vite que Céline.

Il pleut très souvent. Le monde est gris, le jardin noyé. Je ne peux pas sortir. Même les oiseaux ne chantent plus. Céline est partie de l'autre côté de la rue, à la préfecture. Elle joue avec son amie, Genny Béchard, «la petite préfète». Elle ne m'a pas emmenée. Je n'aime pas ça. Je pleure, je traîne les pieds. Les jardins, les salons, les plafonds, les lustres, tout est trop grand de l'autre côté de la rue. La petite préfète a de trop beaux jouets, qu'il ne faut pas toucher de peur de les casser. Je

préfère rester ici, dans les pieds de Louis, comme elle dit.
Maman travaille. Elle n'a pas complètement arrêté la dentelle.
La maison de la rue Saint-Blaise me suffit. Je n'ai pas
d'autres amies que mes sœurs. Il y a assez de filles comme ça
chez nous.

Je joue à être Pauline. Aussitôt, l'ennui cesse. Entre nous
deux, le lien d'âme se forme. Elle a choisi Jésus comme fiancé,
je veux le même, elle prend toujours ce qu'il y a de mieux. Pas
de problème, Pauline partage tout.

Je me cache sous la table. J'imagine que personne ne me
voit, et je chante. Je chante du soir au matin. Un vrai pinson,
dit Maman. Je ris aussi beaucoup. Et quand je ne ris pas, je
pleure. Je passe d'un extrême à l'autre, de l'exultation au
désespoir. Maman, elle, semble séjourner dans un état gris,
intermédiaire. Je fais le clown pour l'amuser. Un sourire triste
éclaire son visage, disparaît très vite. Cette désertification me
fait peur. C'est peut-être aussi pour cela que je me jette dans
ces excès d'émotion.

## Tout, tout, tout

J'ai déjà décidé «Jésus», mais je n'ai pas encore bien
compris ce que cela signifie. Je suis comme Céline qui ne
voulait pas aimer les pauvres. Je ne veux pas me sacrifier, la
vie est trop riche. Il y a tant de choses à prendre, pourquoi s'en
priver? Je suis très gâtée. On me donne tout, je prends tout.

Léonie a un côté écureuil. Elle voit des splendeurs dans ce
que les autres piétinent. Elle ramasse les chutes de tissu de la
couturière, les rubans fanés de mes sœurs, vole les chiffons de
Louise si la couleur lui tire l'œil, récupère les vieux boutons.
Elle entasse ces trésors dans une infime corbeille, et couche sa
poupée dessus. Elle cache soigneusement son trésor. Mais
soudain, elle s'avance vers Céline et moi, les joues rouges de
plaisir, les yeux brillants. Léonie ne peut pas s'empêcher de
donner.

Céline avance la main, retire une ganse chatoyante. Léonie se tourne vers moi : «Et toi, Thérèse, choisis.» Je suspends ma patte rose. Je regarde Léonie droit dans les yeux, effrontée : «Je choisis tout.» Je la défie, je défierais la terre entière. Je ne veux rien à moitié. Léonie me laisse faire, range la corbeille vide. Céline, choquée, va se plaindre à Maman. «Thérèse, elle choisit tout.» Maman gronde un peu. De mon poing fermé dépassent toujours les chiffons. Je ne changerai pas. Ce que j'ai dit plus tôt en me dressant sur des jambes de petite fille, je le dirai encore plus tard. Je choisirai toujours tout.

Je crie quand on ne me donne pas ce que je veux, quand on ne fait pas attention à moi, quand Papa ne pousse pas assez fort la balançoire. Pourtant, j'entends très tôt les harmonies du silence.

Je comprends qu'un autre monde s'y fait entendre quand on sait prêter l'oreille, un monde qui ne se livre qu'à ceux dont la patience est infinie. Je regarde à l'intérieur de moi, au-delà des choses. C'est ce qui me donne ce regard perçant, sur les premières photos. Je regarde ailleurs, je scrute un horizon très lointain.

Je guette les anges, les chers disparus de ma mère. Ce sont mes frères et sœurs inconnus, un trésor perdu. Un jour, ils m'apparaîtront, ils me prendront par la main. Je suis à l'affût du moindre signe. Plus tard, ces pertes se réuniront en une seule : le manque unique, Jésus sur sa croix.

Maman m'appelle «le petit furet». Je suis de plus en plus vive, je me faufile partout. Elle a des doutes quant à mon évolution morale. Pour Céline, tout est clair. La vertu, dit Maman, est le sentiment intime de son être. L'âme candide de Céline a naturellement horreur du mal. Elle ne le voit même pas. Moi, je le sens. J'ai trois ans et demi de moins qu'elle mais il me semble avoir le même âge. Je veux tout faire aussi bien. Elle me force à grandir. Chaque fois que je le peux, je lui fais des niches. Après, je regrette. Mais je suis entêtée, je ne veux pas céder. A l'occasion, je la tape, je la pousse. Elle se laisse faire. Après, je vais trouver Maman pour m'accuser. Elle m'accorde au moins le bénéfice de la franchise. Je dis que je ne recommencerai plus, mais je recommence à la première occasion.

Maman me trouve trop nerveuse. Je joue aux cubes avec Céline. Quand ça ne va pas comme je veux, je me roule par terre, désespérée. C'est plus fort que moi. Je suffoque. La vie se joue à chaque instant. C'est toujours tout, tout, tout.

## La bague en sucre

J'avais deux ans quand Maman m'a emmenée au Mans pour y rencontrer ma tante, sœur Marie Dosithée. Jusqu'ici, je savais seulement qu'il fallait prendre le train. Lorsqu'elle en revenait, Pauline me serrait dans ses bras, me donnait une tablette de chocolat gardée, héroïquement, pendant trois mois, à mon intention. J'osais à peine le croquer tant il était précieux. Je trouvais Pauline magnifique avec sa longue natte qui lui battait le dos. Marie, elle, câlinait Céline et ainsi tout le monde était heureux.

Cette fois-là, je suis montée dans le train moi aussi. Maman m'avait habillée et coiffée très soigneusement. Malgré ma fierté de voyager seule avec elle, j'ai trouvé le trajet trop long. La vitesse, le bruit ! Je croyais que ça ne finirait jamais. Je me suis mise à pleurer comme chaque fois que les choses ne vont pas à mon gré.

En arrivant au parloir, j'avais la figure chiffonnée. Maman avait honte. Dans ma détresse, j'ai seulement vu une main qui me tendait une souris blanche en sucre brillant, et un petit panier de papier bristol garni de bonbons. Ma tante l'avait fabriqué elle-même. Sur le dessus, elle avait posé deux jolies petites bagues en sucre, à la taille de mon doigt. J'ai pensé que je pourrais en donner une à Céline à mon retour. Ainsi moi aussi, j'aurais un cadeau pour elle, comme mes sœurs en avaient toujours un pour moi. En levant les yeux, j'ai vu le visage de ma tante, un ovale très blanc, très lisse, comme le papier du panier. Elle m'a souri lentement dans ses voiles. J'ai trouvé qu'elle ressemblait à la Sainte Vierge de Papa, mais en plus vieux.

Dans la rue, en repartant, je tenais Maman d'une main, et de l'autre l'anse du panier. Sans m'en rendre compte, comme le petit Poucet, j'ai semé les bonbons en chemin. Soudain, j'ai vu que le panier était presque vide. Il ne restait à l'intérieur qu'une seule bague en sucre. Je suppliai Maman de refaire le chemin en sens inverse pour retrouver les bonbons. Bien sûr, elle refusa, le train n'attendrait pas. C'étaient pour moi des trésors que ces friandises. Je n'avais plus rien pour Céline. Maman, fâchée, ignorait mes larmes et mes cris...

Donner, donner, donner : cela avait, dans ma famille, beaucoup d'importance. Mon père, comme mon grand-père avant lui, s'occupe de charité, visite des vieillards, des malades et des mourants, recueille un vagabond qu'il invite à notre table. Maman veille au sort de ses ouvrières et de ses domestiques, les soigne quand elles sont malades. Les retrouvailles sont des occasions de cadeaux, si humbles soient-ils. Les plus beaux viennent toujours de ma tante de Lisieux. Je garde un souvenir ébloui des veillées de Noël, des souliers débordant de merveilles dans la cheminée. Je voudrais être riche pour pouvoir tout donner. Mais je comprends déjà que la vraie richesse ne se gagne pas en amassant de l'argent.

La nuit, je dors mal. C'est pour cette raison que Maman n'aime pas me laisser tôt le matin quand elle part pour la messe. Je sursaute au moindre bruit, je remue sans cesse dans mon sommeil. J'envoie promener les couvertures. Ensuite, le froid me réveille. Je donne de grands coups de tête contre le bois de mon lit. La douleur aussi me réveille. Mes pleurs attirent Maman. J'appelle ça «toquer», je dis : «Maman, je suis toquée.» Est-ce que je sens la folie proche de moi, cette folie qui rôde autour de ma famille sans pourtant jamais s'abattre sur aucun de nous ? La foi nous protège. Je sais qu'on dit : «Les Martin, ils sont toqués.» De l'extérieur, à qui ne comprend pas ce lien que nous avons à Dieu, nous semblons étranges. Je sais que je ne suis pas comme les autres, ma famille non plus. La vie mondaine du Second Empire est immorale, débauchée. On joue, on spécule. Nous n'y échappons pas. A petite échelle, Papa place son argent à la Bourse et dans l'immobilier. Mais il est prudent. Beaucoup dépensent très vite en frivolités cet argent gagné plus vite encore. C'est une frénésie de jouissances. L'époque chante le refrain de *La Vie parisienne* d'Offenbach: «Du plaisir à perdre haleine, oui, voilà la vie parisienne.»

Bien sûr, Alençon n'est pas Paris. La fête impériale des profiteurs et des nouveaux riches paraît bien loin. Boutiquiers et petits bourgeois vivotent, amassent lentement. Il faut avoir de l'argent. C'est ce qui permet de se démarquer des pauvres, ces pauvres qui font si peur car ils meurent de faim. Et il faut beaucoup manger, être bien gras pour montrer qu'on est prospère. La misère noire est très proche, comme un précipice au bord du chemin.

Dans ce climat, nous détonnons. Les jours de réception à la préfecture, je me tiens à la fenêtre avec Céline et Léonie. On voit passer belles dames et beaux messieurs, dans un chatoiement d'étoffes et de bijoux. Tard dans la nuit, j'entends les flonflons de l'orchestre, une raison de plus pour me réveiller.

Je ne supporte pas le noir. La mort pourrait venir m'emporter. L'idée de la séparation me hante pendant mon sommeil. Ma mère pourrait partir à tout moment, ne jamais revenir. Je veux qu'on s'occupe toujours de moi, pour être sûre de ne pas rester seule.

J'ai trop d'amour-propre et trop de fierté. L'orgueil est un défaut de famille. Pour qu'il s'inverse en humilité, il faut du temps: le temps d'avoir honte. Ma mère pense que ce défaut me mettra à mal. Elle veut m'apprendre à me soumettre. Elle me demande de baiser la terre. Si je le fais, elle me donnera un sou. La terre est bien près de moi qui suis toute petite, mais je refuse de l'embrasser. Ce n'est pas de me baisser qui est humiliant, c'est le sou. Pour moi, c'est une vraie fortune. Seulement, justement, on ne m'achète pas. Je préfère renoncer au sou.

## La prière du soir

Je sais ce qui m'est dû, ce qui est important. Je ne me laisse pas faire. Un soir d'hiver, Marie me couche dans un lit froid.

Pas de coup de bassinoire dans les draps de lin glacés et humides. Elle est fatiguée, elle veut se coucher. Elle ne m'a pas fait dire ma prière. Je la vois, elle, qui la fait et qui refuse de partager le Bon Dieu. Je crie toujours, je l'exaspère. Elle me donne une petite tape.

Finalement, je me tais. Répit. Elle se couche. Quelques minutes plus tard, Maman monte. Dans le noir, je recommence: «Je n'ai pas fait ma prière.» «Dors, tu la feras demain.» J'insiste. Le Bon Dieu n'attend pas. Elle cède. J'avais raison, j'ai une volonté de fer. Je ne lâche jamais prise.

Je m'ennuie à la messe. C'est bien trop long. Marie ne veut plus m'emmener aux vêpres. Elle n'a guère de patience avec moi, me trouve trop gâtée. Quand elle m'emmène, elle ne peut penser à rien d'autre qu'à me faire tenir tranquille. C'est le sermon qui me décourage. Je n'y comprends rien. Je bâille, je gigote. Si on me laisse à la maison, je pleure. Marie explose: «Pourquoi insistes-tu pour y aller puisque tu t'y ennuies!» Je proteste: «Je m'ennuie mais c'est quand même plus beau que d'habitude.» Je ne veux ni attendre ni renoncer.

## La poupée

Les choses ne correspondent jamais vraiment à mon rêve. La vie est toujours un peu à côté. Je vais avoir trois ans, on m'offre une poupée. Je suis si contente! Je me précipite pour la serrer dans mes bras. Je n'ai jamais rien vu de si beau. C'est la fille de mes rêves, un ange de porcelaine. Trop belle pour être vraie. Mes baisers ne la réchauffent pas. Ses joues sont froides comme du marbre, dures, trop lisses. Elle est raide et immobile, muette. Ses yeux de verre brillent d'un éclat stupide. Elle me regarde impassible. Rien ne la touche. Je lui dis de marcher, ses jambes raides sont inertes. Je la déteste. Je trépigne, je pleure, je me moque d'elle. Je casse le bout de ses pieds récalcitrants, je démets son bras qui refuse de se tendre vers moi. Maintenant, je vais la laisser dormir : elle est très malade. Quand elle aura dormi longtemps, je l'enterrerai. J'aime les enterrements, c'est beau et on pleure. C'est agréable d'être triste, les morts vont à Dieu. Je pense à enterrer ma poupée comme je pense à enterrer mon père et ma mère, puisqu'on est si heureux là-haut. Comme on pourrait m'enterrer moi, si je ne fais pas attention.

Je veux d'abord faire plaisir à Jésus. On m'a appris une poésie enfantine :

> *Petit enfant à tête blonde,*
> *Où crois-tu donc qu'est le Bon Dieu?*
> *Il est partout dans tout le monde*
> *Il est là-haut dans le ciel bleu.*

Au moment où je dis «ciel bleu», je le désigne du doigt. J'apprends à regarder toujours vers le haut. Je reste le menton levé, avec une crampe dans le cou.

La prière fait partie du monde du silence. Se taire, c'est déjà prier. C'est à la fois entrer en soi et sortir de soi, s'abandonner à ce Dieu qui est partout.

Prier, se taire, c'est aussi se contrôler. J'essaie de moins pleurer, je dirige déjà ma vie. J'apprends à utiliser ma volonté. Je commande à moi-même. Je suis la princesse d'un royaume intérieur.

Pour savoir où j'en suis, comptabiliser le bien et le mal, vérifier mes progrès, j'ai un chapelet de pratiques. Quand je fais une bêtise, j'en enlève une. L'autre jour, ayant dit une bêtise à Céline, je me suis trompée. J'ai marqué une pratique au lieu de l'ôter. Je ne supporte pas d'avoir tort. J'ai beaucoup de mal à plier. Mais je suis prête à accomplir un travail gigantesque. Il faudra que j'y parvienne. Si je ne m'apprends pas à obéir, on ne voudra pas de moi au couvent avec Pauline. Je veux être une très grande religieuse. L'humilité me vient plus difficilement que tout.

## Tête blonde

Je récite encore ma petite poésie, pour une dame qui est venue voir Maman. J'ai beaucoup de succès. La dame félicite Zélie. «Vos filles sont si bien élevées.» Zélie se rengorge.

Tout le monde me trouve charmante et je suis bien d'accord. Je me regarde dans la glace et je vois que le petit enfant à tête blonde, c'est moi. Je comprends tout. Maman me dit «fine comme l'ambre». Marie m'appelle son petit bouquet, elle m'admire, me plaint en riant, m'appelle encore son pauvre martyr, puisqu'on me dévore de baisers. Je ne vois pas plus beau sort que d'être mangée par l'amour.

Ma mère, qui avait manqué de caresses, souhaitait constituer une famille où la tendresse circulerait. Augmenté au passage par mes quatre sœurs, c'est un fleuve qui arrive jusqu'à moi et me baigne. Céline, jalouse parce que je suis le bébé, me trouve ingrate. Elle dit que je me comporte comme si tout m'était dû. La tendresse est mon élément naturel. Sans elle, je ne pourrais pas vivre.

Je veux être jolie pour qu'on m'embrasse, qu'on me mange encore et encore. On me pare. Maman aime à m'habiller en bleu et blanc, comme la Madone. J'ai une belle robe couleur ciel, garnie de dentelles. On me la met pour les grands jours. Comme lorsque nous allons chez Mme Monnier, la marraine de Léonie. Il fait beau, le soleil tape. Maman craint qu'avec cette robe à manches courtes, mes bras ne brunissent. J'ai une peau de lait, fine et translucide. Marie me couvre. Je suis déçue. J'aurais voulu qu'on voie mes bras nus. Je suis coquette comme une femme. Pour ça, je suis déjà adulte. Je dois d'autant plus exiger de moi. Si je ne m'étais pas maîtrisée, si mes parents ne m'avaient pas guidée dans la vertu, j'aurais eu trop de sensualité, d'appétit de la vie. Je me serais perdue.

«Fine comme l'ambre», disait Maman. Me rappelant cela longtemps après, j'écrivis: «Fine comme l'ombre.» J'appelle la lumière, pourtant je suis du côté de l'ombre. Je suis l'ombre de l'amour: l'ombre de Pauline, celle de ma mère, plus tard je serai l'ombre de Jésus. Ceux que j'aime, je les suis comme leur ombre. J'aimerai la vie au Carmel, si blanche avec cet habit si noir, jusqu'à en faire l'harmonie de ma vie, cette proximité des extrêmes, ce jeu d'oppositions dans lequel je me débattrai avant de comprendre que c'est cela même qui fait que je suis moi.

Je crois aussi, un peu malgré moi, que ma mère me veut morte. Elle n'aime rien tant que ses morts, et je veux qu'elle m'aime. Je voudrais qu'elle aille me voir au cimetière avec le même élan de regret que les autres. Je voudrais qu'elle pense à moi sans cesse, comme elle pense à eux.

Pourtant, elle me dit aussi très vive. Et cela lui plaît. Mon désir de mourir n'a d'égal que mon désir de vivre. Tout cela est compliqué. Maman vit dans deux mondes à la fois. Et moi, auquel dois-je appartenir? Si mon désir de vivre n'avait pas été aussi fort, je serais sans doute morte très tôt, comme les autres avant moi.

Malgré l'aide de Rose, ma mère de lait, celle que Zélie appelait à la rescousse quand il n'y avait plus assez de vie en elle pour l'insuffler à ses enfants. Est-ce que seule ma vitalité me sauva, cette robustesse, ou est-ce que je ne dois tout qu'à Lui comme Maman le croit? Désir de vivre, désir de mourir, les deux se combattront puis se conjugueront, finement tressés, indissociables. Mais avec le temps, c'est toujours la mort qui gagne.

On ne sait pas ce qui me passe par la tête. Personne ne pourrait l'imaginer. Seule la nervosité de la nuit me trahit, avec mes pleurs trop faciles. J'ai l'air si insouciante la plupart du temps! On me donne une boîte de bonbons. Je saute sur place, je bats des mains. A nouveau, Maman m'appelle son petit lutin. Le lutin, c'est celui qui lutte. Au fond d'elle-même, elle sait que pour moi la vie n'est pas facile.

Une grande récompense, c'est que Papa nous invite au Pavillon. Mes sœurs l'embêtent à longueur de journée pour l'obtenir. Surtout Céline. Parfois il m'emmène, seule. Je trouve que mes sœurs exagèrent de réclamer. Je le dis: «Faut pas vous mettre dans le toupet qu'il va vous emmener tous les jours.» Ça fait rire. Mais je voudrais bien, moi, qu'il m'y emmène tous les jours!

Céline voulait encore aller chez la petite préfète. J'ai refusé. Je préfère rester dans le jardin. J'ai inventé un jeu pour tromper l'ennui. Le mur de la maison est incrusté de pailles brillantes comme du mica. Céline et moi détachons ces fragments de matière précieuse et les vendons à Papa. Nous nous prenons pour des chercheurs d'or. Papa nous les achète volontiers. J'aimerais aller jusqu'au bout du monde, dans des pays extraordinaires. J'aime les lointains, les oiseaux, l'espace, les sapins immenses. Je m'émerveille de la nature, je loue son infinie bonté.

## Les diablotins

Je voyage en rêve. Le sommeil n'a pas de frontières. On peut s'envoler aussi loin qu'on veut. Les mondes coexistent, le temps s'abolit.

Je sors dans le jardin. Est-ce une vision ou un songe ? Le bas de ma chemise frôle l'herbe humide. Sur un baril de chaux, près de la tonnelle, deux diablotins dansent. Leurs pieds sont chaussés de fers à repasser, leurs yeux flamboient comme des braises. Leurs minuscules pieds de métal piétinent le tonneau en rythme, avec une agilité surprenante. En me voyant, ils prennent peur et vont se cacher dans la lingerie. Je m'approche, je regarde par la fenêtre. Ils s'en aperçoivent et s'enfuient. Affolés, ils ne savent où se cacher pour échapper à mon regard. Ils disparaissent, je me réveille. Je me sens très forte. J'ai mis le mal en fuite. Je le traque là où d'autres ne voient rien. Mon regard suffit. C'est pour cela qu'il est si perçant. Mon innocence est très lucide, une arme puissante.

Il fait beau. Je joue au loup dans le jardin avec Céline. Depuis que j'ai rêvé que je pulvérisais les diablotins, je n'ai plus peur. Le loup tremble et je gagne. La force morale peut presque tout. Je ne parle à personne de ma trouvaille mais elle me rend plus forte encore. Ma mère dit que je me tirerai

147

toujours d'affaire. Elle évalue sans cesse, chez les enfants qui lui restent, leurs chances de survie.

Parfois, je me prends pour un garçon et je grimpe aux arbres. Je suis très agitée. Je fais aussi des bulles de savon. Elles volent vers le ciel portées par le vent. Parfois, elles crèvent en route. Je mets une prière dans chaque bulle dans l'espoir qu'elle arrive jusqu'à Dieu. On ne sait pas s'il la trouvera. Il y a tellement de gens qui lui parlent en même temps.

## La tumeur

Ma mère va mourir, je l'ai compris et elle aussi.

Pour cette boule au sein qu'elle avait déjà quand je suis née, elle se décide à voir le docteur Prévost. Il diagnostique une tumeur fibreuse dans un état avancé. Elle n'aura plus d'enfants. Seule pousse encore en elle la grosseur qui refuse de la quitter, qui l'accompagnera dans la tombe. Elle voudrait bien s'en débarrasser maintenant. Mais il est trop tard pour opérer. Elle déteste le docteur Prévost. Elle est allée à Lisieux pour voir un autre médecin qu'Isidore lui avait recommandé, mais ça n'a servi à rien. En rentrant, elle jette l'ordonnance au feu. De toute façon, elle ne croit plus aux médecins. Est-ce qu'ils ont sauvé ses petits anges? Seul Dieu guérit qui il veut.

Elle fera le pèlerinage de Lourdes. Papa l'y pousse. Elle a toujours rêvé d'y aller. Il y a bien longtemps qu'elle n'a plus entendu la voix de la Vierge. Depuis que Zélie n'est plus vierge précisément, la Madone s'est tue. Peut-être que là où elle a parlé à la petite Bernadette, elle lui parlera encore. Maintenant qu'elle ne sera plus mère, c'est comme si elle était vierge à nouveau. Elle n'a commis l'acte de chair que pour avoir des enfants.

Elle emmènera Marie, Pauline et Léonie. Papa restera à la maison pour veiller sur moi et sur Céline. Elles partiront le 17 juin, seront absentes une semaine.

Le 24 février, Marie Dosithée est morte. Un mauvais hiver de trop et elle n'a pas résisté. Zélie perdit un soutien très important. Marie Dosithée était une partie d'elle-même. La visitandine lui insufflait cette force grâce à laquelle elle avait trouvé le courage de faire de la dentelle, d'ouvrir un bureau, de se marier. Marie Dosithée et la Vierge s'y étaient mises ensemble. Ma mère avait besoin qu'on lui autorise les choses, qu'on lui dise: «Fais-le, tu pourras.» Sinon, elle ne se permettait rien.

Sa sœur partie, cette part d'elle-même qui ne s'en était jamais détachée lui disait d'aller la rejoindre. Une tombe de plus l'appelait ici-bas, un amour de plus l'attendait là-haut. Zélie comprenait maintenant que sa sœur avait peut-être été le grand amour de sa vie. Maintenant, la croissance de la grosseur ne connaissait plus de frein. Personne ne pouvait arrêter le monstrueux rongeur. En son sein, les cellules folles se multipliaient.

## Dernier amour

Ma mère penchait de plus en plus du côté de la mort, mais elle voulait encore vivre. Elle trouva un dernier soutien en la personne de Léonie. Léonie avait adoré Marie Dosithée, elle avait toujours souhaité l'imiter. Elle aurait voulu être ma tante. D'une certaine façon, une fois la nonne disparue, elle la remplaça auprès de Zélie.

Louise, la bonne fidèle et terrible, était partie dans des circonstances pénibles et troubles. Elle avait noué avec Léonie un lien étrange. Très tôt, ma mère avait surpris Louise battant l'enfant et la rudoyant. Elle l'avait gourmandée. La bonne avait promis de changer d'attitude. Louise était par ailleurs extrêmement loyale et travailleuse. Zélie en avait assez de la valse des domestiques, elle avait donc préféré la garder. Louise était devenue prudente. Mais en cachette de Zélie, elle continuait à terroriser Léonie. Celle-ci lui était entièrement soumise. Elle vouait à Louise un amour maladif. Elle était fascinée par cette femme qui l'humiliait, augmentant le sentiment d'infériorité qu'elle ressentait.

Car Louise, par contraste, gâtait Céline à l'excès, l'admirait, lui passait tout. Le manque de disponibilité de ma mère, causé par l'excès de travail et par sa santé déficiente, donnait de l'importance à Louise. Zélie la traitait comme une personne de la famille. Louise s'était cru tout permis, avait agi à sa guise. Une folie méchante s'était concentrée sur Léonie, plus à sa merci. Zélie s'en était moins occupée que des autres. Léonie ne cadrait pas avec son rêve de perfection, décourageait ses efforts. Elle était toujours à la maison, dans la cuisine, en compagnie de Louise. Celle-ci la méprisait tout en l'aimant d'un amour inavouable. Quand ma mère s'en rendit compte, il était trop tard, le mal était fait. Léonie avait déjà quatorze ans. Louise était devenue pour elle une autre mère, terrifiante. Un peu comme l'avait été ma grand-mère Guérin pour Zélie. C'est peut-être parce qu'elle avait connu quelque chose de comparable que ma mère avait mis tant de temps à admettre ce qui se passait. Louise, d'origine campagnarde comme ma grand-mère, avait joué ce rôle par une de ces curieuses transmissions de mémoire qui télescopent le temps, répétant une histoire déformée d'une génération à l'autre.

Ma mère eût été bien incapable de rudoyer Léonie. Pourtant, elle en voulait à sa troisième fille de la décevoir. Léonie était rebelle à sa manière. C'était la seule qui, selon les mots de ma mère, «ne lui ferait pas honneur». Parmi ses enfants, il y avait les parfaits, les petits anges qui voletaient là-haut. Et il y avait nous, les bien vivantes, Marie, Pauline, Céline et moi. Nous faisions tout pour persuader notre mère qu'elle n'avait pas vécu et peiné pour rien. Nous tentions de la consoler en lui donnant ce qu'elle-même n'avait pu atteindre, la perfection sur terre. Nous étions jolies, charmantes, soumises, vertueuses et pieuses. Lorsque nous allions ensemble à la messe le dimanche, on nous admirait, on félicitait Maman. Léonie, elle, avait longtemps hésité entre les morts et les vivants.

Une fatalité semblait provoquer ces comportements à

l'égard de Léonie. Maman avait trouvé, pour lui donner des cours, deux vieilles religieuses, institutrices en retraite. Elles avaient adopté une orpheline, Armandine. Léonie s'aperçut qu'elles l'affamaient et le signala à Zélie. Ma mère fit parler l'enfant et, indignée des mauvais traitements qu'elle subissait, alla chez le commissaire. Les institutrices étaient de fausses bonnes sœurs. Lors d'une confrontation, l'une d'elles fixa Zélie d'une façon diabolique dans le but de la terroriser. Ma mère tira courageusement l'enfant de leurs griffes. Devant la souffrance enfantine elle n'était ni aveugle ni malveillante, bien au contraire. Mais Léonie n'était pas belle, et dans cette disgrâce elle se revoyait elle-même, telle qu'elle s'était autrefois reflétée dans les yeux sans indulgence de sa mère.

Zélie ouvrit tardivement les yeux sur sa troisième fille. La découverte de la détresse affective qui l'avait amenée à céder en silence à cet attachement lui fit comprendre à quel point elle lui avait manqué.

Zélie persistait à diminuer Léonie. Celle-ci affirmait qu'elle deviendrait religieuse. Zélie s'obstinait à croire cette issue impossible. Et Marie Dosithée n'était plus là pour affirmer que les qualités de cœur de ma sœur, sa force de caractère triompheraient de ses faiblesses.

Zélie, tout en continuant à nier Léonie dans ses espoirs, se mit à l'aimer pour les raisons mêmes qui lui avaient interdit de l'apprécier auparavant. Si proche de la mort, elle cherchait une raison d'avoir le droit de vivre encore. Cette raison ne pouvait qu'être de l'ordre du devoir et du sacrifice. Il fallait qu'on eût encore besoin d'elle, qu'elle fût nécessaire absolument. Certes Marie, Pauline, Céline et moi quêtions l'attention de notre mère, surtout moi qui étais encore si petite. Mais Zélie cherchait pour arracher du temps à la mort un besoin absolu. La seule d'entre nous désormais en danger était Léonie. C'était un prétexte à durer encore un peu. Léonie se perdait, Zélie devait la sauver. Dieu ne la laisserait pas partir avant qu'elle l'eût mise sur le bon chemin.

Contre cette bouche noire de la mort qu'elle appelait Paradis, il ne restait plus que Léonie. Elle disait : « Quand mes yeux se portent sur elle, j'éprouve une peine extrême, elle fait toujours ce que je ne voudrais pas, plus elle grandit, plus cela me fait souffrir. »

Délivrée de Louise, Léonie trouva une mère que la maladie mettait enfin à sa portée. Zélie accepta cet amour primitif, inconditionnel que Léonie savait donner, et dont elle m'avait, dans mes premières années, déjà fait cadeau. Cet amour que la bonne Louise avait longtemps détourné à son profit, dernière de ces femmes à qui Zélie confiait à contrecœur ses enfants et dont elle sentait ensuite qu'elles les lui volaient. Léonie, désormais, ne quittait plus Zélie, l'embrassait sans cesse. Zélie se laissait faire. Elle retrouvait un désir de vivre qu'elle ne s'était jamais connu : un désir profond, sauvage, confiant comme l'amour que sa fille ressentait pour elle. « Je suis bien nécessaire à cette enfant », pensait-elle. La nécessité, le besoin : seulement ainsi, Zélie pouvait vivre, aimer.

Elle décida donc d'emmener Léonie pour le pèlerinage de Lourdes.

## Le pèlerinage de Lourdes

Elles furent cinq à partir pour Lourdes : Marie, Pauline, Léonie, Zélie et la grosseur. Ce pèlerinage était une dernière fête que la maladie autorisait ma mère à s'offrir.

A la Visitation, les nonnes prient pour le succès du voyage. Zélie et ses filles se mettent en route. En ce mois de juin très chaud, la température du wagon est étouffante, son atmosphère confinée, le voyage trop long. Tout va mal. Les provisions qu'elles avaient emmenées furent gâtées par la canicule. Au cours d'une bousculade dans une gare, le chapelet de Marie Dosithée, dont Zélie a hérité et qui était pour elle une relique, fut perdu : mauvais présage...

Le séjour dura trois jours. Par quatre fois, Zélie s'immerge dans l'eau glacée de la piscine. Elle ne ressent aucun soulagement. Au contraire, le froid et l'humidité la font atrocement souffrir. Elle sait qu'elle ne guérira pas : la Vierge se tait, elle l'a perdue. Le pire fut peut-être de voir la déception se peindre sur le visage de ses filles, qui espéraient tant de ce voyage.

Lors d'un dernier adieu à la grotte, voyant Pauline désespérée, elle trouva la force de jouer la comédie. Sur le quai de la gare, à Alençon, elle souriait, affirmait à Louis atterré qu'elle guérirait. Mais elle était encore plus atteinte qu'en partant. La fatigue, la déconvenue avaient aggravé son mal. Ni Marie Dosithée ni la Vierge ne la protégeaient plus : elle était seule avec la maladie. Louis tenta de cacher son affolement. Zélie pensait beaucoup à ses filles, à ce qui leur arriverait après, quand elle ne serait plus là. Elle nous croyait fortes, pensait qu'elle avait su nous donner un bon départ. Pour une fois, elle n'était pas trop dure avec elle-même.

Jusqu'au bout, elle continuerait à travailler. Elle s'accrochait désormais à cette dentelle qu'elle avait tant maudite comme à une dernière protection. Marie l'aidait autant qu'elle pouvait. Les douleurs devinrent intolérables. Rien ne les calmait. Les nuits étaient un long cauchemar éveillé. Très courageuse, elle se traînait à la messe, malgré de terribles élancements.

La nuit, Céline et moi trouvions difficilement le sommeil. Les crises les plus graves avaient lieu alors. Dans l'obscurité, du fond des draps, nous guettions le gémissement qui montait. C'était une hantise. Dans la journée, nous faisions semblant de jouer, l'oreille tendue vers la chambre du premier où reposait la malade.

Pour nous éloigner du théâtre terrible de la douleur, Papa nous confia à une parente, Mme Leriche. Elle venait nous chercher le matin et nous ramenait le soir. Mme Leriche s'occupait de nous comme elle pouvait, mais cet exil nous permettait de mesurer ce que nous donnait Zélie et que nous n'aurions plus. C'était un bel été, et pourtant la saison du gel le plus cruel : l'hiver de l'épreuve où je sentirais pour la première fois le froid et la mort.

Sans cesse Céline et moi pensions à Maman, sans cesse nous parlions d'elle. Un matin, nous n'eûmes pas le temps de faire notre prière avant le départ. Mme Leriche nous laissa seules dans une pièce pour prier. La chambre me parut immense et glacée. Nous serions seules désormais pour trouver Jésus. Maman ne nous accompagnerait plus, elle ne nous raconterait plus de belles histoires du ciel. Elle ferait ce que je n'avais jamais cru possible tout en le redoutant. Elle partirait, nous laissant seules sur la terre comme nous l'étions dans cette grande chambre glaciale.

## L'abricot

Comment comprendre la mort et la maladie quand on est si petite? Un jour, on nous donna un abricot. Céline et moi décidâmes de le garder pour Maman. Il était gorgé de soleil et lui ferait du bien. Maman nous sourit mais ne put manger le fruit. Je me sentis comme la mère de ma mère. J'aurais voulu la nourrir, lui insuffler de la vie, mais rien de ce que je pouvais lui donner ne passait.

Quelque chose du commencement s'en allait. La source de ma vie allait se tarir. J'avais froid au cœur. La lumière même s'assombrissait. Tout d'un coup, je m'apercevais qu'il faisait quand même beau et chaud. Je n'étais déjà plus la même. Un peu de moi partirait avec elle. Elle me laissait en bas mais elle m'emportait aussi.

Pourtant, je grandissais. J'énumérais mes progrès. J'avais rédigé ma première lettre. Je voulais écrire à Louise, la meilleure amie de pension de Pauline. Je savais que ma sœur l'aimait, alors je voulais qu'elle m'aime aussi, qu'elle parle de moi avec Pauline. Je voulais exister pour elle afin que Pauline pense à moi. J'avais vu Maman écrire des lettres. Je savais qu'elles étaient belles parce qu'elle me les lisait parfois avant de les envoyer. Le jour où la bonne s'en est servie pour allumer le feu, les lettres de Maman brûlaient comme un cœur aimant. Moi aussi je voulais allumer des feux dans le cœur des autres en écrivant. Pauline m'a tenue sur ses genoux et elle a guidé ma main de quatre ans. J'écrivis: «Je suis un petit lutin qui rit toujours.»

Un peu plus tard, je voulus écrire à mes cousines Guérin pour leur dire que je les aimais de tout mon cœur. Cette fois j'étais assise sur les genoux de Marie, mais elle n'avait pas pour moi la patience de Pauline.

Bientôt, je saurais écrire seule. Écrire permet de parler avec ceux que l'on aime et qui ne sont pas là. Est-ce que je pourrai envoyer des lettres à Maman quand elle sera là-haut?

C'est la fin. Je n'écrirai plus de lettres avant un an. Entre-temps, Maman serait morte et le silence s'abattrait. Papa ne pouvait pas accepter le verdict du médecin. Il avait poussé Maman à aller à Lourdes. Sans son insistance, elle n'aurait pas bougé. Il ne pensait plus qu'à ça, une idée fixe: la sauver. Il n'allait plus à la pêche, au cercle Vital-Romet, au Pavillon. Il restait là, tournant autour d'elle. Pendant qu'elle était à Lourdes, je le voyais comme un ours en cage. Il espérait la dépêche annonciatrice du miracle. Elle n'arriva pas.

Morte, elle ne pouvait plus l'aider et il était perdu. Elle l'avait toujours soutenu. Papa était comme ça, très bon mais hors de la vie, à côté. Zélie décidait de tout sans jamais en avoir l'air. Le jour où Marie voulut faire une retraite contre l'avis de Papa, Maman avait dit: «Laisse-moi faire, j'arrive toujours à ce que je veux et sans combat...»

Arriver à ce qu'on veut et sans combat, c'est comme ça qu'il faut s'y prendre avec les hommes. C'est ce que font Maman et tante Céline. Moi, je veux autre chose. Je sais que ma vie sera un combat. Le combat d'amour avec Jésus, la lutte pour être entièrement à lui. Ça ne me fait pas peur. Maman a su se conduire comme les femmes doivent le faire, elle a joué le jeu qu'il fallait. Elle a su aimer un homme et se faire aimer de lui, elle a obtenu ce qu'elle voulait sans avoir l'air de commander et prendre sa place, elle a eu des enfants, elle a travaillé avec succès, elle est devenue respectable et presque riche. Elle voulait tout, elle a obtenu beaucoup, et pourtant elle n'a jamais été heureuse. Elle ne nous a pas caché son malheur, comme d'autres mères qui préservent à tout prix une façade de bonheur familial. Elle voulait que nous sachions. Elle tenait à nous informer de ce qu'était la vie, ne pas nous laisser dans l'illusion. Deux mois avant sa mort, elle écrivait à Pauline: «N'espère pas beaucoup de joies sur la terre, tu aurais trop de déceptions.» Seul l'idée d'une vie future la préservait du désespoir.

Quand elle n'eut plus le courage de nous instruire, sa mort s'en chargea. On avait beau nous éloigner le jour, nous ne dormions toujours pas la nuit. La nuit était le seul contact avec Maman qui nous restât. A part le bonsoir que Papa nous emmenait lui dire. Elle se forçait à sourire. Nous n'avions pas le temps de lui parler. Mais lorsque les bruits s'étaient tus, dans l'obscurité, nous l'entendions marcher. Elle ne pouvait rester couchée plus d'un quart d'heure. Elle marchait contre la douleur, comme une bête en cage. Puis cet effort physique l'épuisait. Elle se recouchait. Elle ne supportait plus aucun bruit. Un grand silence s'était abattu sur la maison. Il précédait le silence éternel. Dans le lit, Céline et moi retenions notre souffle. L'angoisse nous tenait serrées l'une contre l'autre, les mains jointes. Lorsque Maman enfin parvenait à s'assoupir, son sommeil était si ténu qu'un craquement de plancher suffisait à le rompre.

Nous priions la Vierge de la soulager, mais elle ne lui accordait aucun répit. Tout ce que le Bon Dieu veut faire il le peut, mais quand il veut qu'on souffre il faut souffrir. Il fallait l'aimer quand même, Maman le disait. Elle criait et se tordait, pourtant elle l'aimait toujours. Comment faire autrement qu'aimer le Bon Dieu quand tout le reste vous a quittée ? Si on ne l'aime pas on n'aime rien, si on n'aime rien on n'a plus rien.

## Le chariot céleste

Ma mère se traînait au ras du matelas. Pourtant elle aurait voulu monter, monter. Un chariot céleste viendrait un jour et transporterait son âme vers les hauteurs béantes. Pour que cette âme soit assez légère, il fallait que le corps qui l'entourait se défasse. La tumeur s'alimentait du corps de Maman qui ne mangeait plus rien. Elle maigrissait. L'âme sentait le moment approcher et palpitait. Maman était un champ de bataille où l'âme et la tumeur s'affrontaient.

Le 25 août était la Saint-Louis, jour de la fête de Papa. D'habitude nous allions lui cueillir un bouquet, récitions un compliment. Il n'y eut pas de célébration cette année-là. Depuis quelques jours Maman ne criait plus. Elle gémissait à peine, si faiblement qu'il fallait se tenir très près pour l'entendre. Elle avait encore tant de choses à nous dire. Il fallait maintenant les lire sur ses lèvres, qu'elle parvenait encore à remuer. Papa ne voulait pas. Il disait que cela la fatiguait. J'aurais bien voulu être auprès d'elle puisque après je ne l'aurais plus. Mais on me faisait sortir. Je restais assise dehors près de la porte, le dos contre le mur frais. Une odeur bizarre de potions et de maladie s'échappait de la chambre. A l'intérieur, les rideaux sont tirés. Il fait chaud, il y a des mouches. Cette nuit, j'ai encore très mal dormi. J'entendais les pas précipités de Papa dans l'escalier. Il répétait un mot terrible, hémorragie. Je croyais que c'était «et mort agis». La mort agissait.

Le lendemain, quand on m'a permis d'entrer chez Maman, elle était très maigre et plus blanche que l'oreiller. Ses lèvres ne remuaient plus. On prononçait encore le mot terrible. Dans la chambre, il y avait des cuvettes, des piles de linge. L'odeur était douceâtre et pointue. On m'a dit que l'hémorragie c'est quand on perd du sang. Pourtant du sang, Marie, je sais qu'elle en perd et Pauline aussi. Ça leur arrive chaque mois et ça ne les tue pas. Mais Maman, c'est différent, parce qu'il lui en reste si peu.

Le lendemain soir, 26 août, on sonne à la porte. C'est le curé. Il vient voir Maman, lui donner l'extrême-onction. Alors on nous a fait entrer dans la chambre. On nous a alignées par rang d'âge. J'étais à côté de Céline et il n'y avait personne de l'autre côté. Un grand vide s'ouvrait. Maman était absolument immobile. On n'entendait que la voix du prêtre et les sanglots de Papa qui avait le corps secoué. Il ne pouvait pas s'en empêcher. Il était comme un arbre dans la tempête et pour la première fois, j'ai pensé: «Pauvre petit père...»

## *Une boîte garnie de satin*

Le lendemain Maman était morte. Elle avait quarante-six ans. Papa m'a prise dans ses bras et m'a dit de l'embrasser pour la dernière fois. Elle était froide et cireuse et je voyais bien qu'elle n'était plus là. Je ne pouvais plus parler. Je suis allée me cacher pour pleurer.

Isidore et sa femme Céline étaient arrivés. La maison était pleine de monde. J'aimais beaucoup mon oncle et surtout ma tante qui m'avait tant gâtée. J'aurais dû être folle de joie mais j'étais folle de peine parce que Maman était morte à minuit.

Elle est morte sans plus avoir parlé. Elle a fait venir les aînées et leur a demandé silencieusement de s'occuper des petites. Je n'entendrai plus jamais sa voix. J'essaie de l'écouter au-dedans de moi-même, je me répète les mots qu'elle me disait. Mais en quelques jours l'écho de cette voix s'éloigne et je ne l'entends plus. Elle s'est envolée avec son âme. La voix de Maman était la première musique. Maintenant le vrai silence a commencé, celui qu'aucun son ne comblera jamais.

Je pleurais toujours. Une source avait affleuré avec la mort et ne tarissait pas. Je ne pouvais parler à personne de ce que je ressentais. Pas même à Céline. Mon chagrin n'était qu'à moi. Je le chérissais car il était le dernier lien qui me rattachait encore à Maman. Quelque chose d'elle était réfugié dans ce chagrin si vaste et si profond. Je ne voulais pas que le chagrin me quitte. Je le nourrissais en pensant à elle sans cesse.

On s'affairait dans la maison. On organisait la triste fête de la mort. Je restais assise dans un coin. Je n'étais que bouche close, yeux, oreilles. Personne ne s'occupait de moi. Je n'avais pas parlé depuis la veille et on ne s'en était pas aperçu. Je ne serais jamais plus bavarde. La mort de Maman avait chassé les mots inutiles. J'ai vu le cercueil. C'était la première fois mais j'ai compris immédiatement à quoi ça servait. C'était une boîte de bois rectangulaire et garnie de satin, comme une grande boîte de poupée. Il n'y avait personne dans la pièce. La boîte était au milieu, posée sur des tréteaux. Je me suis dressée sur la pointe des pieds pour voir. C'est là qu'on allait mettre Maman et elle n'en sortirait jamais plus.

Maman était petite. Les derniers temps surtout. La maladie la rétrécissait. Pourtant la boîte m'a semblé trop grande pour elle.

Je suis retournée m'asseoir par terre et j'ai attendu.

## « C'est toi qui seras Maman »

Même cette boîte affreuse a disparu. Maman s'est retrouvée en terre au cimetière avec les petits frères et sœurs, et son âme là-haut. Alors l'hiver de mon âme a commencé. Toutes les cinq, mes sœurs et moi, nous nous regardions tristement. La bonne a dit: «Mes pauvres petites, vous n'avez plus de mère.» La perte m'a figée sur place.

Céline a eu un grand mouvement vers Marie. Elle s'est jetée dans ses bras en disant: «Maintenant, c'est toi qui seras Maman.» J'ai regardé Pauline et elle m'a regardée aussi. Je me suis précipitée vers elle en disant: «Eh bien moi, c'est Pauline qui sera Maman.»

Ma vie future, je l'ai choisie à ce moment-là. Pauline serait plus tard ma Mère du Carmel. Sur sa demande, j'écrirais mon *Histoire d'une âme*. Sans Pauline, je n'aurais pas survécu, je ne serais pas devenue Thérèse. Elle était le relais, l'auxiliaire de Maman, elle la prolongeait. En elle je retrouvais l'odeur de Zélie, l'écho de ses paroles, la trace de ses pensées. Je survécus donc en prenant Pauline pour mère, et en devenant Maman, Pauline s'en sortit. Maman telle qu'elle voulait être: Mère au Carmel.

Durant les mois qui précédèrent sa mort, quand Maman pouvait encore parler, elle ressassait son regret de ne pas s'être faite nonne. Il avait été ravivé par la mort de Marie Dosithée, qui avait permis à Maman, à travers leur correspondance, de vivre cette vie cloîtrée par procuration. Ma mère nous adorait, mais elle aurait quand même préféré que nous n'existions pas.

Dans ses derniers moments, le regret d'une vie entièrement vouée à l'adoration devenait lancinant. Elle était passée à côté de sa vraie vie, rien ne rattraperait jamais cela. Elle était inconsolable. Elle regardait le crucifix au-dessus du lit, puis elle tournait les yeux vers Pauline dont elle savait qu'elle au moins irait, laisserait tout pour trouver plus encore.

Céline et moi avions désormais deux mères différentes. Pourtant le cataclysme nous rapprocha. Rose m'avait offert une petite poule et son coq. J'avais donné le coq à Céline, préférant garder pour moi la petite poule qui était la maman. Les animaux s'apprivoisèrent très vite. Céline aussi aurait préféré la poule et me la chipait chaque fois qu'elle pouvait. Nous décidâmes que le coq et la poule étaient devenus deux poules. Nous avions déjà fait l'impasse sur les coqs.

Céline et moi, à notre tour, devînmes ces petites poules inséparables qui se serraient l'une contre l'autre au fond de la paille chaude du poulailler. De même, la nuit, j'aurais bien voulu dormir dans le lit de ma sœur dont la chaleur et le souffle régulier m'eussent protégée. Marie l'interdit. Elle voulait que la vie continue comme si Maman était toujours là. Mais nous étions réfugiées au fond d'un monde dévasté.

L'ennui était pire que tout. Je l'avais toujours connu mais il avait désormais changé de nature. Stupéfiant, il tombait sur moi comme un couvercle. Je ne me plaignais pas. Il n'y avait personne à qui se plaindre. Mon père et mes sœurs souffraient autant que moi. Je voulais garder ma douleur qui était devenue ma mère intérieure. Je restais très tranquille. J'enfilais des perles ou je cousais deux chiffons ensemble. Ces occupations étaient devenues une façon d'être dans Maman, dans un monde que parfumait sa présence. Je mettais mes gestes dans les siens alors qu'elle assemblait deux pièces de dentelle. Elle si finement, moi si grossièrement. Quand l'aiguille traversait le tissu, je la revoyais. A mesure que les jours passaient, ses traits se défaisaient dans ma mémoire. Mais certaines occupations, certains mots, certains objets les faisaient se rassembler à nouveau. Je retrouvais quelques instants son visage. Elle était là-haut, elle ne pouvait pas manquer de me voir, et elle se disait : « Voilà ma bonne petite fille. »

De grosses larmes roulaient sur mes joues. Je ne faisais rien pour les arrêter. Je me demandais si peut-être les mêmes dévalaient ses joues célestes. Marie passait, me voyait et les larmes se mettaient à couler chez elle aussi. Les larmes étaient la vertu, le regret de Maman, le désir d'être comme elle m'avait voulue. J'avais toujours aimé la vertu, je la chérissais plus que jamais pour lui plaire. Le petit lutin avait disparu.

## L'hiver de la vie

Cet hiver de la vie durerait dix ans. J'avais quatre ans et demi quand Maman mourut. A quatorze ans, quand je déciderais d'entrer au Carmel, je retrouverais quelque chose de moi-même que j'avais cru perdu à jamais. Cela m'arriva au moment où d'autres entraient dans la vie adulte, ce qui se produisait alors plus tôt qu'aujourd'hui. Et moi aussi, d'ailleurs, j'y entrais, puisque j'avais pris une décision grave qui déterminerait le reste de mon existence. Mon caractère d'enfant, cette insouciance et cet optimisme, cette obstination et cette confiance qui avaient caractérisé mes premières années reviendraient ainsi que mon ancien désir de plaire. Mais cette fois il s'agirait de plaire à Jésus, non plus comme autrefois à n'importe qui en montrant mes jolis bras nus. Je passerais de la maison familiale au Carmel où m'attendrait une autre famille, une communauté de sœurs réunies autour d'une mère sous la protection d'un homme distant et bon, Jésus.

Durant les dix ans qui devaient me séparer de ce moment, ma vivacité d'enfant disparut. Je devins timide, douce, sensitive. Les gens m'effrayaient. Leur présence me rappelait que ma mère, elle, n'était pas là. Si on me regardait, je me mettais à pleurer. Le regard qu'on me jetait n'était pas celui que j'aurais voulu.

Mon pauvre petit père faisait de son mieux, accablé lui aussi par cette perte, comme si le soleil s'était éclipsé. Il se faisait encore plus doux, cherchait à nous fournir l'amour d'une mère en plus de celui d'un père, s'arrachant à ses rêveries pour dispenser à ses filles son attention. Mais il ne savait quoi faire pour assurer notre éducation. Il lui fallait les conseils d'une femme. A aucun moment il ne songea à se remarier. Il avait épousé ma mère parce qu'elle partageait ses aspirations, une autre ne l'aurait pas compris.

Le dernier regard de Maman s'était posé sur ma tante Céline comme une imploration muette. Elle lui demandait de prendre le relais.

Sur les conseils de mon oncle Isidore, Papa décida de déménager à Lisieux. Nous aimions beaucoup cette ville. Maman aussi l'avait aimée. Elle avait pensé qu'un jour nous habiterions à nouveau près d'Isidore. A sa mort, son frère devint notre «subrogé tuteur». Et nous accepterions volontiers, venant de Tante Céline, des conseils et des interventions qui eussent été malvenus si une autre s'en était mêlée.

Papa ne supportait plus la maison de la rue Saint-Blaise où l'absence de Maman se faisait cruellement sentir. L'oncle Isidore se chargea de nous trouver une nouvelle demeure à Lisieux. Papa était trop abattu pour se consacrer à cette chasse, et des affaires à liquider le retenaient encore à Alençon.

Mon oncle visita vingt-cinq propriétés avant de trouver ce que Papa souhaitait : une maison jolie et accueillante mais sans prétention, et cernée d'un grand jardin. Ce grand jardin avait été une des dernières requêtes de Maman qui voulait que nous puissions courir à notre aise parmi les fleurs.

Au bout d'une dizaine de jours, mon oncle découvrit sur les hauteurs de Lisieux une demeure d'allure campagnarde, à la fois simple et vaste. Mon père fut rempli de désarroi. Au dernier moment, il se résolvait difficilement à quitter Alençon. Il était très attaché à ses habitudes, à son retiro du Pavillon, et à sa mère toujours vivante dans cette ville. Mais mon oncle avait pris la direction des opérations. Il envoya à Papa une description engageante de la maison, l'invitant à signer le bail.

# Les Buissonnets

Le 1er novembre 1877, nous allâmes prier une dernière fois sur la tombe de notre mère avant de quitter définitivement Alençon. L'oncle Isidore vint nous chercher et nous accompagna pendant le voyage en train qui durait quatre heures. A Lisieux, Tante Céline nous accueillit. Papa nous y rejoignit le 30 novembre.

Nous étions déjà installées et ravies de notre nouveau logis. La situation élevée donnait une vue magnifique sur la vallée. La maison était en briques rosies par le temps. Le toit était de vieilles tuiles et les encadrements des portes et des fenêtres étaient blancs. La porte d'entrée s'ornait de panneaux de verre coloré. Au rez-de-chaussée, la salle à manger, la cuisine et une pièce où nous nous retrouvions pour travailler ou lire le soir. Au premier étage, les chambres. Au-dessus, des mansardes et un petit observatoire qu'on appelait le belvédère et qui remplacerait pour les méditations de Papa le retiro du Pavillon. Les fenêtres du toit s'ornaient d'une frise découpée selon la mode d'alors, qui donnait à l'ensemble beaucoup de gaieté.

La propriété avait cent ans. Le jardin était ombragé d'arbres qui me parurent immenses. Devant, des massifs de fleurs encadraient la pelouse. Sur le côté, un potager. Le jardin de derrière remontait. L'ensemble était entouré de murs et abrité par les arbres. On s'y sentait dans un berceau de verdure.

Nous étions situés un peu à l'écart, dans une partie de la ville appelée «Village du nouveau monde». C'était bien en effet un nouveau monde qui s'ouvrait à moi, et que je ferais mien. Je ne reviendrais pas à Alençon avant six ans. Les dentelles héritées de Maman seraient désormais le symbole de mon ancienne ville. Le quartier s'appelait «Les Bissonnets». Nous n'avions aucune idée de ce que pouvaient être les Bissonnets en question (le mot «besson» signifie jumeau en langage d'alors) et nous n'en avions cure. En admirant les bosquets du petit parc vallonné dont nous parcourions les allées tout à loisir, nous surnommâmes notre nouveau domaine «Les Buissonnets»...

Maman avait eu raison de vouloir pour nous un grand jardin. Ainsi, pas question d'habiter au centre de Lisieux, comme mon oncle et ma tante. La ville, très ancienne, avait été construite dans une cuvette et le climat en était assez malsain. Elle conservait encore quatre-vingts maisons de bois dont les façades à encorbellements se rejoignaient presque au-dessus des rues étroites et sombres. Leurs toits pentus se hérissaient de pignons pittoresques. Les plus anciens spécimens de cette architecture normande typique dataient du XIVe siècle. Très inflammables, insalubres, ces maisons brûlaient l'une après l'autre.

La grand-place où se tenait le marché était plus aérée, bordée de bâtiments majestueux d'architecture classique, dominés par les deux tours gothiques de la cathédrale Saint-Pierre. Au coin de cette place pavée, à l'intersection de deux rues, se trouvait la pharmacie de mon oncle.

Lisieux fut d'emblée pour moi une ville de verdure et d'eau. Le parc du palais épiscopal, dessiné par Le Nôtre, s'ornait d'une pièce d'eau. Je lui préférais pourtant le jardin de l'Étoile, auquel on accédait par abonnement, car il était proche de la maison. Papa m'y emmena souvent promener. Un sentier bordé de haies longeait ce jardin, conduisant à la maison à laquelle on accédait par un raidillon nommé «chemin du Paradis», sans doute parce qu'il fallait faire des efforts pour arriver là-haut. J'aimais jouer avec ces noms charmants: le Nouveau Monde, l'Étoile, les Buissonnets et le Paradis. Ils m'étaient d'heureux présages.

Depuis les quatre fenêtres du belvédère, je voyais s'étendre au loin, autour de la ville, les champs et les bois au drapé moelleux, tel un velours d'émeraude, brodé en saison des flocons crémeux des fleurs de pommier.

De mon observatoire, j'apercevais les courbes paresseuses des trois petites rivières qui traversent Lisieux. Elles portent des noms charmants d'innocence: l'Orbiquet, le Cirieux, la Touques. Eau encore à cause des pluies si fréquentes tombant des cieux aux nuances délicates d'huîtres perlières. Eau

164

également, en suspension, des brumes que le climat favorisait. Elles se mêlaient parfois à la fumée des usines, car Lisieux était une cité industrielle. Trois mille ouvriers sur dix-huit mille six cents habitants y travaillaient dans le textile, sans compter les tanneries, cidreries, distilleries. Cela, c'était le rouge sombre des briques, la suie des cheminées. Depuis ma fenêtre, les fabriques se confondaient avec les autres bâtiments. La misère et l'alcoolisme qu'elles généraient ne m'apparaissaient pas. Je préférais voir ce vert, cette eau d'où émanaient à la fois une grande vitalité et une puissante mélancolie, impressions qui s'accordaient avec mon tempérament.

Cette opposition des extrêmes se retrouvait dans les principales fonctions de la cité. On blanchissait le lin et le coton, on tissait de vives cretonnes. Mais ces activités déclinaient. La population diminuait, les usines fermaient les unes après les autres. La misère s'étendait. Papa prit l'habitude, après ses parties de pêche dans la Touques, d'en apporter le produit aux sœurs de Notre-Dame de la Miséricorde, dont l'œuvre du Refuge accueillait d'anciennes prostituées. Il retrouvait ainsi son ancien désir d'aider à sauver des filles perdues. Quand il m'emmenait, il m'arrivait de rêver que je me retrouvais pensionnaire derrière cette façade sévère. J'aurais été une de ces filles repenties auxquelles Papa s'intéressait, au plus bas du monde féminin...

Lisieux était aussi une ville de garnison. Des troubles sociaux s'étaient produits et à la suite de ces événements, on construisit deux casernes. La principale, la caserne Delaunay, était très proche. Papa aimait passer devant, elle lui rappelait son enfance. La ville était animée par le passage des régiments en manœuvres, les appels de clairon dont l'écho parvenait jusqu'à ma chambre, le pas des chevaux, le cliquetis des armes, le chatoiement des uniformes.

Lisieux, ville verte par ses arbres et ses jardins, rouge par ses briques, bleu-gris par ses toits, son eau, son ciel, était aussi une ville blanche : blancheur du coton, du fil, des toiles. Mais tout ce blanc commençait à se ternir sous le coup du chômage, à noircir par la souillure de la misère. Bientôt des pauvres poussés à bout lacéreraient à coups de ciseaux les robes des bourgeoises à la sortie de la messe. Des ouvrières sans travail se vendaient dans les cafés borgnes. Des mères tuaient à la naissance l'enfant qu'elles savaient ne pouvoir nourrir. Des hommes titubaient sur les pavés après avoir dépensé en mauvais alcool leurs derniers sous.

## Une terre d'abondance

Tout cela ne me fut pas sensible d'abord. Il me sembla que j'abordais une terre de bonheur et d'abondance. Le couple de mon oncle et de ma tante semblait heureux et paisible. Isidore, pourtant, m'effrayait. Ses yeux, derrière ses lorgnons, semblaient bien sévères à côté de ceux de Papa qui étaient si doux. Sa voix forte me faisait trembler quand il chantait *Barbe-Bleue* en me tenant sur ses genoux.

J'aimais beaucoup mes deux cousines, Jeanne et Marie, plus âgées que moi de cinq et trois ans. Nous nous voyions très souvent, jouions ensemble. Il me sembla avoir gagné deux grandes sœurs de plus.

Marie et Pauline étaient maintenant de belles jeunes filles de dix-sept et seize ans. Lors de ses dernières années, ma mère n'avait pas voulu qu'elles fussent élevées dans une austérité trop grande. Elle avait souhaité pour nous le meilleur. Avec l'approche de la mort, lui était venu, à côté du regret du cloître, celui de n'avoir pas assez profité de la vie. Elle nous voulait parées. Mes aînées, au fait de la mode par l'observation des riches clientes, adoraient la toilette. Marie ne supportait que des vêtements parfaitement repassés, Pauline était folle de chapeaux. Zélie se plaignait. «On est vraiment les esclaves de la mode», soupirait-elle. Mais elle encourageait le mouvement. Lorsque Marie Dosithée lui avait reproché de laisser Marie se rendre à une réunion bien innocente, elle s'était rebiffée: «Il faut donc s'enfermer dans un cloître? On ne peut pas, dans le monde, vivre comme des loups.»

Papa était décidé à perpétuer cet adoucissement du régime

familial. Il n'était plus pris par ses affaires, vivait bien à l'aise de son revenu, n'avait plus que nous. Voir sa femme souffrir lui avait donné des remords. Il regrettait de petites douceurs qu'il eût pu procurer à Zélie, des plaisirs innocents qu'il l'avait encouragée à se refuser. Il nous voulait heureuses, se voyant un peu moins malheureux lui aussi à travers nous. Le pauvre petit père n'avait qu'un défaut, il était faible. Maman le savait, elle en avait un peu souffert et bien profité. Il était le chef de la famille, mais c'était un monarque constitutionnel. La mort de Maman l'avait physiquement vieilli. Sa barbe était maintenant blanche. Nous l'appelions «le Patriarche». Mais il était, pour moi seule, «mon roi chéri». Et j'étais «sa petite reine», «sa princesse des neiges», «l'orpheline de la Berezina».

Maintenant qu'il tentait d'avoir pour nous des attentions maternelles, la tendresse et la douceur de sa nature se laissaient libre cours. Il nous aimait beaucoup et peut-être trop. J'étais si avide d'aimer et d'être aimée... Maintenant que Maman n'était plus là, je me disais qu'il fallait que j'aime Papa à sa place, pour qu'il ne se sente pas trop abandonné. Nous rivalisions plus que jamais d'attentions pour lui plaire.

Six mois après notre arrivée aux Buissonnets, à la rentrée de janvier 1878, Léonie entra comme pensionnaire chez les bénédictines de l'Abbaye, dans un couvent à l'ouest de Lisieux. Céline en même temps y fut demi-pensionnaire. Le monastère avait été fondé du vivant de Guillaume le Conquérant, qui avait donné à des moniales une terre, Saint-Désir. Après la Révolution, les nonnes revinrent sur les lieux et fondèrent un collège d'excellente renommée. Les bâtiments étaient anciens, l'infirmerie datait du xve siècle. Mes cousines Guérin y étaient également inscrites. Céline s'y rendait avec elles. Leur bonne Marcelline les accompagnait. Les terres du pensionnat étaient vastes, et comprenaient une colline boisée, le mont Cassin, où l'on se rendait les jours de fête pour des excursions, des jeux, des piques-niques. «Comme ta mère aurait été contente», disait Papa en voyant partir Léonie. Celle-ci était très fière d'être admise. Elle était plus âgée que ses compagnes, conservait un visage fermé, les yeux enfoncés dans les orbites, la bouche pincée par l'effort, le front large et bombé. Mais elle prenait lentement le chemin d'être comme les autres. L'uniforme, qui me semblait ingrat avec sa jupe à bretelles, son col blanc arrondi bordé de dentelle, lui paraissait d'une grande élégance. Il est vrai que l'Abbaye était, comme la Visitation du Mans, fréquentée par de jeunes demoiselles de très bonne famille.

Marie entreprit de diriger la maison. Elle se souvenait que ma mère le lui avait demandé alors qu'elle était encore petite. Une nouvelle bonne, Victoire, l'y aidait. Mon aînée avait l'esprit pratique et réfléchi. L'ordre, les repas servis à l'heure, le ménage géré avec économie. Elle n'hésitait pas à recevoir de ma tante les conseils et les coups de main dont elle avait besoin. Les leçons qu'elle donnait autrefois à Céline et que j'enviais m'étaient désormais consacrées. Elle m'apprenait à écrire. Pour le reste, Pauline s'occupait de moi. Je partageais une chambre avec Céline, comme à Alençon. Elle était située au premier étage, mais comme le jardin était plus haut derrière que devant, une porte ouvrait directement dessus, à mon grand plaisir.

Le matin, Pauline me réveillait. Elle me demandait toujours la même chose : « As-tu donné ton cœur au Bon Dieu ? » Elle continuait à me parler de Dieu en m'habillant. Puis, je faisais ma prière.

La maison était baignée de calme. Les bruits de la ville y parvenaient assourdis, comme filtrés par la brume et les fumées des usines, rappelant qu'il existait, au-dessous du chemin du Paradis, un monde de nécessité et de labeur. Papa était déjà monté à son belvédère. Ou bien il descendait au jardin. Il n'aimait plus le jardinage comme autrefois, mais le petit parc avec ses allées tournantes et les massifs de yuccas aux pointes acérées qui ornaient l'angle des pelouses était toujours net.

Papa avait repris ses occupations de jeune homme : lire, écrire, méditer. J'hésitais à le déranger. La maison était vaste. Je passais de pièce en pièce, admirant les meubles sombres aux bois tournés, aux sculptures chargées. Victoire faisait sonner ses casseroles dans la cuisine ornée d'une grande cheminée où mes sœurs et moi aimions nous retrouver pour bavarder. Les travaux de couture et les leçons avaient lieu surtout dans la dernière pièce du rez-de-chaussée. Ailleurs ç'aurait été un salon, mais chez nous, malgré les anciennes prétentions de Pauline, ce n'était qu'une salle de travail. Nous avions une jolie salle à manger, de plain-pied sur le jardin.

Si Marie m'apprenait à écrire, Pauline, le matin, m'enseignait la lecture. «Cieux» fut le premier mot que je sus reconnaître. Je lisais avec facilité, mais je ne comprenais rien à la grammaire. Je confondais le féminin et le masculin, peut-être parce que les rôles de l'homme et de la femme ne m'étaient pas très distincts. A sa façon, sans en avoir l'air, ma mère avait été l'homme du couple et maintenant, mon père s'efforçait d'être pour moi une mère. Et moi, peut-être ai-je voulu être les deux à la fois, à cause des petits frères qui étaient morts...

C'était le catéchisme que j'aimais le plus. Je l'apprenais très facilement car j'avais beaucoup de mémoire. Mais mon grand plaisir restait l'Histoire sainte. Je ne me lassais pas de ces récits merveilleux et héroïques. Ils m'apparaissaient plus vrais que la vie même.

## Maman Pauline

Je l'appelais «Maman Pauline», j'étais son bébé. Quelque chose s'était reconstitué d'une vie de famille. Nous faisions comme si le trou creusé par la mort de Zélie s'était refermé. Pourtant je portais toujours au fond de moi l'idée de la mort. Lorsque Papa m'emmenait promener au jardin de l'Étoile, il m'appelait par de gentils noms. Parfois j'étais «son petit loup», parfois «pau'p'tit», parfois encore «l'orpheline de la Berezina». Et cela disait bien la vérité. J'étais la rescapée d'un sinistre. On essayait de me le faire oublier. La vie était douillette.

Je me plaisais toujours à accompagner Papa quand il allait à la pêche. Il se livrait de nouveau librement à l'ancien passe-temps de sa jeunesse. La Touques était assez poissonneuse. Nous allions à Saint-Martin-de-la-Lieue ou à Ouilly-le-

Vicomte. Papa avait le prétexte, en se livrant à son humeur pensive, de ramener de quoi faire un bon repas. Il n'aimait rien tant que de rester des heures immobile fondu dans la nature. J'appris à rester moi aussi très sage pour avoir le privilège d'être avec lui dans une communion silencieuse. Nous écoutions le chant des oiseaux. Sur le chemin du retour, Papa les imitait à merveille. Puis il portait l'excédent de sa pêche au Carmel de la rue de Livarot, ou chez les sœurs de Notre-Dame de la Miséricorde.

Souvent, pendant que Papa pêchait, je cueillais des fleurs. Je les joignais aux poissons pour les religieuses. C'était ma petite offrande à moi.

En revenant, je serrais très fort la main de Papa. Je vivais dans la peur continuelle de voir ceux que j'aimais s'éloigner, disparaître, ne plus revenir. Lorsqu'il dut retourner quelques jours à Alençon pour ses affaires, ou lorsqu'il emmena Marie et Pauline à Paris pour voir l'Exposition universelle, lorsque Pauline partit en vacances à Houlgate chez Marie-Thérèse son amie de pension, on me confia à ma tante. Une angoisse mortelle m'habitait. Je parvenais à la cacher. Il me semblait que si je la montrais, le pire se réaliserait. Ma tante me trouvait facile. J'étais gaie, je savais m'amuser d'un rien. Mais cette séparation m'était pénible, même lorsqu'on m'emmenait en villégiature à Saint-Ouen-du-Pin, dans une ferme appartenant à la famille Fournet. C'était une maison charmante entourée d'étangs, d'un ruisseau, d'un petit bois. J'y retrouvais les plaisirs de l'enfance chez Rose. Je rayonnais de bonheur. Mais toujours au fond de moi, prête à surgir, la mélancolie se tapissait.

# La grasse matinée

La mélancolie me saisissait toujours en fin d'après-midi le dimanche. J'aimais ce jour parce qu'il est consacré au Seigneur, mais aussi parce qu'il est jour de fête. J'aimais toutes les fêtes. Chaque semaine j'attendais le dimanche. Le meilleur moment était la grasse matinée. Elle commençait par un chocolat au lait bien chaud, mousseux dans un bol, qu'on me portait au lit. Ensuite Marie me frisait pour me faire belle. J'avais de longs cheveux blonds et soyeux ondulant naturellement. Elle m'en tournait des anglaises. Les papillotes me tiraient les cheveux, le fer me brûlait. Je protestais, mais quand je voyais le résultat, j'étais bien contente.

Nous allions suivre la messe à la cathédrale Saint-Pierre. Nous y retrouvions mon oncle avec sa famille. Notable, il avait le droit de s'asseoir à part sur le banc des marguilliers. L'abbé Ducellier était éloquent, et peu à peu le sermon, qui avait été longtemps pour moi la partie difficile de la messe, m'intéressa. Je m'agitais sur ma chaise, impatiente, lorsque j'entendis l'abbé parler de la passion de Jésus. En un instant ce mot de «passion» prit pour moi sa force et sa clarté. Je compris confusément qu'il mènerait ma vie.

Puis c'était le déjeuner de famille. Ma tante faisait des prouesses. Nous aimions bien manger. La cuisine normande était très riche. Elle ne lésinait ni sur le beurre, ni sur les œufs, ni sur la crème. Parfois, d'autres parents des Guérin se joignaient à nous : les Fournet, les Maudelonde. Après le déjeuner, je restais jouer avec mes cousines. En fin de journée, Papa venait me chercher. Ma tristesse commençait pendant complies. Souvent Marie et Pauline restaient passer la soirée chez mon oncle. J'étais triste de devoir aller me coucher sans elles. Le lendemain, la vie ordinaire recommencerait. J'aurais voulu que le dimanche dure toujours. Dans mon lit, je restais tristement éveillée, je me sentais exilée. Je reverrais mes grandes sœurs le lendemain. Seulement sait-on jamais ?

## Dans le jardin, j'ai vu Papa

Alors le Bon Dieu, pour m'aider dans ma peur et ma tristesse, m'a envoyé le premier signe. Pendant l'été 1879, Papa s'en fut une semaine à Alençon. Il était déjà parti depuis cinq jours. C'était après déjeuner, un début d'après-midi magnifique. Par la mansarde qui servait d'atelier à Pauline, je regardais le jardin dans la majesté de l'été. Devant la buanderie, là où une nuit j'avais vu des diables, j'ai aperçu un homme. Il était comme Papa, mais il marchait très courbé. Il avait sur la tête une sorte de tablier qui lui couvrait le visage. Un petit tablier comme j'aurais pu en porter. Je l'ai appelé. Ma voix tremblait. Il continua son chemin sans se détourner. Il marchait exactement comme Papa et portait les mêmes vêtements, à l'exception de cet étrange couvre-chef de toile. Il passa derrière un bosquet. Je ne le vis pas réapparaître de l'autre côté. Il avait été comme avalé par les arbres. Je continuais à appeler: «Papa, Papa!» Pauline arriva, demanda ce qui se passait. Nous dévalâmes l'escalier, courûmes au bosquet.

J'eus le sentiment qu'il m'était arrivé quelque chose d'extraordinaire. Je n'étais pas seule. Même quand je me croyais abandonnée, on m'accompagnait. Dix ans plus tard, au Carmel, je me souviendrais de la vision de la petite Thérèse de six ans et demi. J'avais vu alors, couvrant la tête de mon père, le voile qui recouvrait la face de Jésus pendant sa passion. Mon père, dans la douleur de son deuil, trouverait sa passion à lui. Jésus et mon père se confondraient. Jésus deviendrait mon Roi chéri, un roi éternel qu'aucune souffrance ne pouvait détruire car il les avait toutes traversées.

Cette vision me consola dans ma solitude, mais mon angoisse empira. Ce qui m'était montré était donc l'image de mon père mort. Sans doute je lui en voulais de m'avoir laissée. Parti, il était comme mort pour moi. J'avais tant eu à souffrir si jeune de la séparation que j'étais comme un petit enfant qui croit que sa mère sortie faire une course ne reviendra plus.

C'était ce que la mienne avait fait. Dieu me donna pour m'éclairer cette vision de mon père, le visage recouvert du saint suaire. La foi est une éblouissante ténèbre. On tâtonne, car cette lumière nous aveugle.

Je redoutais la mort de mon père. Je n'aurais pas pu supporter de la voir. Je transformai le saint suaire, objet de douleur, en tablier, objet de protection domestique, devant la buanderie, lieu de purification. Si bien que Pauline crut que j'avais vu la bonne traverser le jardin. Mais Victoire, interrogée, affirma n'avoir jamais quitté sa cuisine. Papa avait un tablier sur le visage qui le coiffait, c'était Papa tel qu'il était devenu, un père maternel. Et il marchait très voûté, il avait vieilli. A se pencher sur moi, il se fragilisait. La responsabilité qui lui était imposée de veiller sur nous dans sa solitude était une épreuve qui le rapprochait de la mort. Il était le père et la mère combinés. Par sa faiblesse qui lui donnait la bonté d'une femme, il perdait la face. Cette maternité assumée était le sacrifice qui le tuait dans sa paternité. Il le faisait par amour. Il aurait pu en faire plus encore... Je dissimulais au fond de moi un secret reproche.

## L'échelle

Papa était monté au haut d'une échelle. J'étais dessous et je le regardais. Il me cria de partir de là, parce que, s'il tombait, il m'écraserait. Au contraire, je me suis encore approchée. Je me tenais tout contre l'échelle. Je pensais que si l'accident arrivait, je serais sûre de mourir avec lui. Ainsi me serait épargnée la douleur de le voir disparaître. Ma propre mort ne serait pas une si terrible épreuve, car mourir ne serait plus un abandon, ce serait rejoindre l'amour.

Mon père devait sentir quelque chose de cet amour si grand qui mûrissait dans le silence. Peut-être avait-il compris pourquoi je me collais à l'échelle. Il était pour moi la royauté même. Je l'admirais. Chacune de ses pensées me paraissait digne d'un monarque. Sa chute était impensable, elle m'aurait tuée. Je pensais qu'il aurait pu diriger la France mieux que personne. Mon père était un génie méconnu. Moi seule l'appréciais à sa juste valeur. Aussi me prit-il pour confidente. Nous faisions de longues promenades, marchions gravement côte à côte, main dans la main. Il m'exposait ses idées sur la conduite du monde. Il m'apprenait le nom des fleurs et des plantes. Il me faisait admirer le velours délicat d'une mousse, le courage d'une fleur de rocaille minuscule entre deux pierres, les nervures délicates d'une feuille.

## Admirer la mer

Je fus vraiment heureuse de me rendre avec mes sœurs en excursion à Trouville sous la conduite de Papa. La station datait alors d'une vingtaine d'années. Elle avait précédé Deauville, à une époque où l'équipement balnéaire se mettait en place sur le littoral. Le thermalisme connaissait un renouveau. L'aristocratie, appuyée par le corps médical, mettait les bains de mer à la mode. La bourgeoisie suivit. Trouville restait «la reine des plages», avec son casino, ses hôtels et ses villas, sa promenade du front de mer. On pouvait y voir célébrités et têtes couronnées. Le prince Jérôme-Napoléon sortait de l'hôtel des Roches Noires. La maréchale de Mac-Mahon déambulait sur la jetée.

Les villas avaient encore un air de campagne et portaient des noms charmants. Ma tante louait pour l'été le chalet des Lilas ou la villa Marie-Rose. La petite station était vraiment très jolie. Pauline et moi ne pouvions nous empêcher de penser à notre pauvre mère que l'oncle Isidore avait proposé d'emmener à Trouville pour la consoler de son petit mort, et qui avait refusé.

Je ne connaissais pas la mer. Pauline me l'avait seulement décrite. La sidération m'envahit. Jamais je n'avais vu tant de grandeur. Elle m'apparut comme une manifestation éclatante de la puissance divine.

A l'heure du couchant, j'allai m'asseoir sur un rocher avec Pauline. La plage était déserte. Les rayons dorés du soleil tombaient dans les flots d'un bleu d'ardoise. Je voyais là l'union parfaite, dans sa représentation naturelle et poétique, du principe paternel et du principe maternel. Il ne pouvait rien y avoir de plus beau que cette scène d'amour de la nature.

J'avais bien besoin de vacances, car ma santé n'était pas très bonne. Après la mort de Maman, je restai souffreteuse. Je me rangeais comme malgré moi du côté de la maladie, devenu le pays de ce que j'aimais. Les rhumes et les étouffements s'accentuèrent. Maman appelait cela de l'oppression. Elle s'inquiétait d'entendre un sifflement au fond de ma poitrine. Le médecin prescrivait des vésicatoires, traitement pénible. Ces crises, qu'on appellerait aujourd'hui de l'asthme, duraient un jour ou deux. Elles cessaient brusquement et je me retrouvais aussi vive et gaie qu'auparavant. Le souffle coupé, c'était une façon d'appeler Maman. J'avais hérité de Zélie le langage du corps lorsque les mots manquent. Apprendre à respirer est le premier travail de la vie. Lorsque je n'y parvenais plus, je disais mon désir obscur de retrouver l'état bienheureux qui avait précédé ma naissance. J'aurais voulu revenir au temps où ma mère était en santé. Comme elle était morte si tôt après ma venue sur terre, j'avais cru être la cause de sa mort. Elle me disait qu'il faudrait que je sois mignonne comme un petit ange si je voulais aller au ciel. Être bonne et gentille, c'était ne plus respirer. Elle avait écrit à Pauline qu'elle aurait préféré rester vieille fille. Nous, ses enfants, nous l'avions rongée, détournée, épuisée. Ce qu'elle avait aimé, c'était nous porter, nous mettre au monde. Je voulais à la fois grandir très vite, et redevenir un petit bébé, pour lui faire plaisir et pouvoir monter là-haut. De son vivant, mes crises me rapprochaient d'elle, car alors elle s'occupait davantage de moi. Même Louis n'hésitait pas à passer des nuits blanches à mon chevet. Maman me disait qu'il m'adorait. Être malade avait été une façon d'attirer sur moi l'attention de mon pauvre petit père en cette période où il n'avait le cœur ni à rire ni à jouer. Après la mort de Maman, les crises s'accentuèrent et alors Papa me soignait. Le reste du temps, il me parlait comme à une adulte, me confiait ses réflexions secrètes. Mais quand j'étais malade, je trouvais un petit père qui était aussi un peu Maman.

Je tombais malade surtout en hiver. Le climat de Lisieux était humide. La ville, sous les fenêtres des Buissonnets, était recouverte d'un linceul brumeux. La tristesse envahissait le monde. La mort rôdait, la nature mourait. Je ne voulais pas aller à l'école !

## *Écolière*

Le lundi 3 octobre 1881, à l'âge de huit ans et demi, je rejoignis Céline et Léonie à l'Abbaye comme demi-pensionnaire. L'école se trouvait à un kilomètre et demi des Buissonnets, à l'ouest de Lisieux sur la route de Caen. Je devais me lever tôt le matin dans les brouillards de l'automne, et ils semblaient annoncer ce qui allait m'embrouiller la tête, du moment où je m'assis pour la première fois à mon petit pupitre. Jusqu'ici apprendre m'avait été agréable. Pauline était parfois un peu sévère. Elle menaçait de me priver de la partie de balançoire qui était ma récréation du matin. (Je demandais toujours à Papa de me pousser «jusqu'au ciel».) Ou bien, quand elle était encore plus mécontente, elle m'interdisait la promenade de l'après-midi au jardin de l'Étoile. Mais je pleurais très facilement et Petit Père ne pouvait pas le supporter. Il intercédait en ma faveur.

Les leçons se passaient dans un cadre familier. Dès que c'était terminé, je filais dire bonjour à mes lapins, dont les clapiers se trouvaient au fond du jardin. J'allais aussi nourrir mes oiseaux. Ils étaient pour moi les petits messagers du ciel. On m'avait offert une volière magnifique, blanche et bleue. J'étais fière d'avoir réussi à apprivoiser une pie, qui me suivait partout dans le jardin.

Après la disparition de Maman, un voile s'était abattu sur

mon esprit, comme un deuil qui ne semblait jamais finir. J'aimais beaucoup lire: *Fabiola*, du cardinal Wiseman, *Les Petites Filles modèles*, de la comtesse de Ségur. Il se formait alors autour de moi une fantasmagorie réconfortante. Les fantômes des livres la peuplaient. Ils me paraissaient souvent plus vrais que les vivants. Je pouvais les faire apparaître et disparaître à mon gré. En revanche, les gens me faisaient peur. J'étais devenue si timide que chaque contact m'était doulou-reux. Tout être que j'eusse pu aimer amenait avec lui l'idée de la mort, liée désormais à celle de l'amour. J'en étais venue à souhaiter vivre dans une solitude complète. Je parlai un jour à Pauline de mon projet d'aller dans un désert lointain. Elle en fut d'abord effrayée. A la réflexion, l'idée sembla lui sourire. Elle proposa de m'accompagner et m'assura qu'elle ne partirait pas sans moi.

Je ne jouais jamais. Les poupées et les autres babioles que j'avais aimées passionnément me laissaient indifférente. Tante Céline voulait en vain m'offrir des merveilles. Je n'aimais que les petits jouets de bois que Papa fabriquait pour moi. Il confectionnait des bonshommes Tombi-Carabi, comme il les appelait d'après la comptine enfantine, qui chutaient et se relevaient toujours. La vue de ces bonshommes dans leur maladroite oscillation me faisait éclater de rire. On voyait là une représentation fidèle de l'existence. Vivre consistait à tomber souvent pour se relever toujours. On tombe, on se relève encore et encore. Mais un jour, pourtant, on ne se relève pas.

La fillette turbulente que j'avais été auparavant était devenue presque trop sage. Point n'était besoin maintenant, comme Maman l'avait fait pour m'inciter à me bien conduire, de me donner de petites rondelles de bouchon, ou des noisettes que je rangeais dans un tiroir lorsque j'avais fait une bonne action. Ensuite je comptais ces «pratiques» pour évaluer ces progrès. Puis je m'en fis un chapelet. Chaque fois que j'avais fait une bonne action, je descendais un grain. Il y avait trente grains. Je ne réussissais pas à accomplir trente bonnes actions dans la journée. Le soir, je remontais les grains que j'avais descendus, pour recommencer le lendemain.

Mais j'atteignais huit ans et demi, et on savait que ma mère eût souhaité pour moi la meilleure éducation. On m'inscrivit à mon tour à l'Abbaye.

On me fit miroiter un bel uniforme. Les quatre-vingts élèves du pensionnat se répartissaient en six classes dont chacune se reconnaissait à sa couleur. J'entrerais dans la classe de quatrième, qui était verte. J'aurais préféré rester à la maison, à apprendre les poésies que Pauline écrivait dans le style des poétesses locales. Deux d'entre elles avaient acquis une vraie notoriété : la petite servante Rose Harel, dont nous aimions tant «Les fleurs d'automne», ou Marie Parfait, auteur des «Épis et Bleuets». Deux fois par an, le 1er janvier et le 25 août, jour de fête de mon père, je les récitais, vêtue de ma plus belle robe et entourée de mes sœurs, dans le Belvédère.

Cela me paraissait bien suffisant. Je savais d'avance que je ne me plairais pas à l'Abbaye. Quand Léonie y était, mes sœurs avaient rapporté une photographie de groupe qui les représentait entourées de leurs camarades et de notre cousine Marie. Ces enfants toutes pareilles avec leurs bretelles, leurs empiècements, leurs raides jupes plissées, leur air pensif ou renfrogné, m'avaient emplie d'appréhension prémonitoire. Maman disait n'avoir jamais été aussi heureuse qu'en pension. Mais elle était malheureuse chez elle, aussi l'école lui avait été un havre. Moi, je n'avais été entourée que de visages aimants, on m'avait couverte de caresses. Et les cinq années que je passai à l'Abbaye furent au contraire les plus tristes de ma vie. Si je n'avais pas eu Céline auprès de moi, je n'aurais pu y passer un mois sans tomber malade.

J'étais maintenant une «grande», mais l'uniforme que je portais symbolisait tristement mon nouveau sort : le lot commun. Jusqu'alors j'avais eu droit à une «terre choisie» faite uniquement pour moi.

## Le petit couteau

Je ressentais le malheur d'être petite. Les leçons de Pauline avaient porté leurs fruits. J'étais en avance. On me mit avec des filles plus âgées. Chaque classe comptait une douzaine d'élèves réparties en deux divisions. Certaines de mes camarades, qui étaient en retard, avaient treize ou quatorze ans. Ces «vieilles» compensaient leur manque d'intelligence par une assurance endurcie. Elles terrorisaient leurs camarades et les maîtresses trop jeunes ou fragiles. Étant la plus petite et la plus avancée, je fus le chouchou des institutrices et des religieuses. La plus grande de la classe s'en montra jalouse et trouva mille façons de me persécuter. Elle était pensionnaire, se sentait très seule et m'en voulait de repartir chaque soir avec ma sœur, mes cousines et la bonne Marcelline, et même parfois l'oncle Isidore ou Papa.

Je ne savais pas me défendre. Je pleurais dans mon coin. Je ne me plaignais pas. J'avais résolu de tout endurer en silence, comme Maman presque jusqu'à la fin. Quand elle n'avait plus pu se taire, cela avait été terrible. L'écho de ses cris résonnait dans ma tête.

Mon cœur souffrait. Si j'avais été encore plus vertueuse, j'aurais pu m'élever suffisamment pour ne plus m'émouvoir de ces sottises. Ma sensibilité était le baromètre de mon imperfection.

Je tombai malade au cœur de l'hiver, plus gravement qu'auparavant. Il en serait ainsi chaque année passée à l'Abbaye. Seule la maladie me délivrait un moment des horreurs de l'école. J'avais alors à nouveau Pauline à moi. Elle me couchait dans son lit, logeait bien au fond des draps une brique qu'elle avait placée d'abord sur des braises, puis retirée avec le tisonnier et enveloppée de papier journal pour me tenir bien chaud. Elle m'apportait du lait au miel, des tisanes, tout ce qui pouvait me faire plaisir. Un jour elle tira de sous le traversin un joli petit couteau au manche orné d'une étoile de nacre, et me le donna. Je voulus éprouver l'étendue de son amour. Je cherchai des yeux un objet qui représenterait un sacrifice immense. Elle portait une montre dont elle était très fière, et que Papa lui avait offerte. Je lui demandai si elle accepterait d'en être privée pour ne pas se séparer de moi. Elle me répondit oui, elle abandonnerait sa montre pour me voir guérie. J'en fus stupéfaite. Je voulais l'infini de l'amour, mais je savais que l'infini n'est pas de cette

179

terre. Je devrais donc moi aussi faire un sacrifice absolu. Pour être aimée absolument il fallait s'offrir absolument. C'était donc la mort. Mais par son geste, Pauline m'indiquait qu'il n'était pas nécessaire de mourir pour avoir ce qu'on voulait. Elle me guérissait. J'avais maintenant à nouveau deux mères comme au temps de Rose Taillé : la mère de vie qui était près de moi et la mère de mort qui se trouvait au loin. On m'avait enlevée à Rose, mais Pauline, elle, serait toujours avec moi. Du moins, je le croyais.

## Le cœur malade

L'été il m'arrivait aussi d'être malade. Cette fois, ce n'était plus la gorge qui me faisait souffrir mais le cœur. C'était une oppression différente, mais toujours la région du souffle était atteinte. Je n'étais jamais parfaitement ancrée dans la vie. Les nausées, le «mal au cœur», étaient encore une fois l'expression corporelle d'une autre souffrance que je ne me résolvais pas à mettre en mots.

Pauline, douée de l'intelligence de l'amour, me guérissait par le langage des images, des gestes et des objets. Comme Rose, autrefois, l'avait fait à la campagne, elle me promenait en brouette à travers le jardin. Quand je criais grâce, elle me laissait descendre, allait chercher un pied de pâquerettes dans l'herbe de la pelouse et le promenait à ma place dans la brouette jusqu'à un coin du jardin qui m'appartenait, où j'avais mes petites plantes à moi. Elle y repiquait le pied de pâquerettes. C'était une autre façon de me dire qu'elle voulait que je vive. On m'avait arrachée, transplantée, mais comme les pâquerettes j'allais «reprendre»...

Les mots seuls n'eussent pas suffi à me sauver, car ce qui m'envahissait était l'ombre de la mort. La mort ne parle pas, elle est l'absolu silence. Cette astreinte à ne pas parler, ne pas bouger conduisait à cette impossibilité de jouer. Je ne pouvais pas vivre dans l'illusion, qui est le domaine royal des enfants. Car j'avais touché des yeux, quand je m'étais dressée sur la pointe des pieds pour regarder le vide qui emplissait la boîte noire dans la chambre de la rue Saint-Blaise, la réalité ultime. Pour m'arracher à son emprise, Pauline utilisait le langage de la terre et des objets inanimés. Celui aussi des fleurs qui vivent si peu au gré du temps, du froid, du soleil et de la pluie. Papa était maintenant mon soleil, et Pauline ma jardinière.

## L'intrépide

A l'école, Céline remplaçait Pauline dans le rôle de protectrice. Elle me défendait des attaques des grandes. Je l'appelais «l'intrépide», comme Papa. Elle était ulcérée quand on me manquait de respect et se battait pour moi avec l'enthousiasme d'un chevalier.

J'avais toujours des difficultés en orthographe, en grammaire et en calcul. Les racines carrées évoquaient une visite chez le dentiste. Quand on me demandait d'analyser la phrase : «Les enfants qui sont obéissants sont aimés du Bon Dieu», je ne voyais pas ce que la subordonnée avait de relatif.

A mon goût de la lecture et de l'histoire, j'avais ajouté celui de la géographie. Les cartes colorées me faisaient rêver. J'apprenais avec enthousiasme le nom des départements. J'avais le goût Martin du voyage. Les bons résultats obtenus d'un côté compensaient ma faiblesse en d'autres matières.

A la fin de chaque semaine, les meilleures élèves de la classe se voyaient décerner la palme d'argent. Si on l'obtenait quatre fois de suite, à la fin du mois on recevait la palme de vermeil. Les mois où je n'y parvenais pas, je pleurais. On me reprochait de me conduire comme un bébé. Je m'en voulais de gêner tout le monde et je pleurais de plus belle.

Je faisais pourtant d'énormes efforts. J'étais consciencieuse et appliquée. Les religieuses s'en rendirent compte et petit à petit elles m'aimèrent, ce qui me rendit la vie un peu moins dure.

Après l'Histoire sainte, je prenais goût à l'histoire de France. Les deux se rejoignaient dans le personnage de Jeanne d'Arc. Je voyais comment une petite bergère peut devenir une grande sainte par la conjonction des circonstances et une volonté sans faille. J'ambitionnai dès cette époque, comme ma mère au même âge, d'atteindre l'état de sainteté. Je réfléchissais aux moyens d'y parvenir. Les générations qui me précédaient me préparaient à cette aspiration, mais il était difficile d'agir sur des circonstances historiques indépendantes de ma volonté. Mon époque semblait bien peu héroïque, comparée aux débuts du christianisme ou au Moyen Age. Les sœurs nous parlaient des exploits merveilleux accomplis par les missionnaires chez les sauvages du bout du monde. Je voulais bien prier pour les pauvres petits Africains qui étaient païens. Mais c'étaient surtout des hommes qui partaient là-bas. Ma santé fragile résisterait mal aux fièvres et au climat brûlant. Et moi, si timide avec mes camarades, comment aurais-je pu affronter des sauvages sanguinaires dont on disait qu'ils portaient des anneaux dans le nez, des os dans les cheveux et mangeaient de la chair humaine?

Mais il existait des circonstances sur lesquelles je pourrais agir, et qui me permettraient de vivre l'héroïsme du sacrifice malgré la médiocrité ambiante. Je souffrais chaque jour une sorte de martyre dans mon cœur. Les événements les plus intimes me transperçaient aussi douloureusement que dix flèches. Mais personne ne s'en apercevait. Je m'appliquais à prendre l'air souriant d'une petite fille ordinaire. Je vivais l'épreuve de la sainteté dans le secret. Ce serait ma gloire, cette obscurité que seul pourrait dissiper le regard de Dieu.

Il manquait encore quelque chose. Les saints aident les autres. Leur martyre est une leçon éclatante. La haine dont on les poursuit produit ultimement de l'amour. Comment agir sur autrui si nul ne voyait saigner mon cœur? Je n'avais pas encore songé au miracle de l'écriture. Pauline, ma troisième mère, me montrerait un jour ce chemin comme elle m'avait montré les autres. Invisible à mes semblables, je serais utile plus tard aux faibles. **Plus pauvre que les pauvres clarisses à qui mon père apportait le produit de sa pêche à Alençon, plus perdue que les filles repenties du Refuge, je verrais ce que les êtres plus brillants ne voient pas, aveuglés par leur propre lumière.**

## *Les oiseaux*

Je commençai par les oiseaux. Saint François d'Assise avait montré l'exemple. Mais c'était un grand saint éclatant, sa lumière attirait les petits compagnons. Je m'occuperais des oiseaux morts, poussière parmi les poussières. Aux récréations, je n'avais pas plus le goût de jouer qu'à la maison. Je restais à l'écart, je ne courais pas avec les autres. J'organisai des enterrements d'oiseaux. Autrefois j'avais souhaité la mort de mes proches pour en faire de belles cérémonies. Maintenant, j'étais seule à penser à ces petits corps raidis. Je confectionnai de minuscules cercueils de papier bristol. Je choisis un coin délaissé de la cour pour construire mon cimetière. Quand je cueillis pâquerettes et pissenlits pour en tresser de minuscules couronnes, chantai des cantiques et psalmodiai une version très personnelle de l'office des morts, je remportai un succès aussi considérable qu'inattendu. Des élèves qui ne m'adressaient jamais la parole suivirent avec enthousiasme mes cortèges funèbres. Je n'avais aucun mal à pleurer au-dessus de la tombe. Les larmes se tenaient toujours prêtes à couler de mes yeux.

Lorsque les religieuses nous virent ainsi sangloter en groupe, elles s'alarmèrent et finirent par interdire mes belles cérémonies. Je continuai mon œuvre caritative dans ma parcelle de jardin des Buissonnets.

## *Tout ce qui est petit*

Je m'occupai alors des petites filles de la classe maternelle encore plus désemparées que moi. Elles ouvraient des yeux perdus sous leurs cheveux ornés d'un grand nœud. Je leur racontai des histoires. Elles s'en montrèrent ravies. Je causai à nouveau un attroupement.

Cette fois, les sœurs protestèrent que je les empêchais de courir et de crier. Mais déjà, sans le savoir, j'écrivais. Les mots s'imprimaient dans l'air à l'encre transparente de mon souffle.

Je me sentais très proche de ces petites, car je grandissais malgré moi. Marie, la bouche pleine d'épingles, rallongeait mes jupes. J'aurais préféré rester en arrière sur le chemin de la vie.

L'intelligence précoce qui avait émerveillé Maman s'était assoupie. Les heures de classe étaient interminables et monotones. Pour me donner du courage, je pensais à ce qui m'attendait en rentrant. Sitôt arrivée aux Buissonnets, je grimpais au Belvédère et sautais sur les genoux de Papa pour lui annoncer mes bonnes notes. Il m'embrassait. Quand j'étais première en Histoire sainte, ce qui m'arrivait presque tous les jeudis, il me donnait une pièce de quatre sous. Ces pièces s'accumulaient dans une jolie boîte, et me servaient pour faire l'aumône.

Pauline, satisfaite de mes progrès, m'offrit un cerceau. Elle voulait m'inciter à gambader comme les autres enfants. Pendant quelques jours, j'emmenai le cerceau au jardin de l'Étoile. Mais il tombait sans arrêt. Un petit garçon en costume marin, virtuose, se moqua de moi. Décidément, je n'osais pas courir. Je préférais sautiller, tout comme mes oiseaux chéris. Je bondissais autour de Papa dans le jardin. Je l'accompagnais partout. Je sautais de plus en plus haut pour le fêter en mangeant la tartine du goûter, les joues barbouillées de gelée de pommes. Cela me rapprochait de Papa qui semblait si grand.

Le jeudi après-midi nous avions congé. J'aurais pu rester à l'Abbaye pour prendre un bol d'air au mont Cassin, où les sœurs organisaient une sorte de patronage. Mais je refusais d'y séjourner plus longtemps que nécessaire. Je préférais rester seule avec Papa dans son Belvédère. Il lisait des livres pieux et je m'effrayais délicieusement des malheurs de Sophie. Mais on voulait absolument que je sois une enfant normale. Je devais jouer avec mes cousines Guérin et leurs cousines Maudelonde. Céline alors ne m'appartenait plus. Elle se joignait à leurs jeux de demoiselles, passait des après-midi à danser le quadrille, ce qui m'ennuyait prodigieusement. J'étais trop petite et trop grande en même temps.

## Deux dans le désert

Les jeux de groupe m'étaient trop difficiles. Je préférais être deux. Je m'amusais très bien seule avec Céline, ou avec Marie, la plus jeune de mes cousines, qui n'avait que trois ans de plus que moi. Je pouvais alors faire entrer ma compagne dans mon univers très particulier. Mais si j'étais en minorité, les autres se liguaient contre moi pour m'imposer les jeux usuels des petites filles. Elles refusaient de séjourner à plusieurs dans un monde où rôdaient la solitude et la mort.

Seule avec Marie, je l'engageais à jouer ce jeu de «deux dans le désert» dans lequel j'avais essayé, sans succès pour l'instant, d'entraîner Pauline «pour de vrai». Marie (que j'appelais Loulou) et moi-même devenions de pauvres solitaires qui vivaient dans une cabane et n'avaient pour subsister qu'un misérable champ à cultiver. Le but de cet ermitage était la prière. A tour de rôle, l'une de nous se consacrait à bêcher notre lopin, tandis que l'autre entrait en oraison. L'oraison est la prière silencieuse. Je parvenais plus facilement à l'atteindre avec une présence aimée à mes côtés, occupée à autre chose. Comme avec mon père lorsqu'il pêchait, et que je restais de longues heures près de lui, me sentant peu à peu glisser dans un état où s'abolissait la médiocrité du monde.

Dans la buanderie, où j'avais un jour vu danser deux diables qui me fixaient de leurs yeux ardents, j'organisais de petits autels où Loulou et moi disions la messe. Le lieu des tâches maternelles et ancillaires, où se déroulait le rituel de purification domestique, devenait ma chapelle. Dans mes jeux, je me voyais Mère supérieure, ou bien je m'attribuais le rôle du prêtre. Je ne comprenais pas pourquoi les femmes devaient en être exclues. Ce qui comptait, c'était le rapport au divin. Et ce rapport se trouvait facilité si une personne m'assurait que je ne serais pas abandonnée. La bienveillance d'un autre être me donnait la confiance en moi nécessaire pour avoir accès à Dieu.

Ma cousine Marie était un peu plus âgée mais il me semblait que c'était elle la plus enfant des deux. Je l'appelais soit Loulou, soit «la petite Marie». Loulou était de santé fragile. Elle souffrait de migraines et de rages de dents. Comme les grands nerveux, elle était cyclothymique, passait brusquement de l'excitation à l'abattement. J'avais moi-même ces extrémités d'humeur, aussi je comprenais Loulou. Elle était «ma petite fille» comme, pour mes camarades de l'Abbaye, j'étais «la petite fille à Céline». Je lui pardonnais tout, parce qu'elle souffrait.

## Les aveugles

Marie et moi rivalisions de sacrifices. Nous étions dans ces jeux comme une seule personne. Un soir, en rentrant de l'école, je décidai de fermer les yeux, comme si j'étais aveugle. Je demandai à Marie de me conduire pour montrer ma volonté de soumission. Marie voulut faire de même. Les paupières serrées, nous marchâmes en nous tenant par la main, heureuses de vivre dans un monde où il n'y avait plus que nous deux, unies par le contact et la difficulté d'affronter l'inconnu. Jeanne, Céline et la bonne Marcelline, qui marchaient devant, ne s'aperçurent de rien. Tout se gâta lorsque nous passâmes devant une épicerie. Le marchand avait installé des cageots sur le trottoir. Nous trébuchâmes dessus et il protesta. Jeanne était furieuse. Marie et moi nous tenions toujours la main, heureuses d'avoir vécu l'aveuglement de l'amour.

Marcelline Husé était plus qu'une bonne, presque une sœur. Avec elle, les Guérin avaient fini par trouver une domestique de confiance. Entrée en service à treize ans, elle n'avait qu'un an de plus que Jeanne, mais elle était très mûre de tempérament. Elle savait arbitrer les disputes fréquentes entre Céline et Jeanne. Je l'aimais beaucoup, parce qu'elle m'avait dit qu'elle était triste d'être séparée de sa mère. Je décidai d'être très gentille et affectueuse avec elle. Elle me le rendit bien.

L'influence que j'avais sur Marie troubla mon oncle et ma tante. Le lendemain, on nous sépara. Marie marcherait avec Céline, et moi avec Jeanne. Jeanne continua à me bouder, car elle aimait bavarder avec Céline. Bien qu'elles fussent rarement d'accord, elles partageaient des secrets de grandes filles.

On commença à me trouver bizarre. On ne comprenait pas que ces rituels pieux me rassuraient. Ils me permettaient d'affronter les terreurs de la vie. Plus tard, écrivant, j'inventerais une compagne imaginaire, un lecteur idéal, dans cette communication différée qu'est l'écriture. Ce serait ma sœur Pauline ou bien la Mère supérieure ou même Jésus. Quand on écrit seule dans une petite chambre, on peut imaginer qu'un autre être dans l'avenir, dans une autre petite chambre, vous lira. On dispose à la fois du bénéfice de la solitude et de l'espoir d'être comprise. Et on reste toujours sous le regard de Dieu. Toute écriture, même la plus profane, est offrande et engage l'être entier.

Dès cette époque, avec ma cousine Loulou, ma sœur Céline ou les petites de la maternelle, je savais entraîner l'autre dans une recherche de la présence sacrée qui apaise les douleurs.

Quand Tante Céline ou Jeanne nous surprenaient dans ces jeux, on nous en arrachait pour nous emmener en promenade. Il fallait nous faire bouger pour nous garder dans le monde très sûr de l'enfance choyée, un monde de goûters, de devoirs bien faits, de prières expédiées, de cordes à sauter. On voulait briser l'emprise que j'avais sur la petite Marie, mais on n'y parvint pas complètement. Marie obéissait, puis elle revenait à moi en secret.

Nous étions tellement prises dans cette communion que nous continuions à jouer ainsi sur la route de la promenade. Pour échapper à l'intrusion du regard d'autrui, nous récitions le chapelet avec nos doigts, par en dessous. Même un adulte bienveillant ne pouvait comprendre l'enjeu de ces enfantillages. Un jour, pourtant, je me trahis. On m'avait donné un gâteau pour mon goûter. Je fis le signe de croix dessus, sans penser qu'on me voyait. Tout le monde éclata de rire.

## La confession

Je reproduisais, d'une façon très personnelle, des rituels dans mes jeux, parce que la foi prenait pour moi un sens plus large. Je commençais à comprendre ce qui se passait à l'église. La beauté de la messe m'avait été très mystérieuse. Les prêches de l'abbé Ducellier cessèrent d'être un roulement de tonnerre venu d'en haut, un écho indistinct de la voix de Dieu. Depuis que je l'avais entendu parler de la passion de Jésus, ce terme avait pris un sens. Elle m'était apparue, sans que je le sache, dans la vision de mon pauvre père un tablier sur le visage. Cette passion, je la revivrais bientôt moi-même au moment du départ de Pauline. Cette passion aussi, à mon insu, Pauline la vivait, alors qu'elle hésitait à partir.

Au sens profane, la passion est un mouvement impétueux de l'être vers ce qu'il désire. Au sens religieux, c'est une souffrance, celle du Christ. Pour moi, les deux s'étaient confondus. Le mouvement vers l'amour avait toujours été source de souffrance. Cette souffrance avait maintenant trouvé un symbole et un mode d'expression. Cela ne la faisait pas disparaître. Mais la reconnaître était un apaisement. Je me rendais désormais à l'église pour comprendre.

En cette année 1880, je me confessai pour la première fois. Pauline m'avait préparée. Elle m'avait soigneusement expliqué ce qu'il fallait faire et dire. Le prêtre représentait le Bon Dieu. Je pensai donc lui faire une déclaration d'amour. Que m'avait-on recommandé sinon d'aimer Dieu ? Pour une fois que je pouvais le lui dire d'une façon plus directe...

Mais j'appris que je devrais attendre encore. Ma religion était déjà celle que j'aurais ma vie entière, celle de l'amour total.

J'étais encore très petite. Agenouillée dans le confessionnal, le curé ne me voyait pas. Je dus me tirer vers le haut pour que ma tête dépasse. Je retirai de cette première expérience un soulagement et une joie extraordinaires.

Jusque-là j'avais accompli mes petites confessions en famille. Maman insistait sur la nécessité de tout raconter. Je disais pour obtenir le pardon, et ne pas garder une tache sur l'âme. Mais comme beaucoup d'enfants, j'aimais avoir mes petits secrets. La puissance des adultes est effrayante pour un être qui n'a pas encore vécu assez longtemps sur terre pour s'y enraciner. L'univers intérieur est le terreau dans lequel la personnalité peut grandir. Mais, avec la confession, je trouvais un guide. Je parlais à Dieu, il m'aidait. Je comprenais le bien et le mal. La confession devint une fête.

## Première communion de Céline

J'approfondis ma compréhension lorsque Céline fit sa première communion. Nous étions devenues très proches, depuis que la mort de Maman nous avait jetées l'une contre l'autre. Le cataclysme n'avait pas affecté son caractère comme le mien. Elle était restée espiègle et maligne. Sa gaieté parvenait à mitiger ma mélancolie. Elle était maternelle avec moi malgré son jeune âge. C'est pourquoi à l'école on m'appelait « sa petite fille ».

Céline était une intermédiaire entre le monde et moi. Elle m'aidait à me débrouiller. Je ne savais pas jouer, elle si. Elle avait une ribambelle de poupées dont elle s'occupait de façon exemplaire. Elle aimait l'école, et elle leur faisait très bien la classe. L'observant, je prenais au jeu un plaisir indirect. Ce n'était pas gratuit, j'y apprenais beaucoup de choses, car elle déversait là le contenu de ses leçons. Elle m'instruisait en riant.

L'habituelle rivalité entre sœurs était chez nous réduite. Ses poupées avaient toujours de bonnes notes et les miennes des mauvaises, mais cela correspondait, dans une certaine mesure, à la réalité. Mes poupées étaient délaissées, pas très bien élevées. Elles étaient comme moi, très privées de mère.

En fait, nous jouions à la maman. Elle menait le jeu, je devais suivre. Si je n'étais pas d'accord, elle me grondait. Je n'étais plus sa petite fille, elle s'en souviendrait toujours ! Mais elle ne supportait pas de voir couler mes larmes. Elle m'embrassait, elle oubliait. J'aimais son odeur de poussière et de lait. Elle sortait son mouchoir, m'essuyait le nez, m'interdisait de frotter mes yeux à pleins poings car ils deviendraient tout rouges. Nous nous tenions embrassées. Le bien-être et la mélancolie se mêlaient. Nous aimions ne faire qu'une. Dans le monde de l'enfance, la divergence est une trahison. J'aimais cette dépendance, ce partage des cœurs. Il m'était très doux d'être d'accord avec elle.

Quand elle fit sa première communion, j'avais sept ans. Pour préparer Céline à ce grand événement, Pauline lui avait confectionné, comme elle s'en chargerait plus tard pour moi, un beau cahier de velours bleu avec ses initiales brodées dessus. Ce cahier utilisait le langage des fleurs. Céline pouvait par ce moyen poétique et charmant recenser sacrifices et pieuses pensées. Des fleurs de différentes sortes étaient répertoriées à l'intérieur, avec la date, dans une belle calligraphie à l'encre rouge. Sous le nom de la fleur, il fallait recenser le nombre de sacrifices accompli. En dessous, Pauline avait écrit « parfum ». Là, il fallait noter le nombre d'invocations.

J'entendis Pauline dire à ma sœur qu'à dater du jour de sa

communion, elle devrait commencer une nouvelle vie. Je résolus de ne pas attendre ma propre communion et de vivre celle de Céline avec elle. Ce serait comme dans nos jeux. Je devenais elle, elle devenait moi.

Je sublimais ainsi la rivalité sororale. J'avais toujours voulu rattraper Céline. Déjà, petite, ma mère avait remarqué que je voulais tout faire comme elle. Je refusais d'être laissée en arrière dans la solitude de «la petite dernière». Très vite, Céline avait joué le jeu, préférant que nous fussions pareilles.

Elle fit une retraite de trois jours à l'Abbaye. Je n'étais jamais séparée d'elle. Ces trois jours me furent un océan de solitude. Je l'imaginais, la nuit, couchée dans le dortoir, dans ces grandes pièces blanches et nues au parquet luisant. Entre les hautes fenêtres arrondies, chaque lit étroit était surmonté d'une toile retombant comme le voile d'un berceau de bébé. Devant, une chaise de bois ciré où l'on pliait les vêtements pour la nuit. Au mur, un crucifix, des rameaux de buis, une statue de la Madone les mains ouvertes.

Céline vivait cette retraite dans la ferveur. Elle attendait Jésus depuis longtemps, souhaitait lui donner son cœur en retour. La communion était la première étape d'un chemin qui lui permettrait d'être complètement à Lui.

## Un bouquet de cerises

Papa, me voyant esseulée, comprenant l'étendue de mon désarroi, m'offrit un petit bouquet de cerises. Je voulus le garder pour le manger avec Céline quand elle reviendrait. Ce qui ne se partageait pas avait moins de goût. Papa m'assura qu'il m'en achèterait un autre le lendemain. Nous irions le porter à Céline. Ce ne fut qu'alors, en pensant aux jolies boules vernissées qu'elle goûterait le lendemain, que je pus déguster les miennes, après m'être orné les oreilles de deux couples de cerises jumelles, attachées par la queue.

Durant ces trois jours, je compris à quel point j'aimais ma sœur. Dans le manque seulement, nous reconnaissons l'amour.

Le grand jour arriva. La joie m'inonda comme le soleil la chambre. Céline n'était pas là. Je savais que je la verrais très bientôt. Mais je savais aussi désormais qu'elle était elle et que j'étais moi. La séparation, cette fois, n'était plus la mort.

Je la trouvai éblouissante dans sa robe blanche. Soudain, j'étais de nouveau avec elle, je ressentais tout ce qu'elle ressentait. Le terme de communion prenait tout son sens. Elle communiait avec Dieu, je communiais avec elle qui communiait avec Dieu, et je communiais avec Dieu à travers elle, grâce à elle.

Pendant ces trois jours, j'avais recensé ses qualités. Je détaillai ce qui la rendait si aimable. Elle était de plus en plus jolie. Avec les années s'était affirmé en elle, à mesure qu'il disparaissait chez moi, un côté espiègle qui coïncidait avec un cœur tendre à l'extrême. Maman avait vu en Céline une âme candide et l'horreur du mal. Je discernais aussi en elle un immense besoin de vie et de bonheur. Son caractère, comme le mien, était porté aux extrêmes. Maintenir un équilibre, atteindre à l'égalité d'humeur exigeait d'elle de très grands efforts. Elle avait préservé une santé et une gaieté qui me faisaient défaut.

J'étais plutôt silencieuse. Céline, elle, bavardait sans cesse, avec intelligence et humour. C'était un plaisir de l'écouter. Cela dissipait toujours ma tristesse. Elle apprenait facilement les chansons. Sa voix était limpide et fruitée. Sa mémoire aiguisée lui permettait d'apprendre très vite ses leçons. Sa curiosité naturelle la poussait sans cesse à chercher le pourquoi des choses. Elle était toujours en tête de classe. Seule l'arithmétique lui donnait du fil à retordre.

# *Le petit serpent*

J'avais toujours peur de tout. Céline n'avait jamais peur de rien. Peu avant ma naissance, alors qu'elle n'avait pas quatre ans, elle se trouvait dans une prairie et cueillait des fleurs. Elle en aperçut une plus belle que les autres. Elle vit un petit serpent enroulé à la base de la tige. Elle s'apprêtait à cueillir la fleur quand même. Juste à ce moment, quelqu'un la vit, poussa un cri, prit Céline dans ses bras et l'éloigna.

Elle n'avait jamais su compter avec les obstacles. Il y avait là un danger. Mais j'aimais à penser que le serpent ne l'eût pas mordue.

Sa témérité lui laissait croire qu'elle maîtriserait les événements les plus effrayants et les ferait fonctionner à son profit. Bien qu'elle aimât apprendre, elle détestait l'Abbaye presque autant que moi. Il lui arrivait, pour supporter l'ennui des heures de classe, de rêver qu'une inondation se produirait pendant la nuit et noierait la ville. Celle-ci avait effectivement été inondée avec des dégâts terribles. Elle imaginait aussi qu'un chien enragé, la bave aux lèvres, entrait dans Lisieux. Quand cela se produisait, les habitants s'enfermaient dans les maisons, en attendant la capture. Ainsi, se disait-elle, nous aurions un répit. Car sa santé robuste ne lui permettait pas, comme à moi, de se réfugier dans la maladie.

Mais sa générosité prenait toujours le dessus. Petite, je jouais avec elle aux cubes. Plus grande que moi, elle réussissait de plus belles constructions. Je me roulais par terre, nous nous disputions. Je criais, elle cédait. Maman la félicitait : elle aurait une perle à sa couronne.

Parfois, c'était moi qui cédais. J'étais petite encore. Céline mangeait plus vite que moi, étant plus habile et ayant plus d'appétit. La voir se lever de table était un crève-cœur. Je préférais ne pas finir mon dessert. Je me levais et je la suivais.

Lorsqu'elle allait à la messe et que je devais rester à la maison, j'étais déchirée. Je lui demandais alors de rapporter du pain bénit, ou au moins un signe de croix. Cela me dédommageait de son absence, et elle obtempérait toujours volontiers.

## *Une éducation virile*

Du jour où elle communia, Céline considéra que Jésus l'acceptait pour son épouse. Désormais, il la défendrait toujours. Il l'avait prise sous sa garde et la préserverait du mal. Son tempérament intrépide se renforça. Elle avait cette confiance en soi des inspirés, à qui les audaces réussissent.

Étant désormais la fiancée de Jésus, la Vierge devenait sa mère. Céline se jetait à ses pieds. La Vierge l'acceptait pour son enfant. Elle n'était plus orpheline. Elle surmontait ses douleurs grâce à la Douloureuse.

Elle écrivit dans ses souvenirs qu'elle avait reçu une éducation virile. «Chez nous, je n'ai point vu sacrifier au respect humain. Il n'y avait d'autel dressé qu'à Dieu seul.»

Ce terme d'«éducation virile» donne à réfléchir. Quelque chose de la femme était refusé chez Céline, comme sans doute chez chacune d'entre nous. Ni moi ni aucune de mes aînées ne sommes jamais devenues femmes au sens où cela s'entend généralement. Pauline et moi étions les plus ambitieuses. On l'appelait «le petit Paulin», moi «le benjamin» comme si nous avions remplacé les fils perdus.

Nous sommes toutes restées des filles — des «sœurs». Déjà, notre mère était entrée à reculons dans l'état de femme, elle en avait légué son regret à Pauline. Pauline qui partirait la première au Carmel, qui deviendrait Mère prieure.

Il y avait quelque chose d'horrible dans le destin de ma mère. Cette horreur avait à voir avec sa maternité. La clôture de Marie Dosithée nous avait épargné le spectacle des progrès répugnants de la tuberculose. Mais nous avions vu le cœur de Maman déchiré entre le désir et le refus de ses enfants. Dans cette déchirure, une fleur monstrueuse avait poussé, qui l'avait empoisonnée. Nous voyions bien que notre père était épargné. Nous savions aussi combien ma mère eût préféré des fils. Puisque nous ne pouvions être des hommes, nous pouvions au moins rester filles, dans cet état qui hésite au seuil de l'âge de femme, et s'épargne l'effraction masculine. Ainsi nous garderions les bonheurs de l'enfance, sans connaître les horreurs de la maturité.

Pas de respect humain non plus. Le respect humain, c'était l'idéologie des anticléricaux. Tout occupé à s'aimer, l'homme oublie Dieu et il se perd. L'abaissement est la seule façon de s'élever. Qui s'attache aux valeurs humaines a des semelles de plomb. Je voulais les miennes de vent pour m'envoler plus vite, et Céline aussi.

Le 4 juin, peu après sa communion, Céline fut confirmée. C'était le jour de la fête du Sacré-Cœur. Elle vit là une coïncidence significative. Il lui sembla que le cœur de Jésus lui-même viendrait se substituer à son propre cœur.

## Mon oncle

Comme ces idées germaient dans ma tête et s'y clarifiaient, j'appris à aimer mon oncle Isidore. A notre arrivée à Lisieux, il m'avait effrayée. Je lui trouvais la voix tonnante et l'air sévère.

Avec le temps, je pus apprécier ce qu'il faisait pour nous. Il reportait sur mes sœurs et sur moi-même l'amour profond qu'il avait eu pour ma mère. Si mon père et mon oncle représentaient des types masculins opposés, je pouvais chercher chez l'un ce que je ne trouvais pas chez l'autre.

Ils avaient aussi de nombreux points communs. Ils aimaient tous deux discourir d'histoire et de religion. La foi était la grande affaire de leur vie. Ils avaient épousé des femmes fortes, qui les aidèrent à s'établir, bien que l'argent de ma mère fût plutôt gagné après le mariage, alors que celui de Tante Céline était arrivé dans sa corbeille de noces. Les bonnes langues trouvaient que mon oncle avait fait un joli coup. La famille Fournet était, disait-on, la plus riche de Lisieux. Mais Isidore sut leur faire honneur. Ses affaires prospérèrent. Enfin, ils eurent l'un et l'autre une progéniture féminine. Nous devînmes alors une famille de femmes dont mon oncle figura le patriarche tonnant, et mon père le doux rêveur.

Mon oncle avait participé à la fondation du Cercle catholique de Lisieux. Ces cercles étaient fort en vogue. Ils cherchaient à ramener aux préceptes de l'Église les ouvriers, souvent abandonnés par un clergé trop embourgeoisé. On leur proposait comme précepte le travail et la foi. On tentait de les préserver du fléau de l'alcoolisme et des débordements sexuels.

Mon oncle fit graver sur le reposoir installé devant chez lui pour la Fête-Dieu: «Plus on l'outrage, plus elle brille.» L'enseignement se laïcisait. Mon oncle le regrettait d'autant plus qu'il comprenait l'importance de l'éducation, en particulier celle des filles. Il faisait partie du comité scolaire. Il acheta un immeuble pour y loger une école de filles.

Il comprit qu'après l'éducation, le second lieu d'influence moderne était la presse. Il écrivait souvent dans *Le Normand*, le journal conservateur de Lisieux. Lorsque l'argent y vint à manquer, il contribua à le renflouer.

Il était monarchiste et peut-être antisémite, comme la droite de l'époque. On m'avait enseigné que les juifs avaient tué le Christ. Mais je savais que Dieu nous aime tous pareillement. La politique ne me passionnait pas. Papa n'aimait pas que je lise les journaux. Ce n'était pas une lecture pour une jeune fille. Mais mon oncle me laissait lire les articles qu'il écrivait et se montrait ravi lorsque je demandais des éclaircissements.

Mon oncle fut le premier de notre famille à faire de l'écriture une arme pour servir sa foi. Quand je lisais ses articles, je ne les analysais pas, je ne pesais pas le pour et le contre: je les admirais. Je voyais que l'enthousiasme qui le soulevait se communiquait au monde par le pouvoir de l'écriture. Il en restait quelque chose, alors que les raisonements de mon père, qui me semblaient encore plus beaux, s'engloutissaient dans l'oubli.

Je réunirais en ma personnalité mes deux pères: Louis le contemplatif et Isidore l'actif. Car si j'y réfléchis, je vois bien que j'ai eu deux pères. Et de mères, j'en ai eu au moins trois, si je ne compte que Rose et Pauline en plus de Zélie. Il y avait aussi Céline...

Je tentai d'inclure ma tante, l'autre Céline, dans cette kyrielle de substituts maternels. Un jour, je courus vers elle en criant «Maman». On m'avait mise en pension chez elle pour les vacances, je me sentais abandonnée. Si la mort de Maman avait supprimé l'idée d'une mère unique, totale, la maternité n'avait pas pour autant disparu de l'univers. Elle s'était éparpillée, diffractée en de nombreux éclats qui scintillaient aux quatre coins du monde. Il n'y avait plus maintenant «ma mère», mais «de la mère». Ma tante Céline était porteuse de maternité, je l'avais appelée Maman tout naturellement. Mais Loulou, l'ayant encore, ne comprenait pas que le monde était pour moi baigné de mère, et qu'il n'y en aurait jamais assez pour compenser cette absence originelle. Elle crut que je voulais lui voler sa mère. Elle s'écria que c'était la sienne et pas la mienne. «Toi, tu n'as plus de maman.» Je ne tentai pas de lui expliquer qu'au lieu d'avoir une maman, j'avais désormais des mamans. Mais chez mon oncle, lorsqu'elle pleurait on se précipitait pour la consoler, alors que si je me plaignais on me reprochait de pleurnicher pour un rien. On chouchoutait Loulou, je n'en pouvais plus. Je prétendis avoir la migraine pour qu'on me câline. On ne me crut pas, on me fit honte. Je me comparai à un pauvre chien qui vient mendier des caresses et qu'on envoie promener. Il y avait deux sortes d'enfants. Je resterais, comme Papa le disait, l'orpheline de la Berezina. Une catégorie inférieure d'humanité. Je devais me résigner à mon sort. Je ferais une gloire de cette humilité.

## *Le glaive de l'éloquence*

Je décidai de tester auprès de quelques camarades, à la récréation, les histoires que je concoctais, pour voir si elles les tenaient en haleine. Elles se montrèrent plus difficiles que les petites de la maternelle. Je compris qu'il ne suffit pas d'avoir des arguments, il faut savoir les présenter de manière convaincante. Le secret, c'est de penser toujours à l'autre quand on parle. Mon oncle était infatigable, écrivait et publiait sans cesse. Pourtant, cela ne suffisait pas. Ses raisonnements me semblaient imparables, mais ses ennemis restaient toujours aussi virulents. Isidore soupirait et disait: «Ils ont des yeux et ils ne voient pas, ils ont des oreilles et ils n'entendent pas.» Écrire était plus qu'un épanchement: un combat. Il s'agissait de manier, selon l'expression de Céline, «le glaive de l'éloquence». Ma sœur parlait beaucoup et savait se faire écouter. Elle semblait capable de se tirer de toutes les situations avec des mots.

Quand je lui disais que ma timidité me gênait, elle répondait qu'elle avait été aussi timide que moi. Mais on l'avait accusée d'amour-propre, alors elle avait combattu ce défaut. Pourtant, je n'étais pas timide par orgueil mais par humilité. J'avais vu la mort en face, et mon élan avait été brisé. Chaque pas en avant me coûtait.

En avançant dans la vie, on court vers la mort. Avancer m'était donc devenu très difficile. Alors, j'avançais différemment, vers un autre point. D'une certaine façon, j'évitais la vie, mais je court-circuitais la mort en me l'appropriant. J'en ferais ce que je voudrais, elle serait mienne selon mes propres termes. Pour avoir trop regardé en arrière, ma mère n'avait pas su l'apprivoiser.

Je garderais de l'enfance ce qui rend fort. Je me souvenais des rosiers grimpants de la maison de Rose. Le désir de vie insufflé par la fermière ne me ferait pas défaut. Un peu avant la mort de Maman, je lui avais demandé de m'emmailloter à nouveau comme un petit enfant, pour garder cette chaleur qui s'enfuyait.

Grandir c'est n'avoir plus de mère, je le saurais à nouveau bientôt. Quand j'étais toute petite Pauline disait: «Je voudrais bien que ce petit ange-là ne grandisse pas.»

A cette angoisse, mes sœurs réagissaient par «l'éducation virile» dont parlait Pauline. Celle-ci avait toujours eu quelque chose du garçon manqué. En grandissant, Céline se voyait faire le même reproche, à cause de son courage et de son franc-parler. Elle en souffrait. A sa manière, Marie, pourtant la plus féminine, passait par sa période de révolte. A l'aube d'être une femme, elle ne savait plus ce qu'elle voulait. Elle avait toujours eu horreur du mariage. Elle refusait aussi de se faire nonne. Elle rejetait la vie de Maman et celle de la tante Marie Dosithée. On lui objectait qu'elle resterait vieille fille. Aucune autre voie ne s'offrait pour une femme. Contrairement à Pauline qui voulait plaire absolument, Marie détestait la mode d'alors, qui faisait des femmes des potiches de salon au corps contraint. Elle savait ce qu'il en avait coûté à Maman de servir ces exigences.

Pourtant, elle rêvait, se voyait à la tête d'une maison. Elle imaginait jusqu'au moindre meuble d'une demeure riche et bien pourvue, beaucoup plus luxueuse que les Buissonnets. L'éducation de la Visitation ne pouvait suffire à lui ouvrir le monde. Elle regrettait son ignorance, étouffait dans un univers étroit. Elle était de ces femmes en avance sur l'époque, dont les aspirations ne trouvaient pas de réponse. Elle disait: «Moi, je suis libre.» Elle hésitait entre deux définitions du féminin. Moi aussi. Quand j'étais bébé, je remuais tellement dans mon lit que je me faisais des bosses. On imagina de m'attacher par des sangles. Je ne détestais pas cette sécurité, mais j'aurais quand même voulu être libre. J'avais à la fois un désir de confinement et d'évasion. Marie voulait s'échapper, mais des fils invisibles la retenaient aux Buissonnets. Elle était la maîtresse de maison, Papa se reposait sur elle.

Céline n'était déjà plus une petite fille. Elle avait un regard conquérant et pourtant plus doux que le mien. Elle regardait droit dans les yeux alors que je voyais au-delà. L'ovale de son visage était très pur, la bouche s'étirait ironiquement

LA PETITE PRINCESSE DE DIEU

d'un côté, comme chez la Joconde. Elle avait l'air d'avoir un secret.

Léonie, avec l'âge, s'arrangeait. Elle avait perdu sa loucherie, son teint brouillé, gagné une beauté un peu sévère avec une ossature élégante, des pommettes hautes, un nez droit et un air de grande bonté. Le front, autrefois démesuré, prenait sa place dans le visage et montrait une intelligence longtemps empêchée.

Marie, au contraire, avait un minois rond, qui s'affinait dans le triangle du menton, comme une frimousse de chat. Un petit nez retroussé, des lèvres pleines, vraiment un visage coquet, fait pour l'amour d'un homme, encadré de bandeaux frisés. Seuls les yeux disaient sa tristesse et son désarroi. La commissure des lèvres tombait un peu.

Pauline était toujours la plus ferme. Je la revois photographiée jeune fille, avec un corps d'enfant dans sa robe noire, le bas du visage un peu lourd, le menton volontaire. Le visage très calme est empreint d'une détermination d'adulte, la peau claire est soulignée par le velours du médaillon. Les cheveux châtains sont tressés en une natte épaisse ramenée en chignon autour de la tête. Ils me rappellent les cheveux de Maman. On avait coupé sa natte au moment de sa mort. On l'avait collée sur une plaque de verre ovale cernée d'une ganse d'or. Dans un coin, avec de la poudre de cheveux, on avait inscrit ses initiales, ZM.


## La congrégation des Saints-Anges


A l'Abbaye, j'appartenais désormais à la congrégation des Saints-Anges. Je m'entendais bien avec l'aumônier, l'abbé Domin. Il avait un bon regard grave et fidèle derrière ses lunettes. Il comprenait combien j'aimais le catéchisme. Nous devions recopier ses leçons dans un beau cahier à couverture rouge, mais Céline m'avait donné le sien, aussi j'étais dispensée de cette tâche. Il m'appelait «son petit docteur», et trouvait plaisir à argumenter en ma compagnie.

Ce n'était pas le cas de mère François de Sales. Dans ses cours d'instruction religieuse, elle se trouvait souvent désarçonnée par le feu de mes questions. Cette brave femme un peu rigide ne comprenait pas toujours le fonctionnement d'un esprit enfantin. Puisqu'il était bon d'aider les autres, je soufflai un jour sa réponse à une camarade qui savait mal sa leçon. Je souffrais de la voir souffrir, rougissante, sous le poids de l'ignorance. Je soufflais d'ailleurs non seulement pour la tirer d'embarras, mais aussi par enthousiasme de partager un savoir aimé. Mère François de Sales m'accusa de n'avoir pas de conscience. Une fois encore, j'avais agi par passion et par spontanéité. C'est chose normale que ce manque de discipline chez une enfant de neuf ans. Mais je ne me voyais pas comme une enfant dans ce domaine, et je m'en rendis malade. Je me demandai si mère François de Sales n'avait pas raison. Je cherchai en moi la présence de cette conscience dont elle m'accusait de manquer. Pendant les semaines qui suivirent, lorsque je la rencontrais, je me jetais dans ses bras en sanglotant, m'accusant d'avoir péché et fait pécher. Mère François de Sales comprit que cet excès de sensibilité n'était pas de l'amour-propre, mais un sentiment surnaturel, celui d'avoir poussé à offenser Dieu.

J'argumentai cependant avec elle sur une question qui me préoccupait beaucoup. J'avais lu dans mon catéchisme que les enfants qui mouraient sans le baptême ne seraient pas sauvés, qu'ils ne verraient jamais Dieu. Et pourtant, ils n'avaient pas péché. Je savais que nos «petits anges» avaient été baptisés, mais j'étais très sensible à la mort des petits enfants. J'osai dire que moi, à la place du Bon Dieu, je me montrerais. Mère François de Sales comprit ma tristesse et se montra indulgente.

## Le sentiment du surnaturel

Mère François de Sales me croyait maintenant habitée par le surnaturel. A la chapelle, je ne me conduisais pas comme mes camarades durant la liturgie. Chacune de nous avait devant elle un missel sur lequel étaient inscrites les prières de la messe. La liturgie était compliquée et nous devions suivre dans le livre au risque de nous tromper. Mais les paroles si belles s'étaient gravées en moi. L'ambiance de la chapelle, avec ses voûtes doucement arrondies, la profusion de ses statues, l'ordonnancement sublime du rituel me faisaient entrer dans un état de prière très profond. Je fermais les yeux à mon insu. On croyait que je ne suivais plus, ou que je m'étais endormie d'ennui. Mais dès qu'on me touchait et que j'ouvrais les yeux, je retrouvais immédiatement l'endroit où on en était. Je n'avais plus besoin d'apprendre à prier. J'étais dans la prière, je devenais la prière elle-même, un petit morceau de la grande prière du monde.

A mesure que les années passaient, mon univers détruit se reconstituait. J'habitais une maison de femmes, protégée par quelques hommes, mon père, mon oncle, l'abbé Domin, l'abbé Ducellier. J'avais moins peur depuis la communion de Céline, quand je m'étais engagée sur le chemin intense de la prière.

Pourtant, c'était de ce monde si réconfortant pour moi que viendrait le prochain coup qui me frapperait.

## Pauline s'en va

Le 16 février 1882, pendant une messe dans l'église Saint-Jacques, ma sœur Pauline, que j'avais élue pour seconde mère après la mort de Zélie, décida de devenir carmélite. Elle avait prié devant une statue de Notre-Dame du Mont-Carmel qui se trouvait dans l'église. Quelque temps auparavant, le chanoine Delatroëtte avait organisé trois jours de prière en préparation du tricentenaire de Thérèse d'Avila.

Cette vocation s'imposa à Pauline avec urgence. Puisque j'étais entrée à l'Abbaye, sa fonction d'éducatrice lui semblait terminée. Elle aurait pu attendre quelques années que je devienne grande! Elle n'osa pas m'en parler et se prépara en cachette. Elle s'en était immédiatement ouverte à Marie, et à Papa qui accepta sa décision. Il était surpris, car Pauline avait toujours affirmé qu'elle marcherait sur les traces de sœur Marie Dosithée à la Visitation du Mans. Mais la statue portait sur un bras l'Enfant Jésus et de l'autre semblait lui tendre la main. Seul le Carmel conviendrait. Elle crut d'abord qu'elle irait à Caen. Mais quand elle rendit visite à la prieure mère Marie de Gonzague au Carmel de Lisieux, rue de Livarot, elle apprit qu'elle pourrait y entrer. Mon oncle et ma tante, mis au courant à leur tour, ne s'opposèrent pas non plus à ce désir en droite ligne de la tradition familiale.

Au début de l'été, je surpris une conversation entre Pauline et Marie. Elles parlaient à voix basse d'une chose très importante concernant la religion. Je sentis que c'était à cause de moi qu'on chuchotait. Je tendis l'oreille, et je perçus le mot de Carmel.

Pauline au Carmel! Foudroyée, je me souvins du jour fatidique où j'avais confié à Pauline mon cher désir de partir pour un désert lointain. Je souhaitais l'y avoir pour seule compagne et elle avait répondu: «Ton désir est le mien.» Nous devions partir ensemble dès que je serais assez grande. Et maintenant, effectivement, mon désir était le sien. Elle ne m'attendait pas, elle me laissait. D'une façon paradoxale, elle exauçait mon vœu de me retrouver au désert. Mais ce désert-là n'était pas lointain. Je l'habitais déjà, et c'était un désert sans Pauline.

Qu'était donc ce Carmel? Je ne le savais pas, j'étais trop petite. Ce nom signifia d'abord l'abandon. Mon cœur était transpercé d'angoisse. Avec une brutalité abominable, je compris que j'allais tout perdre à nouveau.

Je ne reprochai pas à Pauline de partir. Je savais que je ne pesais rien auprès de Dieu. Mais j'aurais voulu qu'elle me parle de son départ, qu'elle me l'apprenne elle-même, doucement. Elle ne s'était pas confiée à moi, alors que je m'étais toujours abandonnée à elle. Sans doute craignait-elle ma réaction. Il y avait un peu de lâcheté dans son acte. Elle avait trouvé le bonheur à mes dépens et en avait honte. En se conduisant ainsi, elle me quittait d'avance.

J'avais pris sa promesse au sérieux, elle n'y avait vu qu'une fantaisie enfantine. Jusque-là, j'espérais encore en la vie. D'un coup, avec cette révélation, je compris que Maman avait eu raison. On ne pouvait attendre du monde que de la douleur. Mais je sus aussi de quoi ma mère s'était protégée en faisant sans cesse des enfants. La vie est une séparation continuelle. Tous les attachements y sont condamnés.

## Moi aussi !

Pauline, en voulant m'épargner, m'avait blessée encore davantage. Elle m'expliqua ce qu'était le Carmel.

Le mont Carmel, en Palestine, était depuis toujours le refuge des anachorètes. Au xiie siècle, des ermites latins, les Carmes, leur succédèrent, vivant dans des huttes isolées, sur des pentes rocheuses, sous le soleil brûlant. Jean Soreth fonda les carmélites cloîtrées en Espagne au xve siècle. La règle de clôture permettait de conserver la tradition érémitique dans une Europe qui se peuplait. Pour Jean Soreth, il s'agissait de «tendre à une oraison continuelle, ininterrompue, persévérante... Avancer avec effort vers l'immobile tranquillité de la pureté perpétuelle de l'âme».

Je vis qu'il s'agissait là de mon désert d'enfant. Je compris qu'elle ne pût attendre, et je voulus y aller aussi. Non pas pour retrouver ma Pauline mais pour chercher Dieu.

Ma décision d'entrer au Carmel fut prise, comme celle de Pauline, en un seul instant. Aucun doute ne vint l'ombrager.

Le lendemain, j'annonçai ma décision à Pauline qui la prit

très au sérieux. Elle pensa qu'elle ne pouvait venir que de Dieu. Il animait ma volonté comme il avait animé la sienne. Elle promit de m'obtenir un rendez-vous avec la Mère prieure pour que je puisse lui exprimer ma vocation. J'avais neuf ans. Un désir vague mais puissant prenait les contours de la réalité.

## La prieure

L'entrevue aurait lieu un dimanche. Ma cousine Marie viendrait aussi. J'aimais beaucoup Loulou, mais il me semblait que je ne pourrais parler devant elle.

Je persuadai ma cousine que nous devions confier à la prieure nos petits secrets et donc chacune d'entre nous allait, par politesse, sortir un moment de la pièce pour revenir ensuite. Elle me crut. Elle semblait pourtant un peu inquiète, car elle ne s'**était pas** attendue à cette histoire de secret. Candide, elle ne se connaissait pas de zone d'ombre, et elle devait bien se demander ce qu'était la mienne.

Je ne sais pas ce qu'elle dit à la Mère prieure. Avait-elle déjà l'intuition d'une vocation qu'elle voulait garder secrète à l'instar de la mienne, ou bien le sentiment que l'on pouvait avoir des secrets détermina-t-il le départ d'une autre vie?

J'entrerais au Carmel six ans après cette visite, le 9 avril 1888. Ma cousine m'y suivrait le 15 août 1895. Finalement, l'union volontaire de nos cœurs enfantins se réaliserait. Quand je revois l'histoire de ma vie, il me semble que c'est une route droite, sans méandres, hésitations ni fausses pistes. J'avais été prévenue par une voix intérieure qui parlait un autre langage, que je ne déchiffrais qu'à mesure et après coup. Mais au fond de moi, j'en pressentais depuis toujours le sens. J'ai eu deux langues maternelles: le français et le langage des anges, un idiome de palpitations et de frémissements qui me soufflait dans le silence: «Voilà ce que tu dois faire.»

J'ai toujours tout retourné : la douleur en joie, le sacrifice en couronne, la faiblesse en force. Comment faire autrement ? Je tirai mon savoir et ma richesse de mon dénuement. Je fis du dénuement ma splendeur, mon voile de mariée.

Lors de cette première visite au Carmel, on me fit des compliments pour la seconde fois. Sœur Thérèse de Saint-Augustin me trouva gentille. La première fois, c'était à Trouville, lorsque j'avais découvert la mer. Ma mémoire est sans doute sélective. La correspondance et les mémoires des femmes de la famille sont pleines de gentillesse à mon propos. Peut-être disait-on ces douceurs en mon absence pour épargner ma modestie.

Lorsque je ressortis, il me sembla que ce lieu, je l'avais toujours connu. Le calme de ces bâtiments posés parmi les arbres et les jardins était celui du Pavillon d'autrefois, des parties de pêche avec Papa. J'étais revenue chez moi.

## « Un jour deux fois triste »

Pauline entra au Carmel le 2 octobre. Les semaines qui précédèrent son départ, Céline et moi la gâtâmes. Nous voulions qu'elle soit heureuse.

Pauline était très attachée au bonheur. Dans sa retraite, elle connaîtrait des moments difficiles. Elle avait vingt et un ans, le moment de la majorité qui marque l'entrée dans le monde des adultes. Ce monde qu'elle ne posséderait plus qu'à l'état de souvenir, je voulais qu'il soit le plus beau possible. Je voulais qu'elle profite de moi et je voulais moi aussi profiter d'elle...

Mais ce que nous pouvions, Céline et moi, était bien peu. Quelques gâteaux, quelques bonbons, quelques fleurs, quelques baisers.

Le jour du départ arriva trop vite. C'était l'automne, saison de tristesse et de brumes. Elle se pencha vers moi et m'embrassa. Je perdais pour la troisième fois une mère. Elle ne serait plus Pauline, sœur de Thérèse Martin, mais sœur Agnès de Jésus...

Pendant que Papa conduisait Pauline, nous allâmes à la messe avec ma tante. Nous pleurâmes tout le long du chemin. Quand nous entrâmes dans l'église, les gens regardèrent avec étonnement mes joues ruisselantes.

Cette journée était deux fois triste. Pauline entrait au Carmel, et moi je retournais à l'Abbaye. Après la classe, ma tante nous emmena visiter Pauline dans sa nouvelle demeure. En la voyant derrière une grille, j'eus un choc. Je compris que je ne la toucherais plus jamais. Je ne pourrais plus lui raconter d'infimes anecdotes, de petits faits sans importance qui constituaient le tissu de ma vie. Je voyais que le ciel était toujours bleu, que le soleil brillait aussi vif et j'en souffrais encore davantage. Tout aurait dû être sombre comme dans une éclipse.

Les jeudis, comme nous avions congé, nous allions rendre visite à Pauline. C'était affreux. Elle parlait à Jeanne et à Marie, elle ne semblait pas me voir. A la fin de la visite, je pouvais lui parler deux minutes. La brièveté du temps qui m'était accordé paralysait ma langue. J'avais préparé à l'avance ce que je devais lui dire, et alors que je me trouvais devant elle, je pouvais seulement pleurer. Peut-être me consacrait-elle d'autant moins d'attention qu'elle souffrait de me voir dans cet état. Mais j'étais trop jeune encore pour me raisonner.

Cette souffrance m'arrachait à l'enfance où je m'attardais. Chaque changement m'inquiétait, car il semblait annoncer la mort. La mort de Maman m'avait laissée dans la terreur. Le départ de Pauline, qui signifiait sa mort au monde, me replongea dans les ténèbres de l'effroi.

Pour survivre, je dus affronter à nouveau cette question de la mort. Je la considérai en face, je m'y habituai. Pauline m'en donnait l'exemple. C'est le sort des carmélites de contempler perpétuellement la mort du Christ. Pauline derrière sa grille ne me parlait pas, me regardait à peine, comme si elle craignait que je fusse trop vivante. Elle voulait se détacher de tout, elle devait se détacher de moi. La seule pensée qui m'apaisât était que je pusse un jour la rejoindre. Pour cela, il me faudrait devenir comme elle, ne plus tenir à rien, m'arracher au monde, savoir vivre dans une contemplation qui est l'attente de la mort et même son désir : cette mort seule qui débouche sur une autre vie. Pour Pauline, c'était la vie dans le monde qui représentait une espèce de mort, qui l'empêchait de se développer. Elle ne voulait pas être une jeune fille comme les autres. Elle ne voulait pas être mère. Elle voulait être femme autrement.

La souffrance qui m'était infligée m'obligeait à des efforts de compréhension. Mon esprit se développa d'une façon extraordinaire. Je sortis de cette torpeur de l'entendement où la mort de Maman m'avait plongée. Céline et Marie comprenaient mon désarroi. Céline me protégeait contre les filles de l'Abbaye qui me trouvaient encore plus différente. J'étais maintenant toujours triste. Je pleurais pour un rien. J'avais encore moins le goût de jouer depuis que j'avais toujours dans la tête l'idée de Pauline derrière la grille du parloir. Je ne serais jamais comme les autres. Il était inutile de faire semblant.

## De si grands efforts

Je ne comprenais pas encore ce qui avait pu décider Pauline à partir au Carmel, mais je pressentais qu'il y avait là des mystères qui me seraient éventuellement révélés. Je réfléchissais sans cesse. J'accomplissais d'énormes efforts pour rejoindre Pauline par la pensée. A l'Abbaye, j'avais sauté une division en récompense de mes progrès. La classe violette dans laquelle je me trouvais préparait à la première communion. C'était pour moi une consolation. Mais je devais finalement en être privée. Il y avait eu un changement de règlement. Il fallait désormais avoir onze ans dans l'année pour faire sa communion. J'étais née deux jours trop tard. Cette date du 2 janvier qui m'avait toujours parue heureuse se retournait contre moi. Les événements se liguaient pour entraver mon chemin. Je croyais au symbolisme des choses, j'avais besoin que le monde m'accompagne. Le ciel plombé, les feuilles mortes qui jonchaient les allées du jardin étaient autant de marques de deuil. Les journées à l'Abbaye me parurent insupportables. Pourquoi tant d'efforts si je n'en étais pas récompensée? Au parloir, je ne parvenais pas à attirer l'attention de Pauline qui semblait me parler encore moins qu'à l'habitude.

Je fus prise de terribles migraines. C'était la maladie de Maman autrefois. J'avais un autre fragment de mère dans la tête, un fragment de sa souffrance. Je tentai de m'habituer à cet étau qui m'enserrait le crâne. L'hiver arriva. J'étais toujours vulnérable. Les étouffements empirèrent. Le démon m'envoyait de la souffrance pour m'empêcher d'avancer et de comprendre. Mais je ne parvenais pas à le chasser, comme autrefois le diablotin de mes rêves. J'avais perdu ce qui me restait de confiance en moi.

Je pensais toujours au Carmel. J'avais écrit à mère Marie de Gonzague, qui faisait retraite, car je ne parvenais pas, malgré ma bonne volonté, à corriger mes défauts. Ils me parasitaient comme autrefois la tumeur avait rongé Maman.

Mère Marie de Gonzague aimait Pauline, qui était devenue sa confidente. Je pensais donc qu'elle m'aiderait. Depuis que je lui avais manifesté mon désir d'entrer au Carmel, elle et les autres sœurs m'appelaient Térésita. C'était le nom de la nièce de sainte Thérèse d'Avila. Elle était entrée au Carmel à neuf ans. Et à cet âge, j'avais reçu la vocation. Moi, je resterais toujours la petite Thérèse, puisque la place de la grande était prise. La place de la petite, je l'avais toujours occupée dans la famille. Je ferais de ce destin une vocation.

Je n'étais pas très docile avec Marie. J'acceptais mal qu'elle me commande, et je lui répondais toujours. Je voulus me confesser de cela à mère Marie de Gonzague, pour surmonter ce défaut, tout comme Pauline autrefois demandait à sœur Marie Dosithée de l'aider.

A Pâques, Papa se rendit à Paris avec Marie et Léonie. Je restai à Lisieux avec ma tante et Céline. Mon oncle avait remarqué ma tristesse. Il résolut de me gâter et de me donner du bon temps. Peut-être craignait-il de voir se reproduire en moi quelque chose du caractère douloureux de Maman, de sa difficulté à jouir de la vie, de sa propension à s'attacher au malheur.

Maman l'avait adoré. Il voulait lui restituer quelque chose en s'occupant de moi.

## Trop de cœur

C'était le jour de Pâques. Le Christ ressuscitait. Mon oncle pensait à ma mère. Mon désespoir d'avoir perdu Pauline en cachait un autre, plus grave et ancien. Je n'avais surmonté la mort de Maman qu'en surface. Mon oncle avait compris que mon caractère avait changé, et il le voyait s'assombrir encore avec appréhension.

Je m'étais habituée à sa masculinité bourrue. Mais soudain les traits de son visage s'affaissèrent. Il me parla très doucement en me tenant sur ses genoux. Il se confiait à moi pour la première fois, parlait de Maman. Les souvenirs du passé affluèrent et me submergèrent. Je pleurais à gros sanglots, j'en avais le corps secoué. Mon oncle atterré ne me gronda pas mais il me dit en m'embrassant que j'avais trop de cœur. Il avait raison, c'était ce trop qui m'étouffait pendant mes crises d'asthme.

Mon oncle me parla des choses délicieuses que je pourrais faire pendant les vacances. Il m'emmènerait chez les cousins Maudelonde... Je ne fus pas soulagée par ces promesses. Au contraire, un grand abattement m'anéantit. J'étais épuisée. Mon oncle avait éveillé des émotions que je ne contrôlais plus.

Ma tante me mit au lit. Je tremblais comme une feuille. Mon corps ne semblait plus m'appartenir. Elle ajouta des couvertures mais ce n'était pas le froid du dehors qui me faisait trembler, c'était le froid de la mort, et les bouillottes de ma tante n'y pouvaient rien.

Mon oncle était parti au Cercle catholique. En rentrant il me trouva dans le même état. Je grelottais toujours et je n'arrivais pas à dormir. Il connaissait assez la médecine pour prévoir le pire.

Le lendemain, le médecin confirma cette impression, diagnostica des troubles nerveux très graves. Le docteur Notta était un praticien respecté. C'était lui que ma mère était allée voir à Lisieux peu avant sa mort. Mais à nouveau il se trouvait impuissant. Je ne pouvais pas lui expliquer que mon oncle, en parlant de ma mère un jour où l'on célébrait la résurrection du Christ, et où je me sentais trois fois abandonnée, puisque mon père et mes sœurs étaient absents, avait accéléré la marche de la maladie, qui creusait un chemin en moi depuis des mois et peut-être des années.

Je grelottai ainsi pendant six semaines. Le docteur Notta hasarda le diagnostic de danse de Saint-Guy, maladie nerveuse caractérisée par des mouvements involontaires et irréguliers. Il énonça aussi le terme d'hystérie, mais pour le nier. Le mot était effrayant, évoquait la folie et l'asile. La carapace si fragile que je m'étais construite pour survivre à la mort de Maman tombait en morceaux sous les yeux atterrés de ma famille.

On ignorait comment soigner les troubles nerveux. Mon état s'aggrava encore. Je pleurais, je délirais, j'hallucinais. Mon corps accomplissait d'étranges mouvements tournants, prenait des positions acrobatiques dont j'aurais été incapable en temps normal. Parfois je me trouvais projetée hors de mon lit avec une force effrayante. Je tombais brutalement par terre. Je me jetais contre le mur, mais ne me blessais pas. Je hurlais. Je ne reconnaissais plus mon entourage.

Je conservais à certains moments une part de lucidité. Je me sentais alors comme dédoublée. Je m'entendais proférer des paroles insensées. Pourtant ce n'était pas moi qui accomplissais ces gestes, prononçais ces mots. Qui alors ? Le démon avait envahi une partie de mon être. Jusqu'au retour de Papa et de mes sœurs, ma tante s'installa à mon chevet. Devinant la cause première de mon mal, elle s'occupa de moi comme une mère. Lorsque Papa, Marie et Léonie arrivèrent, Aimée la cuisinière leur ouvrit la porte avec un visage si bouleversé que Marie se figura que j'étais morte. Elle n'avait pas pensé qu'il pût arriver du mal à Céline. Elle trouva mon état si effrayant qu'il fut décidé de me laisser chez mon oncle. Marie s'y installa aussi et Papa vint me voir tous les jours. Je restai suspendue dans un état crépusculaire. Pauline prenait l'habit le 6 avril. De postulante elle devenait novice. Personne n'osait m'en parler. Pourtant je ne l'oubliais pas. Il aurait été affreux pour moi de ne pas la voir. Je fis un effort surhumain pour aller mieux.

## Pauline prend l'habit

Mon état s'améliora suffisamment pour qu'on me transporte rue de Livarot. On me refusa d'assister à la cérémonie. Sa solennité, sa mise en scène d'une mort au monde m'auraient trop impressionnée. Mais je pus la voir sans que la terrible grille ne s'interpose entre nous. Je pus même la toucher, l'embrasser. Elle me prit sur ses genoux, je la caressai comme naguère. Pour la première fois depuis son entrée au Carmel, j'eus l'impression que j'existais pour elle.

Elle portait sa robe de fiancée, elle était belle à ravir dans sa dernière coquetterie. Je ne me lassais pas de ce spectacle éblouissant. C'était elle et pourtant ce n'était déjà plus elle. L'expression de son visage avait changé. Ses gestes, plus lents et plus calmes, disaient une autre Pauline. Elle devenait sœur Agnès de Jésus.

A peine me sentais-je de nouveau moi-même sous l'effet de sa présence qu'on m'y arracha. Dans la voiture qui me ramenait, j'étais partagée entre le bonheur de cette journée et le malheur de ne plus avoir Pauline.

Me croyant mieux, on m'avait ramenée aux Buissonnets. On ne me coucha pas dans mon ancien lit mais dans celui de Pauline où j'aimais venir la retrouver pour l'embrasser et me recoucher avec elle les jours de grasse matinée.

L'idée d'occuper son lit, sa chaise, comme si elle avait été morte me fit tomber malade à nouveau, plus gravement qu'auparavant. Marie s'installa à mon chevet et ne me quitta presque plus. Dès qu'elle se levait et sortait de la pièce, je me mettais à gémir. J'étais redevenue comme un bébé, je répétais sans arrêt : «Mama, mama», jusqu'à ce que Marie revienne.

La situation était intenable pour elle. Elle ne pouvait même pas aller manger. La bonne Victoire se proposait pour la relayer. Mais je ne supportais pas sa présence. Céline et Léonie la remplacèrent. Je ne laissais Marie partir que lorsqu'elle m'expliquait qu'elle allait à la messe ou au Carmel voir Pauline.

Mes sœurs me montrèrent encore plus d'affection en cette période de ma vie. Pourtant cela ne suffisait pas. Personne au monde ne pourrait me donner cet amour infini que je recherchais désespérément.

Je me cramponnais à Marie. Elle seule m'apaisait un peu. Subrepticement, elle prit véritablement le relais de Pauline. Chaque jour, mon oncle et ma tante venaient me voir, souvent accompagnés de mes cousines. Ils s'asseyaient au pied de mon lit de noyer sculpté. Ils me gâtaient comme Pauline avant son départ pour le Carmel.

La nouvelle de ma maladie s'était répandue. Voisins et connaissances venaient aux Buissonnets. Lorsqu'on les laissait monter à ma chambre, je me voyais comme ils me voyaient, je craignais de mourir ou de devenir folle définitivement, et qu'on m'enferme sans le secours du Bon Dieu.

Les apparitions de mon père à mon chevet étaient trop rares et trop brèves. Il ne supportait pas de me voir dans cet état, qui lui rappelait ma mère gémissante, tordue de douleur. Il repartait très vite, les larmes aux yeux, le visage décomposé. Quand je criais, il m'entendait, car ma nouvelle chambre était à côté de la sienne, communiquait avec elle. Il se réfugiait de plus en plus souvent dans son Belvédère.

## Possession

Dans les moments d'accalmie, je m'éveillais d'un cauchemar. Dans le jardin, le printemps éclatait. Les casseroles de

Victoire sonnaient dans la cuisine. Le pas de mon père montait l'escalier du Belvédère. Tout était comme avant. Pourtant j'étais dans le lit de Pauline et elle n'y était plus. Sa chambre contenait encore ses meubles laissés derrière elle pour toujours. Je savais qu'il ne me restait qu'à rejoindre Jésus, mais les efforts accomplis pour y parvenir plus vite m'avaient coupée en deux. Il y avait maintenant une très petite Thérèse qui ne se possédait plus et pleurait comme un bébé. La Thérèse sage et courageuse n'était qu'une ombre, rôdant autour du lit, faible et impuissante, et regardant l'autre s'agiter convulsivement.

Un jour que des visiteurs se tenaient près de mon lit, j'entendis prononcer le mot de simulation. On disait, d'une femme qui se conduisait de façon inexplicable, qu'elle était hystérique. Les hystériques étaient des créatures rusées qui faisaient semblant, pour obtenir ce qu'on leur refusait et manipuler leur entourage. Le grand docteur Charcot le démontrait dans son asile de la Salpêtrière où l'on venait du monde entier voir des femmes se tordre et prononcer des paroles incompréhensibles. L'hystérique jouait une comédie dont elle seule connaissait le sens. C'était la représentation de ce qu'elle aurait voulu être et n'osait assumer. Comédie aussi de ce qu'on lui avait fait et qu'elle ne pouvait dire. Femme enceinte, maîtresse lascive, enfant perdue. C'était peut-être cela qui m'arrivait, disaient les visiteurs, me regardant comme dans l'espoir que je me mette à exécuter devant eux un numéro de cirque. Dans mes périodes de lucidité, je commençais à me demander si ces gens n'avaient pas raison. Est-ce que peut-être je faisais semblant sans m'en rendre compte?

C'était une forme de possession. Le pire était les hallucinations. Tout devenait affreux. De pauvres clous plantés dans le mur devenaient de gros doigts noirs et carbonisés. Je voulais le Christ mais je n'étais pas prête et il m'effrayait. Les clous de la croix devenaient les doigts du démon qui se tendaient vers moi pour m'étreindre. Alors je hurlais: «J'ai peur! j'ai peur!» Un jour, le chapeau que Papa tenait à la main parut devenir une grosse bête qui allait m'attaquer. Je refusais la chair mais je ne m'en étais pas détachée. Pauvre Papa que j'avais déjà cru voir coiffé d'un tablier! Pauvre Papa que j'aimais trop et qui m'aimait trop, qui était peut-être trop proche de moi, dans la chambre voisine, maintenant que Maman et Pauline étaient parties.

Avec le développement de la médecine, les possédés devenaient des malades. Je faisais la différence entre une vision et une hallucination. Une vision est envoyée par le ciel et elle est bénéfique. L'hallucination vient de la maladie et du démon. Le démon rend malade, mais on peut être malade sans lui. J'avais souvent été malade auparavant, et le démon n'était pas de la partie. J'étais restée moi-même, je n'étais pas sous le contrôle de cette présence. Quand il était venu me voir auparavant, en rêve une nuit dans la buanderie, j'étais plus forte que lui. Mais il avait pris son temps, attendu un moment de grande faiblesse, et maintenant, c'était lui qui me dominait.

J'appelais toujours «Mama, mama». Je ne voulais plus de la réalité, ce monde de deuil interminable, ce monde sans mère puisqu'elles s'en allaient toutes. Il me fallait redevenir bébé, retourner dans le monde d'avant. C'était ce corps flottant sans cordon, sans placenta, ce corps affaibli, immature, cet escargot sans coquille, trop mou, trop tendre, que le démon avait investi.

Heureusement Marie était là. Nous nous sommes accrochées l'une à l'autre. Grâce à elle, je suis redevenue Thérèse.

## Le sourire

Il est apparu lors de la Pentecôte. L'Esprit Saint descendait sur les apôtres. C'était bien un jour pour chasser le démon.

Papa m'avait apporté sa Vierge du Pavillon, celle qu'une demoiselle pieuse lui avait offerte, du temps qu'il était encore jeune homme. Il savait que je l'aimais beaucoup. Je lui tressais des couronnes avec les fleurs du jardin. Je choisissais des myosotis et des paquerettes pour la couronner de blanc et de bleu.

Au-dessus de la tête de la statue se trouvait un halo de métal constellé d'étoiles. Ainsi elle était doublement couronnée, par les étoiles et par les fleurs. Papa l'apporta donc dans ma chambre et la posa sur la commode située sur le mur qui me faisait face. Ainsi de mon lit je la voyais. En même temps, la famille fit dire une neuvaine pour moi à Notre-Dame des Victoires.

La Vierge baissait les yeux. Son visage exprimait la résignation, mais les plis de son vêtement semblaient soulevés par l'air, comme si elle était en marche. L'un de ses pieds avançait, écrasant un serpent.

J'étais heureuse que Papa l'ait mise là. La nuit sa vague forme blanche me soutenait. Elle veillait sur moi, la Mère des mères. Autour de moi d'autres objets que j'aimais me protégeaient. Les lettres que Pauline m'envoyait, je les relisais jusqu'à les réciter par cœur. Le papier en était tout usé.

Elle avait confectionné pour une de mes poupées un petit costume de carmélite en piqué garni de dentelle : robe, pèlerine et bonnet. Cette poupée de porcelaine, aux boucles châtaines en vrais cheveux, avait un regard bleu très profond. Je la préférais aux autres. Vêtue de son habit blanc, je la serrais sur mon cœur et je répétais «Pauline, Pauline».

Pauline m'avait aussi envoyé un sablier, comme les carmélites en ont dans leurs cellules pour rythmer le temps. Je le retournais et regardais s'écouler les minuscules grains de sable. Ces cadeaux me distrayaient dans les moments de mieux-être. Mais soudain, je ne pouvais plus bouger. Tout ce qui m'avait amusée auparavant, lettre, poupée, histoire que Marie me racontait, me lassait.

En ce dimanche de Pentecôte, j'étais couchée dans mon lit comme d'habitude. Marie sortit dans le jardin. Elle avait besoin de l'air printanier après l'atmosphère confinée de ma chambre de malade. Léonie entra et se mit à lire près de la fenêtre. Je ne supportai pas le départ de Marie et je me mis à gémir «Mama, mama», comme chaque fois qu'elle me quittait. J'étais retournée très loin en arrière, avant la parole adulte.

Je geignais tout bas, comme pour moi-même. Léonie n'y prêta pas attention. Au bout d'un moment je me lamentai plus fort. Marie revint dans la chambre. Je ne la reconnus pas. Pourtant je voyais bien que c'était elle, mais cela n'avait plus de sens. Ce n'était pas elle que je voulais. Elle m'avait laissée, je ne voulais plus la voir. Je cherchais autre chose. Une lutte me déchirait. Je ne savais quoi de violent m'arrivait. Je ne comprenais rien. Je disais « Mama, mama » toujours plus fort. Près de mon lit Marie s'agitait et me parlait mais elle avait trop tardé. Elle voulut me donner un peu d'eau à boire, mais j'en fus encore plus terrifiée. Je crus qu'elle m'empoisonnait.

Céline entra. Marie, désespérée, s'agenouilla près de mon lit et se tourna vers la statue de la Vierge. Léonie et Céline en firent autant. Marie se mit à prier. Elle priait la Mère des mères, et dans la force de son désir elle devenait elle-même cette mère qui me manquait.

Elle suppliait la Vierge de me laisser vivre. Sa prière était si puissante que je sortis de mon état pour prier avec elle. Moi aussi je voulais que la Madone me rende cette vie trop fragile qui semblait me quitter.

C'est alors que la Vierge s'est animée et m'a souri.

Elle n'était plus seulement une statue, elle vivait. Ce n'était pas n'importe quelle Vierge, c'était celle de mon père. Son idéal de femme, telle qu'il avait désiré que fût ma mère, telle qu'il allait la retrouver, au Pavillon. Profondément divisé, il avait fini par accepter d'entrer dans le monde de la sexualité sans jamais renoncer à celui, rayonnant, de l'asexuel, où l'homme et la femme sont deux enfants qui se tiennent par la main sous le regard de Dieu. Et là, soudain, parce que Marie la suppliait de me laisser la vie, la Vierge que mon père aimait, qu'il me donnait pour mère, alors que les autres m'avaient abandonnée, fut traversée par un souffle surnaturel. Des voiles baroques drapaient la statue de Bouchardon. Elle avançait avec une grâce inouïe. Le serpent qu'elle écrasait sous son pied était le démon qui me persécutait. Sa bouche pensive s'entrouvrit d'une manière adorable : elle souriait. Elle était magnifique.

Je ne criais plus. Je la suppliai d'avoir pitié de moi. Le sentiment de l'ineffable m'envahit pour la première fois de ma vie. C'était pour moi qu'elle souriait, pour moi seule.

Désormais, elle me sourirait toujours. Ce sourire s'imprima sur mon âme.

Un bonheur nouveau m'envahit. La joie chassa la douleur ou plutôt elle l'effaça, passa dessus comme une gomme. J'étais une feuille vierge où tout restait à inscrire. Le sourire s'évanouit. La statue retrouva son immobilité coutumière. Un vent immobile gonflait ses draperies. Un instant, en même temps que les lèvres de la Madone, les portes de l'autre monde s'étaient entrouvertes. C'était pour m'empêcher d'avancer vers lui que le démon m'avait saisie. Mais une limite venait d'être franchie et il m'avait perdue à jamais. J'avais pénétré dans un monde au-delà du mal.

Alors que je baignais encore dans les rayons du sourire de la Vierge, je me tournai vers Marie. Elle me rendit mon regard avec une grande émotion, comme si elle avait compris que quelque chose d'extraordinaire m'était arrivé.

Je ne devais pas lui parler. Si je disais à quel point j'étais heureuse et pourquoi, mon bonheur risquait de disparaître. C'est seulement plus tard que j'ai pu le dire, et qu'on a pu l'entendre, par le miracle différé de l'écriture, qui est l'autre grand miracle de ma vie avec le sourire de la Vierge. L'écriture est le seul miracle partagé. Car le sourire de la Vierge était pour moi seule, personne d'autre ne l'a vu.

Deux larmes roulaient sur mes joues, semblables à des perles que la Vierge, ma nouvelle mère, m'aurait données. Sous la Vierge se tenait toujours Marie, que mon père appelait son diamant.

## Le prix du silence

J'étais guérie. J'étais redevenue l'enfant d'autrefois. J'avais beaucoup changé. J'avais traversé la maladie.

La Vierge me donna le courage de croire, mais je ne cessai pas de souffrir. Ma torture était devenue morale. Je ne comprenais plus ce qui m'était arrivé. Comment avais-je pu m'égarer ainsi alors que j'étais convaincue de n'avoir jamais été folle? Les pires crises survenaient toujours en présence d'autres personnes. Je restais les yeux fermés, incapable du plus petit mouvement.

Sitôt les visiteurs partis j'ouvrais les yeux. Le contact avec les autres me rendait malade. Ma maladie, c'était la maladie de l'autre.

Pourquoi? Je cherchais et ne trouvais qu'une explication: celle que j'avais entendu avancer.

J'avais simulé, comme les hystériques. Les médecins disaient que non, mais les médecins se trompaient souvent. J'avais fait semblant d'être malade pour qu'on s'occupe de moi. Et pour qu'on m'aime. J'avais gémi et hurlé comme un bébé pour qu'on ne m'abandonne plus. Si Marie avait provoqué l'intervention de la Vierge, c'est parce qu'elle-même avait été atteinte légèrement par cette maladie, trois mois après ma naissance. Elle aussi avait voulu redevenir un bébé, parce qu'elle croyait qu'on l'avait éloignée pour la remplacer. Elle comprenait.

Je voulais qu'on me rende Pauline ou du moins l'équivalent, cet amour vigilant de tous les moments sans lequel je ne pouvais vivre.

J'étais tellement tourmentée par ces pensées que j'en parlai à Marie. Elle tenta de me persuader que je n'avais pu dissimuler. Elle m'avait toujours connue très franche et très droite. Cela ne me rassura pas. J'en parlai en confession. Au prêtre aussi il sembla impossible que j'aie fait semblant. J'étais atteinte d'une nouvelle maladie, celle des scrupules. Ma tante, ma mère, Marie l'avaient eue avant moi.

Je ne souffrais pas en permanence. Entre les crises, je voulais vivre. Je regardais d'un œil neuf ceux qui m'entouraient. J'aimais encore davantage mes sœurs qui s'étaient liguées pour me garder en vie, mon pauvre père que j'avais vu se consumer d'inquiétude, mon oncle et ma tante. J'avais appris à les connaître et à les apprécier car de plus en plus, Papa s'éloignait de son rôle familial. J'avais toujours eu le sentiment qu'il était à part, mais à mesure que nous grandissions, cela s'accentuait. Mon oncle Guérin, pourtant, ne comprenait pas mon désir d'entrer au Carmel. Il croyait que cette idée me rendait malade, quand elle était mon plus grand soutien.

J'étais choisie, je le savais. Le sourire ineffable de la Vierge s'était inscrit sur ses lèvres de silence. Elle m'avait parlé sans paroles, dans un moment secret, presque furtif, perçu de moi seule.

Marie ne pouvait s'empêcher de me questionner. Elle avait perçu le reflet du sourire sur mon visage illuminé de joie. Elle avait vu briller les deux grosses larmes qui s'étaient échappées de mes yeux lorsque le sourire s'était effacé. Elle sentait qu'une merveille m'avait effleurée, voulait la connaître.

Il me paraissait cruel et égoïste de continuer à garder mon secret, puisque c'était elle qui s'était jetée aux pieds de la Vierge pour implorer ma vie.

Je cédai, et par mon récit, Marie reçut à son tour le reflet de la grâce. Désormais, l'histoire du sourire l'accompagnait. Elle voulut en parler à Pauline. Quel mal cela pourrait-il faire? Le Carmel était le lieu des célébrations extasiées, et on m'avait appris à partager. Pauline, rongée de me savoir malade loin d'elle et par sa faute, en serait soulagée. Je ne pouvais rien refuser à Pauline.

## Partage du sourire

Je vis Pauline revêtue de son habit de carmélite ainsi que mère Marie de Gonzague, à qui j'avais confié ma vocation précoce. Elles trouvaient dans ce qui m'était arrivé une confirmation. Je ne pus dire à ces carmélites habituées au silence et qui soudain me pressaient de questions que je devais me taire. Elles voulaient savoir si, quand la Vierge m'avait souri, elle portait Jésus. Mais sur le moment, l'enfant ç'avait été moi. Les mains ouvertes de la Vierge avaient paru m'accueillir. Le sourire était pour moi seule.

Quand je sortis du Carmel, ce sourire était toujours dans mon cœur. Mes tortures commencèrent peu après. J'avais suscité un intérêt particulier chez les carmélites. On me regardait autrement. J'étais le centre d'une attention passionnée. Il m'était difficile de le supporter. Trop d'importance me rendait malade. Je voulais être une grande sainte, mais dans le secret.

Quoi de plus difficile à raconter qu'un miracle? Les mots le déforment. Il n'a pas été conçu pour cette langue-là. Les scrupules m'envahirent de plus belle. Je pensai que je m'étais trompée. J'avais été malade par faiblesse.

La Vierge avait compris, elle m'avait aidée dans mon impuissance. Elle m'avait souri comme elle avait parlé à ma mère. Elle nous avait indiqué la voie, choisissant l'oreille de ma mère et mes yeux. Mais son sourire m'avait annoncé que Maman n'était pas là-bas, sous terre, mais là-haut, avec elle.

Je n'osais pas encore croire à la nouvelle Thérèse que j'étais devenue.

Ces carmélites volubiles autour de moi m'avaient jetée dans le doute. Si la Vierge m'avait souri alors qu'elle avait parlé à ma mère, c'est parce qu'elle me vouait au silence. En racontant, j'avais rompu ce silence. Désormais je devrais être la plus carmélite des carmélites, plus cachée que la plus cloîtrée. Ma gloire serait l'envers de la gloire. Je ferais de l'ombre avec la lumière, et de la lumière avec l'ombre.

En étant malade, j'avais attiré l'attention sur moi. Je voulais être aimée. Désormais je devrais apprendre à aimer. On ne saurait jamais aimer Jésus assez, car lui-même a tout donné. Il est pur amour. Avec lui, on ne peut pas se sentir coupable sur le terrain de l'amour.

Je réfléchissais à ce que j'avais fait, à ce que j'allais faire. Lorsque la Vierge m'avait souri, je l'avais trouvée belle, mais je m'étais sentie belle moi aussi. Comme lorsqu'à Trouville j'avais vu la mer. J'avais peur de cette beauté.

Je commençais à quitter la vie ordinaire, et c'était un déchirement.

## La tombe de Maman

Pendant que j'étais malade, le 8 avril, la mère de Papa était morte. Encore une qui disparaissait. Ma famille me l'avait caché sur le moment, mais peut-être que quelque chose en moi avait senti cette mort à distance.

L'été s'achevait déjà. Avant de me laisser reprendre l'école, on voulut s'assurer de ma guérison en me proposant une période transitoire. Papa devait se rendre à Alençon pour régler la succession de sa mère. Je l'accompagnai. J'irais me recueillir sur la tombe de Maman qui était morte presque à la même période. Papa s'inquiétait de ma réaction, mais j'avais surmonté le pire. La tombe de Maman, celles d'Hélène et des petits frères reposaient dans les brumes lointaines de l'enfance. Je me souvenais que Maman avait parcouru ces allées, qu'elle y avait souffert. Mais ma vie était déjà ailleurs.

Deux amies, Mlle Tifenne et Mlle Romet, m'emmenèrent ensuite en visites. Nous avions des connaissances à Saint-Denis-sur-Sarthon, à Grogny, au manoir de Lanchal, et je revis la minuscule chaumière de Semallé.

Je fus fêtée et gâtée. A dix ans et demi, j'avais l'air d'une jeune fille. La maladie m'avait mûrie. Je fis de longues marches à travers la campagne, retrouvai les paysages d'autrefois. Je montai même à cheval en amazone. Je m'entendais mieux avec les jeunes filles, plus pensives, plus réfléchies, qu'avec les petites filles trop turbulentes. Je paraissais très normale, très bien élevée. On me complimentait pour mon teint de porcelaine et mes yeux gris-vert. Le monde me souriait, j'étais peut-être faite pour lui. Pour la première fois depuis très longtemps, je coïncidais avec les choses.

Cela ne dura pas. L'illusion passa. Jésus avait voulu tout me montrer pour que je puisse vraiment choisir.

## *Dans mon lit*

Je repris l'école à l'Abbaye en octobre, en seconde division de la classe violette, afin de préparer ma communion. Je discutais toujours doctrine avec l'abbé, Pauline m'écrivait chaque semaine et rédigea pour moi un livre de prières et de sacrifices, Marie me suggéra des lectures.

Le matin, il m'arrivait de rester longtemps dans mon lit avant de me lever. Je goûtais cet état entre le sommeil et la veille. Je laissais vagabonder mon esprit. Il ne s'agissait pas de paresse, mais d'oraison ou de méditation. Cet état de rêve éveillé me ramenait toujours à Jésus. La Vierge en me souriant m'avait définitivement poussée en direction de son fils. C'était lui, le fiancé qu'elle avait préparé pour moi.

C'est dans mon lit que je trouvai mon nouveau nom. Au Carmel, les sœurs m'appelaient Térésita de Jésus.

Thérèse d'Avila avait choisi la grandeur. Je savais qu'on peut trouver l'éternité aussi bien dans l'infiniment petit que dans l'infiniment grand. Je m'appellerais, moi, Thérèse de l'Enfant-Jésus. C'était la petitesse que je cherchais en Jésus, il y avait là le mot enfant. Et lorsque la Vierge m'avait tendu les bras, c'était comme si elle m'avait prise moi aussi pour son enfant.

Lorsque je me rendis à nouveau au Carmel pour visiter Pauline, la Mère supérieure, sans savoir mon choix, me donna elle aussi ce nom de Thérèse de l'Enfant-Jésus. Je me dis que Jésus avait mis ce nom dans mes pensées comme dans celles de la Mère supérieure. Il pensait à moi et voulait que je pense toujours à lui. C'est pour cela qu'il venait le matin dans mon lit.

La petitesse serait ma grandeur.

## *Le renoncement*

Marie me suggéra, pour préparer ma première communion, de méditer une page sur le renoncement que le père Pichon lui avait indiquée. Ce texte difficile m'angoissa. Mais je voulais abandonner ce plaisir que j'avais pris à être fêtée et admirée.

Le plaisir ne dure pas. Il peut vous échapper à tout moment. La mort tranche. J'étais fascinée par la mort. Je demeurerais toujours avec elle alors même que j'étais dans la vie. C'était le seul compromis dont je fusse capable.

Je renonçai à mon corps. Il n'y aurait plus qu'un seul corps, le corps glorieux du Christ.

Papa était mon roi, j'étais sa reine. J'aurais dû être seulement sa princesse, mais il n'y avait plus de Maman. Nous nous aimions trop, d'une façon idéale. Je ne pourrais pas devenir une femme dans la maison de cet homme. J'en aimerais un autre, je le quitterais, j'aimerais le Père au-dessus du père. J'aimerais Celui qui n'avait plus de corps terrestre. Quand Il venait me retrouver dans mon lit, personne n'y trouvait à redire.

Pauline avait préparé Céline pour sa communion en la tenant sur ses genoux. Je me consolais en caressant le velours bleu du carnet qu'elle m'avait confectionné. A la date du 1er mars, les fleurs choisies étaient les roses blanches. J'avais fait ce jour-là vingt-quatre sacrifices et répété cinquante fois «mon petit Jésus je vous aime». J'avais compris que les livres sont une manière d'être là quand on n'y est pas, l'ombre rêvée d'une présence.

Marie prit comme toujours le relais. Chaque soir elle me tenait sur ses genoux, je l'écoutais et buvais ses paroles aussi avidement que si j'avais bu son cœur.

Elle m'apprenait la fidélité aux petites choses. Je voulais cette sainteté d'une enfance toujours préservée et du regard en arrière. J'appris à renoncer avec délices. Je goûtai les plaisirs nouveaux du presque rien et du pas grand-chose. Je vis la force indestructible qui consiste à trouver le très grand dans le très petit. Si Dieu est dans un grain de poussière, alors on sera toujours riche.

Mon lit était devenu le royaume de mes pensées. La maladie m'avait appris le travail de la tête dans les draps immaculés. Ce lit était situé dans une alcôve garnie de rideaux blancs. Je me glissais dans l'espace étroit entre le matelas et le mur. Je m'y étais fait un espace de méditation. Je tirais les rideaux. J'étais isolée du monde, comme les enfants qui se cachent sous les meubles. Les pensées qui me venaient m'étaient envoyées par le Bon Dieu. Moins on me voyait, plus je Lui étais visible. Il m'avait repérée. Il était mon professeur et m'instruisait.

Au bout de trois mois de préparation, je fis retraite à l'Abbaye. Les maîtresses s'occupèrent gentiment de moi. Je parvins à m'endormir en pensant que Céline avait couché avant moi dans ce dortoir.

Comme un grand bébé, j'avais encore l'habitude qu'on me fasse ma toilette. Les autres filles se moquaient.

J'étais incapable de me coiffer seule. Les maîtresses me tiraient les cheveux dans leur hâte. Léonie m'avait offert un grand crucifix de cuivre. Je le passais dans ma ceinture comme les missionnaires. Les sœurs pensaient que j'imitais Pauline. Elles avaient raison. Pour la première fois j'étais sans cesse avec des religieuses, et malgré mon appréhension, je voyais comme j'en serais heureuse plus tard.

Pourtant celles-ci s'inquiétaient. Elles trouvaient que je toussais beaucoup. Les migraines non plus ne me quittaient pas. Je me sentis mieux après ma confession générale. Mon visage était inondé de larmes de joie. Je ne pouvais plus parler. Je fixais une image pieuse que Pauline m'avait envoyée. Elle représentait Jésus en prison derrière des barreaux. Entre les pierres du mur, sous sa fenêtre, une plante sauvage avait poussé, qui le réconfortait. « Je serai, mon Jésus, votre petite fleur », disait la légende. Et je décidai de devenir la petite fleur sauvage du Rédempteur.

Dans l'aube les robes des communiantes étaient semblables à des flocons de neige. Les baisers échangés étaient eux aussi comme des flocons, frais, éphémères. Dans ce monde tout blanc de filles ensemble j'évoluais comme dans un rêve. Je portais une robe de mousseline garnie d'un ruban crème avec une aumônière de reps et un chapelet aux grains de nacre. Dans ma main, un missel d'ivoire. Le M de Martin s'y confondait avec la croix ornée d'un cœur. Pour la première fois, je vis que l'initiale de mon prénom, le T, ressemblait à une croix. T c'était la croix, et M l'amour.

J'étais pleine d'appréhension en entrant dans l'église. Jeanne Raoul et Félicie Malling, mes deux meilleures camarades, me firent un signe d'encouragement.

## Premier baiser

Ce jour-là Jésus m'embrassa pour la première fois. Je lui dis que je l'aimais. Lui n'avait pas besoin de me le dire, je le sentais. Jusque-là j'avais connu avec Lui les fiançailles des regards. Maintenant je me trouvais perdue dans Jésus immense comme une goutte d'eau dans la mer. Je n'étais plus que cette larme transparente, je n'étais plus moi puisque j'étais en Lui. Je n'étais plus libre puisque je m'étais donnée pour toujours. La liberté n'est que solitude, je ne serais plus jamais seule.

J'avais retrouvé cette fusion des origines qu'on passe sa vie à chercher. Je savais ce que le mot de communion voulait dire. C'est l'union dans une même foi et la réception du sacrement de l'Eucharistie, c'est-à-dire le corps, le sang, l'âme et la divinité de Jésus.

Mes camarades, me voyant pleurer, crurent que j'avais de la peine à cause de la perte de Maman, mais au contraire j'avais tout reçu.

L'après-midi, je fus choisie pour prononcer l'acte de consécration à la Sainte Vierge. «O Marie, conçue sans péché... O ma mère... Ma force... Mon espérance... Mon secours... Renfermez-moi dans votre cœur immaculé avec le trésor que je porte dans mon âme... Que votre cœur soit la

forteresse imprenable où j'habite tous les jours de ma vie...
Que rien au monde ne puisse m'en arracher...»

Je me jetai en pensées dans les bras de la Vierge, qui venait de me donner son fils Jésus.

Ensuite, j'allai voir Pauline. Elle avait fait profession le matin même. Sa tête était couverte d'un voile blanc couronné de roses. Elle était désormais sœur Agnès. Je trouvai merveilleux que nous fussions ainsi toutes les deux de blanc vêtues et voilées. Mais quelques jours plus tard, elle échangerait pour toujours son voile blanc contre un voile noir.

Nous nous ressemblions plus que jamais, mais Pauline était désormais l'épouse de Jésus, alors que je n'en étais que la petite fiancée. Jésus est le seul, mais son cœur est immense.

Le soir, il y eut une belle fête. Nous dînâmes en famille et on m'offrit des cadeaux. Je reçus de Papa une montre d'argent entourée d'une guirlande de fleurs ciselée, et une jolie robe. J'étais heureuse mais les larmes continuaient à ruisseler sur mes joues. Marie, craignant que je ne pleure la nuit entière dans mon lit et retombe à nouveau malade, me prit avec elle. Le lendemain fut comme un lendemain de Noël. J'étais très gâtée, mais inexplicablement triste.

Par la suite, je communiai à toutes les messes. Le rendez-vous avec Jésus me faisait chaque fois pleurer de bonheur. Seul Le recevoir existait, Il me comblait. Je n'aurais plus besoin de rien, mais j'aurais toujours besoin de Lui.

Aux Buissonnets, du haut de ma colline, j'étais la princesse dans la tour et je L'attendais, mon fiancé étincelant, mon Roi de gloire, celui qui me ferait vraiment reine.

## Mourir d'amour

A chaque fête je communiais, à chaque fête Il m'embrassait. Comme Thérèse d'Avila, la grande Thérèse, je voulais L'aimer jusqu'à en mourir. Mon fiancé n'était quand même pas un homme comme les autres. Il voulait bien venir me visiter de temps en temps mais j'en désirais toujours davantage. Pour L'avoir tout à moi, je devrais passer la frontière, changer de pays. Mes camarades m'entendirent souhaiter la mort et s'en effrayèrent.

J'avais souffert autrefois de me sentir différente. Maintenant, cette différence, je la choisissais. Elles ne pouvaient pas comprendre où j'allais. Elles voulaient une religion sage, un catéchisme de belles images. Est-ce qu'on ne meurt pas toujours quand on aime, pour renaître à autre chose?

Je n'étais pas faite pour l'amitié. J'avais bien essayé d'avoir des amies, mais j'étais toujours déçue. Je donnais trop, elles pas assez. Je refusais que les choses s'arrêtent, je voulais l'infini de l'azur.

Autour de moi des jeunes filles se fiançaient. Je les regardais pour voir comment il fallait s'y prendre. Les jeunes gens tournaient autour d'elles en faisant les jolis cœurs. Je me dis: «C'est comme l'amitié, c'est du "à moitié"...»

Si je me laissais aimer ainsi, je serais toujours déçue, et je risquerais de courir d'homme en homme sans jamais trouver à me satisfaire. Mieux valait renoncer d'emblée.

Je n'avais pas de temps à perdre. On rejette ceux qui sont différents, je cacherais ma différence. Je serais pour Dieu sa princesse d'obscurité. Je grandirais comme les fleurs, dans le crépuscule de l'hiver, se préparent à recevoir la lumière du printemps. Je serais patiente.

J'avais aimé qu'on m'aime et qu'on me complimente. J'avais compris, en expliquant le sourire de la Vierge aux carmélites, qu'à baigner trop tôt dans le soleil de l'attention je perdrais quelque chose de mes couleurs. Je n'arrivais pas à expliquer à mes compagnes ce qui m'éloignait d'elles. Plus tard, j'écrirais mon âme pour que le monde entende ce que je n'avais pu dire à quelques personnes.

J'expliquerais pourquoi je n'étais pas faite pour un amour terrestre, pour m'épuiser dans une quête qui me laisserait toujours affamée. Je ne m'aigrirais pas en m'égarant dans le malaise. Je n'accepterais pas la reproduction, j'irais à l'original. Je vivrais pour mourir là où ma mère était morte d'avoir vécu.

Ce que je cherchais était très haut et je ne l'atteindrais pas sans souffrir. Mon esprit apprendrait à aimer la souffrance, comme le corps de l'athlète en vue de l'exploit. Je devrais contempler l'horreur, elle était sans fond. Je n'en aurais jamais assez.

## La confirmation

La confirmation se préparait par un jour de retraite. Le lendemain Mgr Hughonin ne put venir. Nous eûmes donc un deuxième jour de retraite. J'attendais dans la joie ce samedi 14 juin 1884. Je regardais un triptyque de carton illustré offert par Léonie. Sur le volet de droite était imprimé le texte de ma consécration à Marie.

Je cueillis des brassées de marguerites pour les offrir à Dieu. J'attendais la croix que l'évêque tracerait sur mon front. Dorénavant j'aurais toujours sur ma peau cette croix invisible comme l'Esprit lui-même et qui marquait sa descente en moi. J'avais attendu un grand vent, je ne sentis qu'une brise. Je découvrais toujours que Dieu était différent de ce qu'on m'apprenait ou de ce que j'avais cru. L'Esprit est une rencontre originale pour chacun. Pour moi, il était frais et léger.

Pendant la cérémonie, Léonie pleura. Elle me servait de marraine. Peut-être pressentait-elle, elle si instinctive, ce que j'allais subir. Les pleurs ne m'effrayaient plus. J'écrivis sur une image: «Souffrir passe; avoir bien souffert demeure éternellement.»

Je ne voulais plus faire semblant. Lors de mon retour à l'Abbaye je décidai de consacrer mes récréations à apprendre le catéchisme. J'étais maintenant très bonne élève, surtout en style. Les sœurs me trouvaient très intelligente. Cela me rassurait parce que dans la maison de mon oncle on me trouvait trop simple et ma gaucherie choquait. J'étais inadaptée, je ne me conformais pas à ce qu'on attendait de moi. Y parvenir eût gaspillé une énergie dont j'avais besoin pour d'autres buts.

Même ma sœur Marie, parfois, ne me comprenait pas. Céline prenait des cours de dessin avec Mlle Godard, elle était manifestement douée. J'assistais à ces leçons avec envie comme autrefois lorsque Marie lui apprenait à lire. Papa, voyant cela, avait proposé de m'en payer aussi. Marie fit observer sarcastiquement que je n'en étais pas capable. Elle en avait déjà assez d'encadrer les efforts de Céline qui encombraient les murs. Je ne dis rien mais j'en eus beaucoup de peine. Plus tard, Céline proposa de partager son savoir avec moi. J'appris effectivement à dessiner. Je n'avais guère de talent, mais j'y trouvai quand même bien du plaisir. Je dessinai la mer lorsque nous allâmes en vacances chez ma tante, à Deauville cette fois, dans la villa Rose qu'elle avait louée quai de la Touques avec sa tourelle et son pignon découpé. Je peignis dans une coquille d'huître le cœur sanglant de Jésus ceint d'épines comme un soleil prêt à s'engloutir dans la mer. Je fis le tableau d'une petite fille perchée sur un rocher et qui tendait le bras vers ce cœur rougeoyant.

Dessiner représenta un premier mode d'expression. Plus tard je repeindrais au Carmel la robe rose et or de l'enfant Jésus.

Je préférais alors m'exprimer ainsi visuellement. Je n'avais pas encore trouvé ma langue à moi qui serait le silence très sonore de l'écrit.

## Mme Papineau

J'avais treize ans lorsque Céline termina ses études à l'Abbaye. Ma cousine Marie n'y allait plus. Je ne pus supporter d'y rester seule. Les migraines avaient encore empiré et je manquais trop souvent. Papa décida que j'irais prendre des leçons chez Mme Papineau, une connaissance de mon oncle qui habitait place Saint-Pierre.

Je continuerais pourtant à me rendre à l'Abbaye deux fois par semaine, car je voulais être Enfant de Marie. Je le devins finalement le 31 mai 1887.

Ces après-midi me furent très pénibles car comme je ne suivais pas leurs leçons le reste de la semaine, les maîtresses m'ignoraient. Elles parlaient avec les autres élèves et me répondaient à peine. Alors, je montais à la tribune de la chapelle. Je restais l'après-midi en prière devant le saint sacrement. Personne ne s'apercevait que j'avais disparu. J'attendais l'heure où Papa viendrait me chercher et où je serais libérée. Je n'avais plus qu'un ami : Jésus.

Mme Papineau vivait avec sa mère et une chatte dans un appartement encombré de bibelots. Ce curieux ménage de «filles» entre elles me rassurait et m'amusait à la fois. La chatte était quasiment l'être le plus important de la maison. C'était une vieille bête très gâtée. On commentait avec componction ses faits et gestes.

Mme Papineau me semblait très âgée mais elle ne devait pas l'être tant que cela puisque sa mère vivait encore. Il y avait d'antiques meubles et beaucoup de livres.

Mme Papineau vivait hors du temps mais pas du monde. Elle recevait beaucoup de visites et souvent des gens passaient la voir lorsque j'étais là. Cette ambiance de caquetages m'étourdissait quelque peu.

Ma présence était leur dernier souci. Mme Papineau me donnait un exercice à faire pendant ce temps, ou bien elle continuait sa leçon pendant que sa mère et la chatte tenaient salon. Mais seule une moitié d'elle-même était alors à la leçon. L'autre s'interrompait brusquement afin de mettre son grain de sel dans la conversation qui se déroulait deux fauteuils plus loin.

Je penchais le nez sur mon cahier, j'étais comme au théâtre. Sans en avoir l'air et un peu malgré moi j'entendais des potins si étranges qu'ils me paraissaient exotiques et pour tout avouer fort intéressants. Par moments on m'observait. Je prêtais attention mine de rien. On me trouvait très jolie, on louait mes cheveux blonds. Je replongeais dans mes livres.

Je humais le monde. Son odeur n'était pas déplaisante. Je sentais, comme lors du voyage à Alençon, que j'aurais pu y prendre goût. Si j'avais trouvé une seule personne qui m'eût vraiment accueillie et comprise, est-ce que j'aurais eu le courage de chercher Dieu?

Ma décision était prise. J'étais comme sur un bateau qui vient de quitter la rive et qui s'éloigne lentement du bord. J'apercevais le spectacle qui se déroulait au loin avec une certaine nostalgie, mais j'en étais absente.

Lorsque nous retournâmes passer quinze jours à la villa Rose, je perçus, lors de nos promenades à âne et nos parties de pêche à l'équille, des commentaires flatteurs qui me concernaient. Sur la plage, j'étais la jeune fille aux rubans bleus, on m'appelait aussi «la grande Anglaise» à cause de ma peau très claire et de mes cheveux blonds. Je marchais sur le sable, mes pieds nus s'enfonçaient légèrement dans l'eau, et je les trouvais effectivement très jolis. Puis je relevais la tête et je voyais à nouveau les rayons sanglants du couchant qui me rappelaient le cœur saignant de Jésus. Je craignais de tomber dans la vanité de plaire, et je préférais rester cette fillette triste et un peu boudeuse. Je ne voulais pas me servir de ce charme qui émanait de moi pour atteindre les autres. C'était trop tard. Tout ce qui me rapprocherait des êtres désormais m'éloignerait de Jésus.

Cet été-là, mon père me trahit. Son goût pour les voyages de piété l'avait repris. Il partit presque deux mois en compagnie du vicaire de Saint-Jacques, l'abbé Marie. Ils traversèrent l'Europe centrale jusqu'à Constantinople, en revenant par la Grèce et l'Italie. Ils pensaient aller jusqu'à Jérusalem mais finalement ils s'arrêtèrent avant. Peut-être Papa avait-il senti qu'il devait rentrer. Je comprenais qu'il eût le goût des pèlerinages, qu'il retrouvât un peu de la vie de célibataire, mais je n'admettais pas qu'il voulût nous quitter. Je l'imaginais perdu dans des pays lointains et dangereux. Il ne reviendrait pas. Cela gâcha mes vacances et me fragilisa à nouveau. Lorsqu'il rentra je craignis de quitter la maison. Le voyage de l'Abbaye me parut un exil intolérable, même les leçons chez Mme Papineau me devinrent pénibles.

L'été de mes treize ans, lorsque ma tante me réinvita, je ne voulus pas y retourner. Elle avait beau me promettre d'autres jolis rubans pour attacher mes cheveux dans le vent marin, Trouville pour moi sentait l'abandon.

## Le départ de Marie

On me persuada et finalement je revins à Trouville. J'avais bien senti qu'on m'abandonnerait et une fois de plus je ne m'étais pas trompée. Nous étions au mois d'août 1886. J'appris que ma sœur Marie allait suivre Pauline au Carmel. Elle partirait en octobre. Elle pensait que Céline était maintenant assez grande pour la remplacer auprès de Papa, à la tête de la maison.

J'étais sans mon père et sans Marie. Je ne supportai pas le séjour et tombai malade. Je dus rentrer au bout de quelques jours. A peine étais-je revenue dans mon univers familier près des êtres chers que je me rétablis. Tom, l'épagneul blanc et roux, sautait autour de moi et me faisait fête. Il était arrivé chez nous le 26 juin 1884 et était devenu un membre important de la maisonnée. Il me regardait avec ses bons yeux fidèles, son nez blanc levé, et sa truffe noire et luisante qui frémissait. Je faisais avec lui de longues promenades.

Dès mon retour je montai me réfugier dans mon retiro à moi. C'était l'une des mansardes du deuxième étage, situées de part et d'autre du Belvédère de Papa. Cette petite pièce avait été l'atelier de peinture de Pauline. Je l'avais à mon tour annexée. Il y flottait quelque chose de ma sœur.

La chambre donnait en plein ciel. En se penchant par la petite fenêtre au pignon pointu, on avait une vue magnifique sur la vallée.

J'y avais logé mes oiseaux. J'en avais maintenant beaucoup, car on m'en offrait pour me faire plaisir. Sentant le ciel tout proche, ils chantaient éperdument. J'étais comme eux dans une jolie cage, attendant le moment où la porte s'ouvrirait et où je pourrais moi aussi rejoindre le ciel.

Dans cette chambre, j'avais installé mon paradis sur terre. Devant la fenêtre, j'avais disposé des jardinières qui faisaient un petit jardin suspendu. A l'intérieur je cultivais encore des fleurs et des herbes rares dans un panier garni de rubans roses. Au mur, une grande croix de bois noir, et un portrait de Pauline à dix ans. Un petit meuble blanc contenait mes livres et mes cahiers, et soutenait une statue de la Vierge. Au pied de cette statue, je disposais des fleurs cueillies dans le jardin, et le soir j'y allumais deux bougies dans leurs chandeliers d'étain. J'avais aussi plusieurs petites statues de saints et de saintes, des souvenirs de vacances fabriqués avec des coquillages et de petits bristols découpés que Pauline réalisait pour moi. Et puis des jeux de société, un loto de fables de La Fontaine joliment illustré.

Près de la fenêtre se trouvait mon bureau garni d'un tapis vert avec mon encrier, mon sablier offert par Pauline, une statue de saint Joseph et encore des fleurs. Cette chambre me représentait tout entière. Chaque objet y était chargé de mémoire, d'affection et de symboles. Poésie et piété, rêves d'envol, il contenait tout cela. J'y ai passé des heures apaisées, regardant par la fenêtre les nuages et les fleurs, écoutant chanter les oiseaux, écrivant un poème, observant l'écoulement infime du temps à travers le verre du sablier. Mon père était à côté tout près, et Marie en bas, vaquant à la marche de la maison. Dieu était dans son ciel et tout était bien.

Mais Marie partait !

# Malentendus

Son grand attachement pour Papa l'avait fait hésiter mais finalement elle s'était décidée en juin. Il me restait quelques mois pour parvenir à me détacher d'elle, comme je n'avais pas su le faire pour Pauline. De toute façon je ne l'aimais pas autant. Je l'avais choisie parce qu'il n'y avait plus qu'elle. Elle m'avait sauvée par sa prière à la Vierge, mais son amour pour moi tenait du devoir plus que de l'élan. Et mon amour pour elle ne venait que du besoin.

Pourtant, Marie partie, je ne me laisserais pas à nouveau mourir. En revanche, pour Papa le départ de ma sœur aînée serait un choc terrible. Il avait pris l'habitude de se reposer sur elle comme autrefois sur Maman. Elle régentait la maison d'une main ferme et légère. Grâce à elle, Papa pouvait s'absorber dans ses rêves, ses pensées et ses prières.

Notre petite communauté de femmes, pressées frileusement, comme des brebis, autour de mon père le berger, s'effilochait. Chez mon oncle, Loulou était de plus en plus souvent malade et gardait la chambre. Ma cousine Jeanne plaisait aux jeunes gens et cherchait un fiancé : elle aussi, elle partirait.

Lors de mes leçons chez Mme Papineau, j'entendais parler de mariages. On chuchotait qu'une telle avait un admirateur... Un autre avait vu ses espoirs déçus... Tel jeune homme s'était très bien placé... On regardait dans ma direction, on parlait plus bas : « Et celle-ci ? » « Elle est très pieuse... » « Mais si jolie... Une sœur est au Carmel, l'autre va partir, elle se mariera... Le père ne laissera pas filer toutes ses filles... » « Il doit se sentir encombré de tant de jupons, pas étonnant qu'il aille en pèlerinage... Quand même, il devrait rester pour les surveiller... » « La tante s'en occupe, c'est une femme très bien... » « Mais elle a déjà deux filles... »

Toujours les mauvaises langues allaient bon train. Une commère, sur le seuil de la pharmacie de mon oncle, disait à une autre : « On raconte qu'ils ne se sont pas embêtés, le père Martin et l'abbé Marie, sur la route de Constantinople... Les meilleurs hôtels, les restaurants les plus renommés... C'était plutôt du tourisme qu'autre chose, si vous voulez mon avis... Les pèlerinages ont bon dos... »

Je faillis me précipiter pour défendre Papa, mais comme d'habitude les paroles me restèrent au fond de la gorge. J'en voulais à Papa mais je comprenais son goût pour les beaux endroits dont il parlait si bien dans ses lettres. Il avait été émerveillé par les fresques de Pompéi, par la dentelle grandiose de la cathédrale de Milan, par le Parthénon. Il avait retrouvé une passion de jeunesse pour l'architecture, c'était comme l'horlogerie en plus grand. D'une certaine façon les commères avaient raison, sa vie n'était pas très gaie. Toutes ces femmes qui dépendaient de lui lui pesaient sans doute un peu. L'âge venant, il était comme Maman. Sa vocation première lui revenait, avec des regrets. Je me reprochai d'être encombrante, je lui en parlai. «Mais non, toi aussi un jour tu voyageras, ma petite reine, je te le promets...»

Ces pensées m'attristaient. Le même voile noir semblait obscurcir le monde que lorsqu'il était absent. Je me disais : «Pourquoi suis-je là ?» «Pour Jésus.» C'était la seule réponse. «Si je disparaissais, qui s'en plaindrait ?» «Pas Jésus, Il m'aurait toute à lui.» Je me reprenais : «Moi, je L'aurais tout à moi.»

On disait encore, dans le salon de mon oncle, que le père Pichon n'aurait pas dû autoriser Marie à partir. Une fille qui va à Dieu, c'est assez dans une famille. «Le père est coupable, l'Église aussi.» Je me taisais. Ces braves gens se rendaient le dimanche à la messe, mais Dieu n'était rien pour eux. Ils allaient à l'église comme à l'épicerie. Je voyais que mon oncle était gêné, il défendait Papa faiblement. Je m'efforçais de ne pas juger. Mais en entendant cela, j'avais envie de partir.

Je n'étais plus vraiment chez moi nulle part. Je m'appliquais à mes leçons, mais Mme Papineau sentait que le cœur n'y était pas. Elle insistait : «Il faut aller jusqu'au brevet supérieur, comme votre sœur Céline. Vous êtes capable ! Vous ne voudriez pas qu'on dise que vous avez quitté l'Abbaye parce que vous ne pouviez pas apprendre... Une jeune fille de nos jours doit avoir de l'instruction, c'est important pour faire un bon mariage...» Je me fichais bien de cette instruction qui sert à briller dans les salons. Le monde entier devenait mon école. Je voyais qu'on trouve partout à apprendre si on fait bien attention. Aux yeux des gens un vernis suffisait, assez pour apprendre à lire aux enfants que je devrais concevoir plus tard. Il me fallait plus de profondeur. Je savais où creuser.

Je me détachais de tout. C'est ce que j'avais souhaité mais c'était triste. Maintenant, même les Buissonnets me pesaient. Cette maison que j'avais tant aimée était le lieu du départ prochain de Marie. Je me penchais à la lucarne du deuxième étage, avec sa garniture découpée qui ressemblait à une maison de pain d'épices.

L'enchantement était rompu. Mon bazar d'objets, de plantes et d'animaux si soigneusement assemblé était un petit univers de contes de fées protégé du vaste univers si dangereux. Il n'avait plus de sens. Quand on quitte tout, rien ni personne ne peut plus vous manquer.

## Les fleurs oubliées

Contrairement à ce qui se racontait en ville, Papa ne se résignait pas de gaieté de cœur au départ de Marie. Si Pauline avait été sa perle fine, Marie était son diamant. Il fondait devant Céline mais admirait son aînée. Elle était longtemps restée très indépendante, insoumise. Il l'appelait aussi sa bohémienne. Son souhait secret était sans doute de la garder. Il était fréquent qu'une fille se sacrifie pour se dévouer à ses vieux parents, pourquoi pas elle ? Elle régnait aux Buissonnets. Mais il connaissait assez son entêtement pour savoir que sa décision était ferme.

Nous retournâmes à Alençon. Marie pourrait s'y recueillir une dernière fois sur la tombe de Maman et dire adieu aux lieux de son enfance. Le précédent séjour avait été doux. J'avais revu nos amis qui m'avaient fêtée. Mais le départ imminent de Marie assombrissait tout. Je n'avais plus rien à attendre de mon ancienne ville.

En arrivant devant la tombe, je m'aperçus que j'avais oublié un bouquet de bleuets que j'avais pourtant soigneusement préparé pour l'y déposer. Je pleurai amèrement. Est-ce que j'en voulais à Maman d'être morte, au moment où Marie allait partir ? Mes sanglots étaient si profonds qu'ils semblaient remonter du fond d'une tombe, une tombe qui aurait été mon cœur.

Je n'eus pas tant de succès que la fois précédente auprès de nos connaissances d'Alençon. Je ne voulais pas retomber dans l'ivresse d'être admirée qui m'avait envahie auparavant. Je travaillais beaucoup intérieurement pour me dominer afin d'échapper aux passions et de devenir maîtresse de mes actions, mais le résultat ne se voyait pas encore. Je n'en étais pas à agir, je ne faisais que renoncer à mes désirs. On voyait que je ne demandais rien, que je ne voulais rien, que je ne m'intéressais à rien et on en conclut que j'étais faible d'esprit. Le souvenir de ma maladie, l'arrêt de mes études à l'Abbaye, les difficultés de Léonie renforçaient cette impression. On me regardait avec commisération. On parlait derrière mon dos, selon les habitudes des petites villes où les distractions manquent. On disait que le sort s'acharnait sur les Martin. C'était une famille bizarre : le père la tête dans les nuages, la mère morbide, ces enfants morts, et maintenant ces filles qui entraient en religion l'une après l'autre, et la petite Thérèse qui ne semblait pas avoir toute sa tête, quelle pitié...

Je ne songeais qu'à quitter Alençon pour rentrer aux Buissonnets, bien que je sache que je n'en tirerais aucun réconfort. Car Léonie elle aussi était partie. C'était vrai que les filles Martin s'en allaient les unes après les autres. Elle s'était décidée très brusquement pendant ce séjour. Elle était allée chez les clarisses, là où Papa portait autrefois son poisson, avait vu la mère abbesse. Celle-ci l'avait immédiatement acceptée à l'essai. Le 7 octobre, elle revêtirait l'habit de postulante.

Ma mère aussi se rendait souvent autrefois chez ces clarisses de la rue de la Demi-Lune, les plus pauvres des religieuses. Peut-être cette pauvreté convainquit-elle Léonie qu'elle avait là sa place, elle qu'on disait simplette. C'était une façon de retrouver quelque chose de Maman et aussi de sœur Marie Dosithée qu'elle avait tant admirée et qui avait voulu devenir clarisse. Ainsi elle pensait prouver à Maman, au-delà de la tombe, qu'elle réussissait quand même à lui faire honneur. Et il fallait ajouter à tout cela la peur de rentrer aux Buissonnets dans la maison qui se vidait. Elle y aurait été l'aînée désormais, aurait dû remplacer Marie à la tête du ménage. Elle ne s'en sentait pas capable et prenait donc sa place autrement, en entrant au couvent.

Marie accepta d'ailleurs très mal ce départ qu'elle vit

comme un caprice, une lubie, une manière d'attirer l'attention. Moi, j'avais de la peine de la laisser à Alençon. C'était un déchirement de plus. Mais je l'enviais d'avoir réussi si témérairement ce que je désirais.

La mère abbesse avait pris sa vocation très au sérieux. Léonie lui avait fait bonne impression. Papa s'amusait plutôt, avec son indulgence coutumière, de ce coup de culot.

A sa demande, il la conduisit au couvent. Losque nous allâmes la voir, Léonie nous dit de bien regarder ses yeux. Nous les voyions pour la dernière fois. Les clarisses vont toujours les yeux baissés. Profondément enfoncées dans ses orbites, ses prunelles étaient en feu. Nous restâmes longtemps à la contempler. Elle soutint notre regard et finalement elle baissa les yeux. C'était fini, nous partîmes.

Papa avait sans marchander accordé à ses enfants ce qui lui avait été refusé. Mais connaissant Léonie et ses difficultés de caractère, il avait des doutes. Quand nous revînmes à Lisieux, mon oncle fut très mécontent de la nouvelle. Comme Marie, il n'y croyait pas et prédit que, dans une semaine au plus tard, la postulante retrouverait le bercail.

## Le père Pichon

Marie entra au Carmel le 15 octobre 1886. La maison semblait désormais trop grande, à la fois silencieuse et pleine d'échos. Les dernières semaines, j'avais saisi n'importe quelle occasion de frapper à sa porte, d'entrer dans sa chambre pour recevoir ses derniers baisers, ses ultimes caresses. Maintenant elle ne me friserait plus les cheveux. Une fois de plus Céline et moi nous serrions l'une contre l'autre à la recherche de réconfort comme au temps des petites poules de notre enfance.

Marie n'avait pas pris sa décision seule. Elle y avait été aidée par le père Pichon, son directeur de conscience. Le père Pichon était un jésuite. Marie l'avait rencontré en assistant à une conférence à Lisieux.

Elle souffrait à ce moment-là de la maladie des scrupules. Le père Pichon avait lui aussi naguère pâti de cette tendance terrible et il s'en était guéri en changeant l'image qu'il avait de Dieu. La religion de l'époque instillait la peur. L'idée d'un Dieu vengeur et à l'affût freinait les élans de la foi et induisait des doutes perpétuels sur la conduite à tenir. Le père Pichon avait failli sombrer dans la folie. Soudain, de redoutable, Dieu lui était au contraire apparu comme tout amour. Il suffisait de s'abandonner entre ses bras.

Le père Pichon était extrêmement éloquent. Ce petit homme trapu au front dégarni parlait de façon simple et vivante. Il suscitait quelques réserves parmi la hiérarchie du clergé, car son système ne s'embarrassait pas d'intermédiaires. Il croyait à une foi directe, immédiate. Lors de ma confession générale il conclurait en disant: «Mon enfant, que Notre Seigneur soit toujours votre Supérieur et votre Maître des Novices!»

La rencontre avec le père Pichon avait été pour Marie une révélation. Il l'avait réconciliée avec la vie religieuse, et avec la vie tout simplement. Elle avait compris qu'il n'était pas nécessaire de se torturer autant que notre mère. Jusque-là, ni le mariage ni la vie monastique ne lui étaient apparus comme des issues possibles. Elle avait rebondi entre ces deux pôles sans trouver consolation ni repos. Le père Pichon l'avait sauvée de la rébellion.

Elle n'était pas la seule. Il en avait aidé d'autres et acquis une réputation de sainteté. En octobre 1884, pourtant, il partit au Canada comme missionnaire. Sa liberté d'esprit ferait merveille dans ce pays de pionniers et il y acquerrait une très haute réputation. Il entretiendrait une correspondance, avec Marie d'abord, avec moi ensuite. Il reviendrait en France plusieurs fois. C'était au cours d'un de ces séjours que Marie s'était décidée. Le père Pichon devait prêcher à sa prise d'habit.

Lorsqu'il s'en alla, Marie en souffrit horriblement. Je l'entendais, dans sa chambre, pleurer cet homme sans lequel elle croyait ne pas pouvoir vivre. Que lui restait-il d'autre que le devoir dans toute son aspérité? Mais peu à peu, en correspondant avec le père, ma sœur comprit que l'amour et l'esprit résistent à la distance.

Grâce au soutien des lettres du père Pichon, la foi de Marie s'affirma, s'éleva et se désincarna. Marie, la préférée de Papa, avait besoin de pères comme moi j'avais besoin de mères. Papa était vivant bien qu'à la fois un peu absent et un peu trop présent. Ce n'était pas un père en chair et en os qui lui manquait, mais un père spirituel. La parole de cet homme, son amour désintéressé lui firent trouver sa voie.

Céline et Léonie, elles aussi, avaient eu le père Pichon pour directeur spirituel. Je le rencontrai une première fois en 1882 lorsqu'il nous rendit visite aux Buissonnets. Mais pendant longtemps Marie servit de relais pour me transmettre son enseignement. Elle me disait que, si je souffrais, Dieu me prendrait dans ses bras et me porterait. Elle m'assurait que je n'avais pas besoin d'être parfaite pour être aimée. D'ailleurs, Dieu seul est parfait.

J'avais trouvé à ma première confession un tel bonheur qu'ensuite j'avais eu propension à m'accuser de tous les péchés de la terre. Plus il y en aurait, plus je me confesserais. De fil en aiguille, je m'étais vraiment mise à croire que j'avais commis quantité d'horreurs. Cela me torturait, mais me mettait en contact avec Dieu. Du moins, je le pensais.

Marie me surveillait. Elle me faisait répéter ma confession à l'avance, me disait quels péchés je pouvais vraiment avoir commis, et où m'arrêter. Je croyais toujours avoir mal agi. Je passais et repassais en revue jours et heures, et j'étais envahie par le doute. Cette tendance avait été augmentée, après ma maladie, par le désarroi moral dans lequel cette épreuve m'avait laissée, et par la culpabilité. Il me semblait que j'avais accaparé l'attention de mes proches en les tourmentant. Je m'en voulais de mon désir qu'on me calinât, qu'on m'aimât.

A travers Marie, le père Pichon était la voix qui me disait que j'avais le droit de vouloir être aimée. Par Lui. Mais il me faudrait du temps.

## *Chasteté*

La tendance au scrupule augmenta à nouveau pendant la retraite de seconde communion que j'effectuai au mois de mai 1885. L'abbé Domin m'avait terrifiée en me parlant du péché mortel. Les changements qui se produisaient en mon corps induisirent en moi un trouble que je ne savais pas toujours contrôler. J'étais obsédée par l'idée de chasteté. Il me semblait voir le mal partout, c'est-à-dire le péché de chair. Penser à ces choses était déjà coupable et je ne pouvais pas m'en empêcher. Plus je tentais de m'en garantir, plus j'y pensais et plus j'y pensais, plus je péchais. C'était un cercle vicieux qui m'affolait. Ma sœur m'aida beaucoup. Elle m'incita à me réfugier sous le voile de la toujours pure. Lors de ma réception aux Enfants de Marie, mère Saint-Placide m'offrit une image : deux colombes se regardaient amoureusement, perchées sur un mur qui entourait le cœur flamboyant de la Vierge percé d'une épée. La légende disait : « Cœur de Marie, vous êtes la seule forteresse d'où l'ennemi ne peut nous chasser. » Le Cœur de Marie était aussi une jolie fleur rose et blanche sur une haute tige. Dans la fleur se trouvait une sorte de petit réceptacle dans lequel on aurait pu se nicher bien à l'abri.

A la fin du mois d'octobre 1886, après le départ de Marie pour le Carmel, les scrupules m'assaillirent de plus belle. Ma sœur n'était plus à mes côtés pour me démontrer patiemment que cela n'était pas bien grave et que je valais mieux que je ne le croyais. Je ruminais dans l'ombre, je ne savais plus vers qui me tourner. Alors, puisque tout le monde ici-bas semblait m'abandonner, j'invoquai les petits anges, mes frères et sœurs morts avant ma venue au monde. Ils pourraient m'aider, eux qui avaient souffert mais qui étaient toujours restés purs. A Alençon, je m'étais recueillie sur leurs tombes. Je les suppliai de me guérir et ils m'exaucèrent : la maladie des scrupules me quitta.

J'étais moins seule que je ne le redoutais. Seulement, ce

n'était plus sur terre que je devrais désormais chercher appui. Lorsque j'avais vu les noms des quatre petits anges du ciel gravés sur leurs tombes, il m'avait semblé qu'ils m'appelaient, qu'ils étendaient leurs courtes ailes blanches au-dessus de ma tête pour me protéger.

## Pleurs

Nous étions quatre désormais. Léonie était rentrée de chez les clarisses, non pas au bout d'une semaine comme mon oncle l'avait prédit, mais au bout de deux mois. Elle avait compris que c'était trop tôt, mais n'avait pas renoncé à son espoir de vie monastique.

Il ne restait plus à la maison que deux sœurs plus grandes que moi. J'avais bien des progrès à accomplir. Je ne faisais absolument rien au foyer, mes sœurs se chargeaient de tout. Elles se partageaient le travail. Je ne faisais même pas mon lit. Je couchais désormais avec Céline, et elle s'en chargeait. Mais je ne voulais plus de ces privilèges. Je tentai de faire le lit de temps en temps, et de rentrer les pots de fleurs de Céline à sa place. Elle ne me remercia guère. Soit elle trouvait cela naturel, soit comme bien des ménagères elle n'appréciait pas qu'on touche à sa routine.

J'en pleurnichai. De toute façon je pleurais à tout propos. Cette déplorable habitude exaspérait mon entourage. Si je voyais quelqu'un souffrir, sa douleur me traversait, et je sanglotais par sympathie.

Ma mélancolie passait pour de la sensiblerie ou de l'enfantillage. On ne parlait pas alors de dépression. Pour me consoler, on me disait parfois qu'ayant versé tant de larmes enfant, il ne m'en resterait plus pour plus tard. On avait sans doute raison, car je n'avais pas le projet de vivre bien vieille, et je passerais le reste du temps au paradis, où l'on ne pleure plus.

Mais ceux qui parlaient ainsi oubliaient que la gaieté n'est que l'envers de la peine. La capacité à recevoir de grandes joies suppose que l'on connaisse aussi de grandes souffrances. Le mot clé en ces matières, c'est l'ouverture. C'est comme si on n'avait pas de peau, on est vulnérable à tout. La peine est plus courante que la joie. Pour un moment de fulgurant bonheur c'est dix, vingt de lourd accablement, de tristesse infinie. Il faudrait supporter cela avec un visage impassible. N'avoir l'air de rien. Comme ces jeunes filles bien élevées, dans les salons, qui sourient toujours, semblent perpétuellement satisfaites de leur sort, avec cette même expression fade et mesurée fixée sur le visage comme un masque rose et blanc. C'est ce masque-là qu'on eût bien voulu que je prenne. Mon oncle et ma tante prêchaient une religion de conformisme social, de notabilité, d'autant qu'autour d'eux la misère augmentait. Les gens perdaient leur travail et mouraient de faim. Le monde changeait. Des crimes horribles se commettaient et les inondations ravageaient la ville. Une jeune fille ne pouvait pas agir sur le monde, alors le choix était simple. Soit on dissimulait ses indignations et ses états d'âme, soit on allait les vivre et les expier au fond d'un couvent.

A Lisieux comme ailleurs, et d'autant plus que la prospérité déclinait, le clan des cléricaux et celui des anticléricaux se tenaient face à face et s'observaient, prêts à exploiter chaque faille et chaque faux pas de l'adversaire. Mon oncle, très marqué du côté de l'Église, devait faire attention à ne pas prêter le flanc à la critique. On murmurait de plus en plus contre notre famille, qui avait déjà donné trois filles à Dieu. On voyait là un déni de la vie, une sorte d'affront à la société. La grande majorité des jeunes filles doit se précipiter vers l'avenir qu'on leur propose : le mariage et des enfants. Sinon, où va-t-on ?

Le retour au monde ne semblait pourtant pas réussir à Léonie. Depuis son séjour chez les clarisses, elle était ébranlée. Elle avait échoué, cherchait une explication. Elle ne parlait guère. Son beau regard bleu sombre, protégé par la coquille des sourcils, paraissait lointain.

Du haut de ma mansarde, je regardais Tom, notre épagneul, courir dans le jardin sans respect des allées, sauter autour de Papa pour lui faire fête comme moi-même autre-

fois. L'enfance me quittait, je poussais tout en longueur.
J'étais bien fluette auprès de Céline moins grande que moi
désormais, mais plus robuste. Elle courait après Tom qui
venait de renverser un de ces pots de fleurs auxquels elle tenait
tant. Je comparais sa force à ma fragilité. J'admirais aussi
l'insouciance de Tom, son aptitude à se faire un bonheur de
tout, indiquée par les frétillements de sa queue. Cette joie des
animaux et des enfants, cette simple exaltation d'être dans le
fourmillement des autres créatures, je l'avais perdue en même
temps que la légèreté du cœur.

# III

## *L'APPEL*

# *Noël*

L'étirement de l'automne, le règne des brumes qui noyaient le paysage, comme si la ville trouait la surface opaque d'un étang de brouillard, et les teintes rousses des feuilles tombantes dont j'aimais faire de flambants bouquets, annonçaient déjà Noël, ma fête préférée, cri du renouveau au cœur pierreux de l'hiver. Juste après, j'aurais quatorze ans, puisque je suis née avec l'année nouvelle, à quelques jours de la naissance de Jésus.

A quatorze ans, on n'est vraiment plus une petite fille. Pourtant, cette année aussi, je mettrais mes souliers dans la cheminée, afin d'y recevoir les cadeaux que je trouverais au retour de la messe de minuit.

Ce serait encore une belle soirée! Je serais la seule à être fêtée ainsi, car mes sœurs en avaient passé l'âge. Il me paraissait d'autant plus important d'y mettre encore mes bottines, que Papa avait toujours adoré cette cérémonie. Mon plaisir était double. Non seulement je recevais des cadeaux, mais je jouissais de la joie qui brillait dans les yeux de Papa, quand il voyait le bonheur qu'il me procurait. Alors il était vraiment mon roi, et moi, j'étais sa petite reine!

Je ne m'étais pas rendu compte que tout avait changé. Je n'avais pas voulu m'en apercevoir. Je continuais d'exister dans un monde qui n'avait plus de raison d'être.

La messe de minuit était toujours pour moi un émerveillement. D'abord, nous nous étions rendus en famille dans la cathédrale Saint-Pierre. J'avais admiré la crèche et ses détails charmants. Il y en avait dans chaque église de la ville. Certaines se trouvaient flanquées d'un ange à genoux, en posture d'adoration, dont le crâne avait été percé d'une fente. Quand on laissait tomber une pièce par cet orifice, la tête de l'ange dodelinait et paraissait remercier le donateur. Cette fois, la célébration m'avait semblé encore plus prenante que d'habitude. J'avais ressenti une impression indéfinissable, que je ne devais analyser qu'un peu plus tard. Quelque chose de nouveau s'était produit. J'avais reçu du ciel un don, le premier cadeau de ce Noël. J'avais été bouleversée, je ne serais jamais plus comme avant. Mais pourquoi exactement? J'étais encore sous le charme puissant de la cérémonie lorsqu'en rentrant aux Buissonnets je m'apprêtai à monter l'escalier pour me débarrasser de mes vêtements chauds. Alors j'entendis Papa qui se plaignait dans un soupir: «Heureusement que ça sera la dernière fois!» Cette phrase me transperça comme un poignard. D'un coup je compris que la cérémonie des cadeaux avait cessé d'être pour lui un plaisir. Au contraire c'était une corvée. Ce qui l'épuisait ainsi, c'était mon enfance qui n'en finissait pas de s'attarder. Je m'y complaisais parce que je croyais que c'était là le désir des miens. Je me souvins de Pauline souhaitant que je ne grandisse jamais. Si je grandissais, je ne serais plus pour Papa sa petite princesse, sa reine, son orpheline!

Ce n'était pas la première fois que sa lassitude s'exprimait. Il y avait eu cette lettre écrite à Marie durant son voyage à Constantinople. Il regrettait d'abord de ne pas entendre «ma petite reine, d'une voix sympathique et douce, me gazouiller son petit compliment». Mais, juste après, il exhortait Marie à être raisonnable, «plus raisonnable que ton vieux père, qui en a assez des beautés qui l'entourent et qui rêve du ciel et de l'infini». Le cœur m'avait manqué lorsque Marie avait lu cette phrase. Je n'y avais pas vu alors le pressentiment du départ prochain de ma sœur. Mais j'y avais trouvé une confirmation d'un désir de tout quitter, de nous quitter, que son voyage semblait déjà annoncer.

Je me souvins que le père Pichon définissait Papa comme un religieux égaré dans le monde. Je revis son effondrement à l'annonce du départ de Marie. Lui qui prendrait si bien le départ de Léonie, la conduisant sans broncher chez les clarisses et proclamant qu'il trouvait l'aventure «très drôle», avait cette fois éclaté en sanglots. Il avait paru sur le point de tomber. Enfin il s'était écrié que Dieu ne pouvait lui demander un plus grand sacrifice. Il avait eu cette plainte amoureuse : « J'avais cru que tu ne me quitterais jamais ! »

C'était Marie, non pas moi ni aucune autre de nous, qui remplaçait pour lui l'amour de ma mère. Marie partie, ce serait Céline ; les deux s'étaient toujours disputé la première place dans son cœur. Il m'appelait sa petite reine, mais je ne l'étais pas vraiment, je ne l'avais jamais été : je n'étais que sa petite princesse. Il me donnait ce titre de reine pour me faire plaisir, comme on complimente une enfant qui ignore sa faiblesse.

Oui, c'était Marie qui était devenue sa reine après le départ de Maman, c'était elle qu'il eût espéré garder toujours près de lui, quand les autres seraient parties. Pourtant ma sœur n'avait pas hésité. Est-ce que cette place, justement, la plus proche de l'épouse, lui était insupportable ? Elle avait pris sa décision dans la réflexion, non dans l'exaltation comme Pauline ni dans la précipitation comme Léonie. Elle n'avait pas parue gaie, ne croyait pas que le Carmel fût un paradis. Cela lui semblait la moins mauvaise des solutions, le seul vrai chemin qui lui restât à prendre, fût-il aride et caillouteux. Marie s'était d'ailleurs toujours protégée derrière une apparence de froideur.

Quelque chose s'en était allé de Papa après ce départ, quelque chose qu'elle avait emporté. Son grand voyage à lui avait été un signal : il éprouvait le besoin de s'éloigner.

Je ne pouvais pas rester collée à lui. Pendant que j'étais dans la chambre avec Céline, ôtant mon manteau d'hiver, tout défilait très vite. La nuit de Noël, noire et profonde, était aux carreaux. J'avais monté l'escalier dans une grande douleur. Je m'étais sentie atteinte, par cette réflexion de Papa, au centre d'une féminité qui ne s'épanouirait pas. J'en cultiverais une autre aux dépens de celle-là, comme on taille les branches d'un arbre pour lui faire prendre la forme qu'on veut.

J'avais cru que Papa souhaitait que cet arbre demeurât toujours petit. Je m'étais comme recroquevillée et je m'étais blessée sans m'en apercevoir. Céline regardait mon visage bouleversé avec appréhension. Elle redoutait une crise. Elle m'enjoignit de ne pas descendre, d'attendre que ça passe pour éviter un de ces interminables accès de larmes qui me laissaient exténuée.

La sollicitude de Céline était inutile. Elle ne me touchait que de très loin, atteignant une personne que je n'étais déjà plus. Je redescendis l'escalier d'un pas ferme. Céline, incertaine, me suivit. Papa attendait toujours près de la grande cheminée, dont le vaste manteau avait souvent abrité d'affectueux conciliabules. Léonie se tenait à son côté. Ses yeux anxieux allaient de lui à moi.

Je sentis l'énergie monter. Elle était déjà en moi depuis quelque temps. Seulement il m'avait fallu un choc pour l'éprouver. Durant cette messe de minuit, j'avais reçu le Dieu qu'il me fallait, fort et puissant. Le Christ est à la fois la force et la faiblesse. Sa force vient de ce qu'il a le courage d'éprouver sa faiblesse, de la reconnaître, et alors il la surmonte. Quelque chose de cette force s'était communiqué à moi en cette nuit commémoratrice de la naissance de l'Enfant sublime.

Mon père et mes sœurs me regardaient toujours. En un instant je fis mon sourire enfantin. Je repris les gestes de la petite Thérèse. Ce fut comme une de ces représentations de Noël dans lesquelles j'excellerais au Carmel. Je jouerais Jeanne d'Arc avec une cotte de mailles et des fers aux poignets, mes longs cheveux ondulant sur mes épaules. On me photographierait, on me féliciterait, on me dirait que c'était criant. Sur le moment, je sentirais vraiment la détresse de Jeanne et sa force immense. Mais maintenant, je jouais la petite Thérèse pour la dernière fois. Je disais adieu à ce rôle, et je désirais que cette dernière représentation fût radieuse.

Je courus vers mes souliers. Je battis des mains. Je sautai sur place en poussant des exclamations de bonheur. Qu'importait le contenu véritable des paquets? C'était mon enfance qu'ils enveloppaient, ce qu'elle avait contenu de joie et d'insouciance. Et à mesure que je défaisais le papier, cette enfance s'évaporait, comme un parfum de lavande s'échappe d'un sachet lorsqu'on ôte un drap de la pile dans l'armoire.

Papa rayonnait. Il avait oublié sa lassitude. Je lui sautai au cou pour faire bonne mesure et je courus embrasser Céline, dont le visage exprimait un soulagement incrédule. Je pressai la main de Léonie à qui tout avait échappé. Puis nous montâmes nous coucher.

Je sombrai dans un sommeil pareil à un enchantement. Dieu venait de me donner ce qu'il m'avait ôté à l'âge de quatre ans et demi, lorsque j'avais vu la boîte noire. Il m'avait rendu l'ardeur de vivre.

## Le sang

La grâce de Noël m'avait donné la capacité de m'oublier moi-même. Je l'avais toujours recherchée, c'est ce que je poursuivais lorsque je tentais de me fondre dans les choses, au cours des longues parties de pêche, quand j'accompagnais Papa. Je cessai de m'apitoyer sur mon sort, de regarder toujours en arrière et de me prendre pour l'orpheline de la Berezina. Et oubliant que j'avais été gaie et insouciante et que j'avais cessé de l'être, je le redevins comme par miracle... Ces dix années de deuil parurent soudain effacées.

Au moment de ma communion, j'avais fait à Jésus une requête qui peut paraître étrange: je lui avais demandé de m'ôter ma liberté. Ou plutôt, de m'en délivrer. Car la liberté me pesait. J'ai dit que Papa n'aimait pas que je regarde les journaux. Il m'arrivait pourtant parfois de les lire avec mon oncle, ou même en cachette. Nous parlions de journalisme, et à travers ces conversations j'en vins à m'intéresser à l'histoire du monde. La grâce de Noël avait levé le voile qui m'avait longtemps obscurci l'esprit. Je pouvais penser clairement et sans effort. Je fus prise d'une grande soif de savoir.

Les journaux m'attiraient surtout par les histoires affreuses. En ces crimes épouvantables, il me semblait toucher quelque chose de Dieu. Il s'agissait du refus de Dieu, de son absence, et en même temps pourtant de sa présence. A travers les idées du père Pichon, j'avais commencé à pressentir que là où se trouve le crime, il y a Dieu. Mais le criminel l'ignore. Il ne veut pas ou ne peut pas le savoir. En cela il est semblable au commun des mortels. Nous sommes la plupart du temps sourds et aveugles à la Présence, nous méconnaissons la puissance de l'amour. C'est là le mal même. Je comprendrais bientôt cela plus clairement à travers la lecture d'un autre prêtre, l'abbé Arminjon.

A travers les journaux, je voyais s'affirmer des libertés que je rejetais. Quelle valeur ont-elles, si l'homme s'en sert pour oppresser son prochain, le tuer, le réduire en esclavage? Celles-là sont mauvaises, car elles ne se fixent pas de limites. L'homme agit alors selon le démon qui croit pouvoir prendre la place de Dieu. Seule la liberté divine est infinie. Qu'avons-nous besoin d'en vouloir une autre qui nous soit propre? Ne suffit-il pas, au contraire, de nous fondre dans cette liberté immense?

En demandant à Jésus de me défaire de cette liberté personnelle qui ne pouvait que m'entraver, j'espérais trouver ma place dans l'immensité de la sienne. Cela ne se ferait pas en un jour. En attendant, ce dont je me dépouillais prit l'apparence d'une indécision, d'un manque de volonté dans la vie quotidienne. Je ne désirais plus rien.

Je recevrais un signe qui m'indiquerait que j'étais sur la voie. Au mois de juillet 1887, j'assistais à la messe dans la cathédrale. J'avais placé dans mon missel une image représentant le Christ sur la croix. Un coin dépassa juste comme la messe se terminait. Une main sanglante pendait. La phrase de l'évangile de Jean: «J'ai soif, donne-moi à boire!» me vint à l'esprit. Il me sembla que le sang du crucifié tombait de l'image à mes pieds.

Ce sang rafraîchissait le monde et le désaltérait sans que personne s'en aperçût. Autour de moi l'église se vidait. Je voyais passer des hommes importants, des médecins, des notables. Mon oncle même, avec toute sa science, ne voyait rien. Les hommes qu'on croit savants sont souvent dans l'ignorance. Pourtant ces signes m'apparaissaient. Je devais trouver le moyen de leur communiquer ce que j'étais en train d'apprendre. Ce savoir, c'était aussi la rosée du sang du Christ. J'avais soif et le monde entier avec moi. Il me faudrait recueillir cette rosée en me tenant au pied de la croix, afin de la porter aux autres. Cette soif devenait la mienne et à travers elle je comprenais celle de tous ceux qui souffrent, se croyant abandonnés de Dieu. Les pires criminels, plus abandonnés que les autres, sont par là même plus proches de la douleur du Christ.

Les mois qui suivirent la grâce de Noël, je me sentis progressivement mieux. La chape d'accablement qui pesait sur mes épaules depuis dix ans avait été ôtée. La porter avait absorbé une énergie que je pouvais désormais consacrer à progresser. J'allais si vite que j'avais commencé «une course de géant». J'étais débarrassée de l'illusion de devoir rester en arrière pour garder l'amour de mon père vivant et de ma mère morte. Je leur serais davantage fidèle en les quittant qu'en restant près d'eux, car ensuite je les retrouverais dans le grand Tout...

Jésus devenait mon père et ma mère. Il était mon nouveau roi, je n'en voulais plus d'autre. J'étais sa princesse à Lui. Je contemplais à nouveau cette image de Müller représentant le Christ en croix, Madeleine à ses genoux, la tête posée sur ses pieds et recueillant le sang qui tombe. Mais c'était la main transpercée qui me frappait, cette main que j'avais vue dépasser du missel. Le sang sourdait aussi de cette main, et il me sembla à nouveau que c'était à moi de recueillir ce sang si précieux, afin qu'il ne se perdît pas...

Étais-je alors troublée par cette perte du sang parce que je devenais moi-même une jeune fille? Le sang s'écoulerait de moi chaque mois, il ne s'interromprait pas, parce que j'étais en train de faire don de ma vie à Dieu. En même temps que je renonçais à mon propre père, je renonçais à ce qu'un jour un homme réel fasse de moi une femme et arrête l'épanchement de ce sang en me faisant un enfant. Au moment où cela devenait possible, je le refusais. Je quittais mon père pour un autre et l'idée d'un fiancé réel pour un fiancé divin.

Je m'identifiais au Christ à travers ce sang qui coulait de sa main. Cette blessure en évoquait une autre, la mystérieuse et secrète blessure de la féminité. De même, le sang de Jésus pouvait se perdre à jamais, ou bien il pouvait être recueilli, transmis, fécondé: précieux élixir de vie en même temps que signe de perte et de mort.

Ce renoncement qui était le mien serait un don. Comme la

femme qui devient mère cesse de vivre pour elle et consacre ses forces à son enfant, comme le Christ en mourant donna tout pour que naisse une autre humanité, ainsi je mourrais à l'enfant que j'avais été. N'est-ce pas cela devenir adulte? Je tuais en moi à l'avance la femme que j'aurais pu être. C'était pour donner naissance à l'autre Thérèse...

## Pranzini

Mon corps s'adaptait aux transformations de mon esprit. Je mesurais maintenant un mètre soixante-deux, j'étais la plus grande de la famille. Marie, lorsque je vins la voir au parloir, m'appela comme à regret «son bébé si grandi».

Dieu continuait à m'aider en me faisant des signes. Un jour, Papa nous lut à voix haute, dans *La Croix*, la relation d'un crime abominable, commis dans la nuit du 19 au 20 mars 1887 par un individu nommé Pranzini.

Cet homme de trente ans était né à Alexandrie. Il avait erré à travers le monde, jusqu'en Russie. Il avait été interprète de l'armée anglaise, croupier en Égypte. Il avait acquis de l'instruction, en était venu à parler huit langues. Mais il avait été très tôt attiré par le mal et l'illégalité, fasciné par le hasard et l'argent. Il était venu à Paris avec un peintre suédois de sa connaissance. Il y fréquentait les milieux de la bohème, où le goût de la débauche était de mise.

On le disait grand et beau. Les photographies montraient un regard ironique, un peu cruel sous des paupières mi-closes, étirées vers les tempes, des pommettes hautes et bien dessinées, des lèvres épaisses et sensuelles, d'épaisses boucles châtaines, de longs favoris, une moustache et une barbiche. Tant de pilosité donnait à ce visage fin un côté homme des bois propre à effrayer le bourgeois. Il plaisait aux dames, séduisait par la parole et l'aplomb.

Il était accusé d'avoir massacré, au milieu de la nuit, deux femmes et une petite fille, dans un appartement, 17, avenue

Montaigne à Paris. La femme se faisait appeler Régine de Montille. C'était un nom de guerre de demi-mondaine. Elle vivait avec son enfant illégitime âgée de douze ans et une servante. Le mobile était dérisoire : quelques misérables bijoux et quelques billets de mille francs.

De nombreuses circonstances accablaient l'accusé. Pourtant, lors de son arrestation, il nia farouchement et ne se dédit jamais par la suite. Il criait son innocence avec insolence, manifestait à l'égard de ceux qui l'accusaient sarcasmes et mépris. Cette attitude révoltée, inhabituelle alors que pesaient sur lui de si lourdes charges, ajoutée au fait qu'il s'était rendu en Russie, qu'il semblait n'avoir peur de rien et ne rien respecter, le fit passer, aux yeux des journalistes, pour un de ces terribles nihilistes qui faisaient froid dans le dos, car ils menaçaient de mettre la Russie à feu et à sang.

Ce crime, la presse entière en parlait. Pranzini n'était pas un assassin ordinaire, un misérable ignorant. Il avait tout pour réussir dans la société. Le massacre semblait d'autant plus énorme, horrible, inexplicable.

Fut-ce la mort de cette mère, ou bien celle de cette enfant, dont l'âge n'était pas si éloigné du mien, ou bien les deux associées ? Fut-ce le fait qu'il s'affirmât innocent, quand tout le désignait coupable ? Me posai-je même seulement la question de sa culpabilité ? Comme tout le monde, je le pensais responsable.

Il fut condamné à mort le 13 juillet. Le procès avait connu une incroyable publicité. Il était devenu l'ennemi public numéro un. Il continuait à refuser, non seulement d'avouer, mais de regretter le crime. Il en vint donc à incarner «le monstre».

Depuis que l'affaire avait éclaté, je n'avais cessé de prier pour lui. J'envoyais Céline faire dire des messes. Sans qu'elle sache pour qui. Je m'imposais des pénitences. Au moment où je devenais femme tout en y renonçant, Pranzini devenait mon enfant — mon premier enfant.

La façon dont j'avais vécu mes jeunes années me poussait à voir l'enfance comme un état de détresse vécu à l'ombre de la mort. Ce qui était, à ce moment, la situation de Pranzini.

Je ne cherchai pas à le sauver de la justice ; j'ai toujours pensé qu'il devait mourir. Je voulais lui donner ce qui m'avait tellement manqué: la sollicitude absolue d'une mère, qui pense à son fils sans arrêt, qui dans son amour l'absout des pires crimes, et qui, par la force du pardon absolu, l'aide à triompher de l'ultime épreuve.

Pranzini était condamné, comme d'une certaine façon je l'étais moi-même. Je ne le connaîtrais jamais dans cette vie; je ne le retrouverais qu'au-delà de la mort.

Quel rapport entre moi, la jeune fille pure, et Pranzini, délinquant vicieux et criminel endurci? On dit que certaines femmes aiment les meurtriers, en tombent amoureuses, leur écrivent dans leurs prisons et parfois même les épousent. On peut se demander ce qu'elles cherchent en eux: la mort qu'elles souhaitent obscurément recevoir; le crime qu'elles pensent avoir commis, non dans la réalité, mais dans le fond de leur âme et en pensée; l'agressivité qu'elles ne savent pas utiliser, et dont elles admirent la capacité chez l'autre; ou cette impuissance totale du criminel emprisonné, qui met à leur merci le monstre? Ces femmes ont-elles terriblement souffert, et aiment-elles à travers le criminel son châtiment même? Aiment-elles, comme moi, l'enfant vulnérable, en besoin total d'amour, qu'est devenu cet homme terrible lorsque broyé par la machine judiciaire il n'est que le plus faible des faibles?

Pranzini m'était tout cela à la fois. Le crime dont je me sentais coupable et dont je me savais pourtant innocente, c'était la mort de ma mère. Et cet homme coupable du décès de trois innocentes, n'était-ce pas aussi mon père qui, en faisant à ma mère trop d'enfants, avait causé sa mort ainsi que celle de plusieurs d'entre eux? N'était-ce pas aussi ma mère, coupable malgré elle de laisser ses enfants mourir?

Pendant mes crises de scrupules, j'avais connu les affres de qui se sent à la fois innocent et coupable... Oui, Pranzini c'était bien cela. Moi seule pouvais le comprendre et l'aimer. Il avait besoin de moi. Je priais pour qu'il se repente, qu'il trouve Dieu avant qu'il ne soit trop tard. Pour ces raisons, je devrais l'aimer, comme il n'avait jamais été aimé. Je croyais qu'il n'était devenu méchant que par manque d'amour. Le mal l'avait envahi parce qu'on n'avait pas permis au bien de prendre racine en lui. En quelque sorte, j'aidais Dieu en lui servant de mère. La mère n'est-elle pas pour son enfant la première médiatrice de cet amour infini? Et si elle ne nous a pas initiés à cet amour, combien d'entre nous vivront dans le désespoir sans même savoir qu'il existe?

Je n'avais de Pranzini que la version partiale que présentaient les journaux. On disait qu'il était un sans-Dieu. Pourtant, l'abbé Faure, alors aumônier de la Roquette, donnerait de lui, dans ses *Souvenirs*, une image différente. La mère de Pranzini était très pieuse, et le criminel parlait d'elle avec attendrissement. Pranzini assistait à la messe de la prison, accueillait l'aumônier.

Je ne disposais pas de ces éléments. Mon angoisse était que Pranzini mourût sans le secours de Dieu. Je décidai d'expérimenter la force de la prière, comme l'avait fait autrefois ma tante Marie Dosithée.

Quelque chose de l'amour se transmettrait ainsi. Si je pensais à Pranzini sans cesse il le sentirait, il serait baigné de cette sollicitude au fond de sa prison, et il changerait.

Mon amour n'était que le véhicule d'un amour plus grand et il l'éprouverait. La soif de cet amour grandirait en lui, il en voudrait davantage, apprendrait à le demander. Il comprendrait qu'il s'était trompé.

J'avais finalement confié mon secret à Céline. Je sentais grandir en moi chaque jour cet amour qui se dirigeait vers le malheureux. Mon cœur en débordait, je me sentais confiante.

Pranzini fut donc condamné à mort le 13 juillet. Le pourvoi en cassation fut rejeté. A partir du 20 août, chaque matin, une foule ignoble se réunit devant la prison de la Grande Roquette dans l'espoir d'assister à l'exécution. Cette obscénité me révoltait, mais à mesure que j'y pensais, la scène changeait de nature. La foule voulait assister à un sacrifice humain. Pranzini serait l'objet de ce sacrifice. Il expierait à son tour les péchés du monde. Je serais seule à pleurer sur son sort au milieu de l'indifférence, de la cruauté, des quolibets. A l'imitation de la Vierge, je n'étais plus que compassion pour ce malheureux enfant. Sans avoir connu d'homme j'éprouvais l'angoisse et l'extase de l'amour maternel. Je commençais à dépasser le stade de la chair, à comprendre qu'on peut y renoncer pour ressentir, qu'au contraire on peut alors éprouver davantage. Je pouvais être tout, vivre tout en pensée, par la méditation et par l'oraison.

Les jours passant, il me semblait que Pranzini ne serait pas exécuté. Mais je doutais encore. Peut-être avais-je trop d'orgueil.

Peut-être n'aurait-il pas le courage de se repentir...

Je tremblais de ne pas savoir. Je demandai à Dieu de me donner un signe et je serais satisfaite. Cela me rassurerait, je pourrais continuer encore plus loin sur la voie où je m'étais engagée.

Pranzini fut guillotiné à l'aube du 31 août. Il avait clamé son innocence jusqu'au dernier moment. Mais juste avant d'être placé sur la bascule, il demanda le crucifix. Il l'embrassa deux fois. Par la suite, dans mon enthousiasme, je devais écrire qu'il l'avait baisé trois fois. J'ai toujours eu le défaut d'exagérer par amour.

Pranzini était mort, mais il était mort sauvé. Dieu m'avait parfaitement exaucée. Il était parti dans l'amour, au dernier moment il avait vu la vraie voie. Après avoir lu le compte rendu du journal, je courus me cacher. Je pleurai de joie et de peine pour cet homme qui ne m'apparaissait plus soudain comme le monstre sanguinaire que l'on m'avait dépeint, mais doux comme un enfant. Une seule chose avait occupé ses derniers jours, hormis la proclamation de son innocence: c'était qu'on ne lui eût pas permis de revoir sa mère. La pensée de l'amour maternel l'avait donc bien envahi. C'était pour cela qu'il avait demandé le crucifix. Et ce qu'il avait embrassé alors, c'était le Christ, qui est l'amour maternel jusque dans son agonie. Il avait dit: «Que Dieu soit avec moi.» Sur son masque mortuaire, ses lèvres s'étiraient en un sourire. Certains dirent que c'était un dernier défi. Moi, je savais que c'était un sourire de paix.

# Savoir

Ma soif de savoir augmentait. Je lisais de plus en plus. Je voulais rattraper mon retard en science et en histoire. Car la science est le domaine des merveilles de la nature, qui sont l'œuvre de Dieu. Et l'histoire est le récit des rapports entre Dieu et les hommes. J'aimais particulièrement un gros ouvrage qui portait un titre délicieux : *La Théologie des plantes ou histoire intime du monde végétal.* Je le lisais dans ma mansarde, entourée de mes herbes et de mes fleurs préférées.

Mais le livre qui répondait le mieux à mes questions était le recueil de conférences de l'abbé Arminjon : *Fin du monde présent, et mystères de la vie future.* Les carmélites l'avaient prêté à Papa. Je le relisais sans cesse, et même je copiais pour mieux m'en pénétrer tout ce qui dans ce livre se référait au parfait amour de Dieu.

J'avais commencé aussi à lire Jean de la Croix. C'était une théologie austère, mais le grand saint avait une connaissance de la rigueur et de la profondeur de la science d'aimer, qui éveillait en moi un écho profond. Car aimer est bien une science, je le comprenais mieux chaque jour. Et je cessai de souffrir des lacunes de mon éducation. J'en étais partiellement responsable, puisque j'avais voulu quitter l'Abbaye, mais de toute façon le savoir qu'on nous y dispensait ne me satisfaisait guère. Mon oncle aussi regrettait beaucoup que j'eusse interrompu mes études. Mais je me disais que trop de ce savoir-là eût risqué de me faire perdre le fil de cette féminité spirituelle que je cherchais à développer.

Je me souvenais cependant que Thérèse d'Avila exhortait ses nonnes à se forger une âme virile et à extirper d'elles tout ce qui est si faible dans la chair féminine. La tentation d'Ève n'avait-elle pas été, justement, de savoir ? Et y avait-il en même temps plus femme que la grande Thérèse ? Est-ce que Jésus, lui aussi, bien qu'homme, n'était pas un peu femme avec ses membres graciles, ses cheveux longs et cette blessure ouverte

261

dans son flanc comme une bouche? Tout cela était terriblement compliqué...

Je continuais à m'instruire principalement dans l'*Imitation de Jésus-Christ*. J'en avais un exemplaire miniature, relié
de cuir marron. Je pouvais l'emmener avec moi. Je le mettais
dans ma poche en été, et dans mon manchon l'hiver. Les
caractères étaient minuscules mais comme je le savais par
cœur il me suffisait de voir les premiers mots d'un paragraphe
pour réciter la suite. Parfois, je me contentais de toucher
rapidement le livre au fond de ma poche, comme s'il me
protégeait. J'étais heureuse de le tenir caché, il me semblait
que Jésus m'instruisait en secret.

Parfois, cette lumière qui m'inondait, qui avait éclairé cette
nuit de l'âme que j'avais vécue jusqu'à la soirée de Noël, me
semblait trop forte pour la garder pour moi seule. L'amour
qui m'arrivait était comme «les brises embaumées de l'aurore», ainsi que l'écrit Jean de la Croix dans le *Cantique
spirituel*.

Alors, je parlais à Céline. Je lui demandais si elle aussi ne
sentait pas ces parfums délicieux, si elle ne discernait pas cette
lumière douce et rosée qui envahissait mon horizon... Elle ne
me prit pas au sérieux d'abord, puis elle se rendit à la force
de mes paroles. Elle avait remplacé Marie dans le rôle
d'interlocutrice privilégiée. Cette fois c'était moi l'institutrice
et elle l'élève. Maintenant, je la dépassais non seulement par
la taille mais aussi par l'ardeur de la foi. Elle m'écoutait.

Cette passation des pouvoirs, je l'avais toujours souhaitée.
Céline admit la situation, s'y soumit de bonne grâce. J'ai pour
témoin de ce changement de nos relations une lettre que je lui
envoyai le 31 mars 1887, et qui prenait la forme d'un poème-
devinette:

> *Je garde mon diadème jusqu'à demain matin,*
> *Mais après sur ta tête passera mon destin.*

C'était un poisson d'avril. Au-dessous du poème j'avais
dessiné un poisson à l'encre rouge, verte, bleue et violette. Le
diadème était un peigne dont j'avais couronné le poisson et
que j'avais l'intention d'offrir à Céline. J'avais encore des

amusements très enfantins. Le dessin restait un langage privilégié entre nous. Céline avait reçu des leçons de Mlle Godard et de M. Krug. Ils avaient été les disciples de Léon Coignet et d'Hippolyte Flandrin. A son tour elle m'avait donné des leçons. Le dessin était une façon acceptable de rester la petite princesse du Bon Dieu. C'était cette princesse qui, les mains ouvertes, pouvait donner à Céline un diadème qui n'était dans la réalité qu'un pauvre petit peigne. Ainsi je l'anoblissais à son tour...

L'amour que j'avais pour ma petite chambre sous les toits s'était enfui avec Marie. J'y allais toujours pour soigner mes plantes et mes oiseaux, mais elle me paraissait désormais sans vie. De même qu'il m'arrivait d'emprunter un des livres de Papa, j'allais parfois me réfugier au Belvédère avec Céline quand il n'y était pas. Nous aimions nous y tenir au crépuscule. Nous contemplions la gloire pourpre du soleil s'enfonçant dans la terre. La majesté perlée de la lune apparaissait par degrés, environnée de la lumière clignotante des étoiles. Une mélancolie suave nous envahissait. Il me semblait retrouver quelque chose des bras maternels dans l'air de la nuit. Alors le Belvédère figurait une antichambre: j'y étais tout près du ciel mais je n'en voyais encore, selon l'expression d'un poète que j'aimais, Alfred Besse de Larze, que «l'envers limpide».

Pourtant le voile qui me séparait maintenant de Jésus était très léger. L'*Imitation* disait que Dieu se communiquait parfois à nous «doucement voilé, sous des ombres et des figures». Cette phrase me paraissait des plus vraies.

Bien que Céline et moi fussions très proches, j'aurais voulu l'être davantage encore. Je la suppliais de tout me dire, de me confier ses secrets. Elle refusait, se moquait de moi à l'occasion, me disait par provocation que j'étais encore trop petite.

J'aurais voulu abolir toute distance avec les êtres chers. Je voulais que Céline devienne «ma sœur d'âme». J'avais bien du mal à accepter que cette communion-là ne saurait exister ici-bas. Elle est le souvenir d'une union avec la mère qui précède notre naissance et que nous ne retrouverons qu'après notre mort, dans le sein de Dieu.

Je cherchais le lien total, l'illimité, le paradis sur terre. Avec ma cousine Marie aussi, autrefois, j'avais cherché cela, et je n'étais parvenue qu'à l'éloigner de moi. Marie m'aimait toujours mais cette exigence l'inquiétait. Elle me reprochait de trop parler de la mort et s'effrayait de mes yeux qui la fascinaient. Je lui écrivis à Trouville pour lui annoncer la mort de mes vers à soie : « Céline leur a prodigué tant de soins qu'elle est arrivée à les faire mourir presque tous de chagrin ou d'apoplexie foudroyante ; je crains beaucoup que les quatre qui restent n'aient attrapé le germe de la maladie de leurs frères et qu'ils ne les suivent dans le royaume des taupes. »

Cette lettre datait du mois de juin 1887. La mort était toujours avec moi, même si j'en plaisantais. Et elle était encore plus présente dans le rapport aux êtres chers : ce lien total si magnifique, n'est-ce pas aussi celui qui étouffe et qui tue ? Ne peut-on le connaître, après les premiers temps de la vie, qu'au-delà de la mort ? Ces vers à soie n'étaient-ils pas comme les quatre petits anges morts avant ma naissance ?

L'amour que je cherchais contribuait à éloigner de moi les êtres que j'aimais le plus. Le constatant, je pensais davantage au désert merveilleux du Carmel...

## Partir

Le printemps revenait. Je ne voulais plus attendre. La croissance du règne végétal était l'écho de ce qui se passait en moi. L'aventure intérieure avait pris son départ la nuit de Noël. Je voulais passer l'année suivante à l'ombre du Carmel. Puisque la période des cadeaux dans les souliers était terminée, puisque je ne serais plus vraiment la petite princesse de Papa, je voulais, comme la jeune épousée passe de la main de son père à celle de son mari, quitter la demeure de mon roi pour celle du Bon Dieu.

La première personne que je mis dans la confidence fut Céline. Je savais que ce serait pour elle un coup très dur.

Léonie s'apprêtait à partir de nouveau pour le cloître. Elle irait à la Visitation de Caen. Elle avait mûri sa décision, cette fois-ci. Quand l'une de nous se préparait à entrer au couvent, Léonie s'en allait avant elle, ce qui faisait deux départs à la fois. Céline resterait donc seule aux Buissonnets avec Papa.

Il aurait bien besoin d'elle désormais. Le matin du 1ᵉʳ mai, il eut un malaise. Nous reconnûmes avec frayeur la congestion cérébrale. L'attaque fut rapide, mais il en sortit la jambe très lourde et la langue embarrassée. Il nous demanda avec effort de l'aider à s'habiller et voulut absolument se rendre à l'église.

Au retour de la messe, mon oncle accourut aux Buissonnets, inquiet de l'accident et reprochant à son beau-frère une témérité qui paraissait de la folie. Moi j'avais trouvé cette réaction bien naturelle. On met Dieu avant sa vie. Mais alors que nous soutenions mon père, j'échangeai un regard avec Céline. Comment prendrait-il l'annonce de mon départ, alors qu'il se trouvait ainsi diminué ?

Il se rétablit heureusement très vite. Je m'occupais beaucoup de Céline. Je voulais la préparer afin qu'elle ne se sente pas abandonnée comme j'avais eu l'impression de l'être par mes sœurs aînées. Il fallait que je la mette à mon diapason.

J'étais encouragée par l'exemple d'un petit linot que j'avais recueilli dans le jardin. Tombé du nid, il ouvrait désespérément son pauvre bec. Je résolus de ne pas l'enterrer comme tant d'autres de mes petits compagnons. Le linot survivrait comme moi j'avais survécu, ce serait un autre de mes enfants. Je l'installai dans la grande cage de ma mansarde. Il se remit, aidé par un serin qui l'adopta.

Ce serin était un chanteur infatigable. Le linot, voyant sa vitalité, reprit goût à la vie et déborda d'admiration pour son mentor. Il fit tant d'efforts qu'il réussit à chanter comme le serin, tout en gardant sa petite voix de linot. De même, Céline, tout en gardant sa propre voix, apprenait à chanter comme moi.

J'attendis le jour de la Pentecôte pour révéler ma décision à mon père. Il avait bien surmonté sa crise mais restait fragile d'avoir été frôlé par les ailes de la mort. Je ne me sentais pas coupable de le laisser. Le Christ avait dit qu'il fallait quitter son père et sa mère pour Le rejoindre. Pourtant mon cœur se troublait, agité de mouvements contraires.

Je voulais partir, alors que je semblais enfin avoir tout pour être heureuse : la compréhension d'une sœur bien-aimée, la liberté d'organiser mon temps et mes occupations, un père tendre et bienveillant, cette maison et ce jardin qui étaient pour moi comme un petit royaume. Mais ce doux confort sur terre n'avait jamais été suffisant dans ma famille.

En ce 29 mai 1887, la nature était en fête. Mon père était ravi de ce beau temps. Moi, j'avais le cœur lourd. Je craignais de ne pas savoir trouver les mots qui convenaient, et de blesser mon roi des Buissonnets.

## Le saxifrage

Je passai la journée en prières et demandai aux apôtres de m'aider. L'après-midi, au retour des vêpres, Papa alla s'asseoir dans le jardin pour s'y recueillir et profiter de la lumière magnifique du couchant. J'avais les larmes aux yeux en m'asseyant près de lui. Il s'en aperçut et me serra contre sa poitrine, me demandant de lui confier ce qui me préoccupait. Il se leva, nous fîmes quelques pas. Il me tenait toujours contre lui, agité par une grande émotion. Depuis l'enfance j'avais aimé ces promenades à deux. Je commençai à lui parler et mes larmes coulèrent plus nombreuses. Papa se mit à pleurer aussi. Il n'eut qu'une seule objection. Ma grande jeunesse l'inquiétait. Il avait vu Léonie revenir accablée et humiliée de chez les clarisses.

Contrairement à ce que j'avais redouté, je sus le convaincre et même l'apaiser. Ma prière avait été entendue. Il s'écria que le Bon Dieu lui faisait un bien grand honneur de lui demander ainsi ses enfants. Mes hésitations s'envolèrent. J'avais un père incomparable. Je vis en lui la sainteté comme Maman l'avait vue avant moi. Comment aurais-je pu quitter ce qui me semblait la perfection pour un homme terrestre, un homme normal ? Ma mère avait eu la chance de le rencontrer, mais moi j'avais connu cette perfection d'emblée. J'avais été sa confidente, et bien vite je ne l'avais partagé qu'avec mes sœurs. Je ne pouvais souhaiter une union charnelle ordinaire. Il est difficile pour une fille de quitter son père quand il s'est montré si bon, si compréhensif !

Je ne l'avais jamais eu tout à moi, sinon il m'eût été encore plus difficile de partir. Pourtant en le quittant de cette manière je réalisais à sa place un désir frustré.

Cette idée lui permettait d'accepter mon départ comme il avait accepté celui de mes sœurs. Je savais que si d'un côté je lui faisais de la peine, de l'autre rien n'aurait pu le combler davantage. Tandis que nous marchions dans la lumière chaude et tendre, je sentais entre nous un accord parfait. C'était un de ces moments merveilleux qu'on atteint si rarement sur terre, où rien ne sépare deux êtres, où la distance semble abolie, où la confiance est parfaite. Bien sûr, c'était la connaissance de mon départ proche qui suscitait cela. Mais ainsi je serais d'une certaine façon encore plus liée à lui. Je serais la médiation entre lui et le divin, le chaînon qui le rapprocherait de Dieu.

En ce moment à la fois si triste et si heureux nous le sentions tous les deux. J'entrerais au Carmel, mais le chemin ne s'arrêterait pas là. De même il n'avait pas commencé avec moi. Mon destin était l'aboutissement de deux générations d'espoirs. Mon père souffrait à cause de moi, mais par moi son désir s'accomplissait et le dépassait.

Ce que nous partagions était au-delà des mots. Mon père savait, comme Pauline, combien j'étais sensible aux symboles, surtout quand ils viennent de la nature. Pour me montrer qu'il comprenait que ce que je vivais était difficile, il désigna un saxifrage qui poussait entre les pierres du mur. C'était la plus humble des fleurs, minuscules points blancs parmi les mousses sombres, comme ces étoiles si lointaines qu'on distingue à peine leur scintillement au fond de la nuit.

La plante s'était laissé arracher. Lorsque mon père avait voulu la cueillir, les racines étaient venues intactes au bout de la tige. Elles avaient crû dans l'environnement le plus pauvre, une poignée de terre entre deux cailloux. La plante reposait maintenant, vaillante, au creux de ma main, prête à être replantée, à continuer à vivre, à croître et à s'épanouir. Et moi, partant de chez mon père, je ne laisserais pas mes racines derrière moi. Je les emporterais et elles sauraient trouver à nouveau leur nourriture dans la terre aride du Carmel. De blanches étoiles, si petites qu'on les verrait d'abord à peine, mais si lumineuses et si persistantes qu'elles finiraient par se frayer un chemin à travers l'obscurité, naîtraient entre mes mains.

C'est ce que Papa me disait en me donnant cette fleur. Je voulais m'en souvenir toujours. Aussi, finalement, je la gardai. Je la fis sécher entre deux pages de mon *Imitation*, à l'endroit où il est écrit qu'il faut aimer Jésus par-dessus tout. Un jour, en ouvrant le livre, je verrais que finalement la tige s'était brisée et la racine détachée. Ce jour-là qui n'était pas si lointain je comprendrais que je n'étais plus sur terre pour longtemps.

## *Difficultés*

Le monde entier se chargeait de sens. Tout ce qui m'entourait, même les choses les plus humbles, me parlait. Je déchiffrais de mieux en mieux ces messages. La spiritualité utilise de mystérieux langages. Ce savoir-là était bien différent de celui que j'avais cherché dans les livres de science et d'histoire. Il demandait une autre tournure d'esprit, une autre intelligence, une autre façon de travailler. Les femmes y ont toujours été expertes, car les couvents furent longtemps pour elles les seuls lieux où on les autorisait à penser et à écrire. Les murs épais devaient étouffer une parole qui resterait secrète, soumise à la surveillance de l'Église.

Le mysticisme, si féminin, a toujours fait peur. Il est un défi au monde des hommes, ce monde de rationalité, d'ordre, de limites.

Ce travail m'absorba bientôt tellement que je ne regrettai pas d'avoir quitté les livres et laissé mon éducation inachevée. J'avais trop à faire ailleurs et j'y apprenais davantage. On ne décerne pas de brevet dans ces écoles et on y trouve fort peu de professeurs...

Avant de me sentir tout à fait libre de m'en aller, il me fallait parler à mon oncle. Je me doutais qu'il accueillerait mal ma décision, car il ne vivait pas dans le même univers que mon père. Quoique très pieux il était entièrement dans la société et assumait dans la famille la fonction patriarcale. Comme si Louis n'avait pu exercer sa pleine puissance paternelle.

Mon oncle m'aimait, mais il me comprenait de plus en plus difficilement. Il me refusa très nettement sa permission en m'objectant que la vie du Carmel était une vie de philosophe. Cela signifiait à ses yeux qu'elle n'était pas faite pour moi. Pourtant, philosophe, je l'étais déjà à son insu. Ma voie était inhabituelle, et si on ne me prenait pas au sérieux c'était tant mieux, puisque je travaillais dans le secret.

Isidore croyait que je ne me rendais pas compte de ce que je faisais. L'exemple de Léonie le confortait dans sa décision. Sa position de notable l'amenait à redouter le qu'en-dira-t-on. Aux Buissonnets, nous étions loin de la rumeur, en haut de notre petit chemin du Paradis, et ne fréquentions presque personne. Alors que mon oncle, derrière le comptoir de sa pharmacie du centre, voyait et entendait tout des commérages de la ville, de ses scandales et de ses ostracismes. Bien qu'il me parlât de philosophie, il s'agissait autant de politique.

L'anticléricalisme gagnait toujours du terrain. La France se déchristianisait. La modernité jouait contre moi, et plus les années passeraient, plus des tempéraments comme le mien seraient incompris. La contemplation semble inutile et même dangereuse dans un âge industriel, car elle nargue ses valeurs. C'est un univers mécanique et proliférant où l'on croit qu'il faut toujours aller plus vite, fabriquer plus, avoir plus. Les êtres y sont pris d'une frénésie somnambulique d'action, de peur de ne pouvoir repartir s'ils s'arrêtent.

Mon oncle était comme moi l'héritier d'une aspiration transmise par plusieurs générations. Dans notre famille avaient toujours coexisté deux désirs issus d'un seul : celui de s'élever. On pouvait s'élever spirituellement, et on pouvait s'élever socialement. Si mes parents n'avaient pas accédé à cette vie religieuse que pourtant ils avaient tant souhaitée, c'est que leur désir n'était pas total et pur. Il était mélangé à l'autre, celui d'une réussite sociale. Celui-ci entravait celui-là et l'affaiblissait.

Finalement nous nous en étions «sortis», comme on dit. Le travail de la terre était trois générations derrière. On ne se sacrifiait plus pour un homme terrestre, Napoléon, mais pour Dieu. La misère n'était qu'un lointain souvenir. Pourtant c'étaient cette mémoire et cette peur qui avaient fait trimer parents et grands-parents. Mon genre de philosophie, pour employer le mot de mon oncle, je l'aurais aussi bien pratiqué aux champs en gardant mes moutons comme Jeanne la Pucelle. Si la sainte nationale avait commencé le nez dans l'herbe, elle n'avait pu accomplir son œuvre qu'en partant solliciter l'aide royale. Moi aussi, j'implorais mon Roi de m'aider. Mais peut-être avait-il fallu qu'une certaine sorte d'ambition se trouve satisfaite chez nous, pour que l'autre pût pleinement se développer. On plutôt, les deux ambitions s'étaient maintenant nettement séparées, mon oncle vaquant d'un côté à la position matérielle et sociale de la famille, tandis que je quêtais uniquement l'élévation spirituelle.

Ma mère était allée au bout d'une réussite matérielle. Elle représentait une image moderne de la femme. Elle était chef d'entreprise. Mais cela ne l'avait pas rendue heureuse. Elle n'avait pu profiter de son succès. Je l'avais vue déchirée par les regrets autant que par le cancer. Cette voie de l'ambition terrestre était à mes yeux le chemin d'une mort vécue dans l'échec.

Mon oncle conclut cette entrevue déprimante en affirmant que seul un miracle saurait le fléchir. Si l'influence de mes prières avait pu contribuer à attendrir Pranzini, mon brave oncle, dont la générosité se dissimulait derrière la grosse voix et l'air sévère, ne serait pas si difficile à convaincre.

Je fus deux semaines assombrie par sa désapprobation.

Je sentais encore ce nuage suspendu au-dessus de ma tête alors qu'il n'y pensait déjà plus.

Ce mot de nuage n'était pas une vaine image, car juste après ma tristesse éclata. Mes larmes jaillirent. Je passai trois jours dans le plus obscur désespoir, dans la nuit de l'âme. Je regardais tristement le jardin. Une pluie violente battait les vitres. L'orage grondait. La nature protestait avec mon oncle et pleurait avec moi. Une fois de plus, tout m'était signe et langage. Dieu m'envoyait-il la pluie pour se lamenter avec moi dans ma détresse ? Le divin qui est dans chaque chose et dans chaque créature, ne demandant qu'à se révéler à qui veut bien voir, comme pour le saxifrage, m'apparaissait plus clairement à mesure que mon individualité se diluait dans l'amour, que ma volonté s'y coulait, que je me trouvais sous la puissance de Dieu sans négation et sans barrière, comme la plus minuscule de ses créatures.

## Voir le pape

Au bout de trois jours, la pluie cessa de tomber. Mes larmes séchèrent. Le ciel s'éclaircit en même temps que mon âme. J'eus confiance en la force de la prière et pus aller à nouveau trouver mon oncle.

Je m'attendais à le voir sévère, mais son expression avait changé. Son regard était devenu très doux. Il me dit qu'il avait beaucoup prié, et que Dieu lui avait fait signe de me dire oui. Ce signe, je l'appris par la suite, c'était une lettre de Sœur Agnès (Pauline) qui, après m'avoir vue au Carmel désespérée de son refus, lui avait écrit. Il ne me parla pas de cette lettre, il ajouta seulement que finalement il n'y aurait pas besoin de miracle. Je considérais que justement le miracle avait eu lieu ; mais je n'insistai pas.

Ma tante, elle aussi, me donna son consentement. Je vis pourtant qu'elle avait bien de la peine. Elle ressentait aussi pour moi de la pitié. Elle revoyait en pensée la petite

271

orpheline si triste arrivée à Lisieux dix ans plus tôt. Peut-être se reprochait-elle de ne pas m'avoir entourée et choyée suffisamment pour me faire apprécier le monde. Elle croyait que c'était le manque d'amour qui me faisait partir, alors qu'au contraire j'étais appelée par un amour infini. Elle ne pouvait imaginer qu'un jour une de ses filles, par mon inspiration, prendrait le même chemin...

Je sortis de chez mon oncle sous un ciel bleu. Il me semblait que rien ne pourrait plus m'arrêter désormais. Je me trompais.

Le lendemain était un dimanche. Je courus au Carmel. J'annonçai à mère Marie de Gonzague que rien ne s'opposait plus à ma venue. Cette nouvelle ne fut pas accueillie comme je l'avais cru. Son visage était très grave. Elle avait une terrible nouvelle. M. Delatroëtte, le Supérieur du Carmel, refusait de m'y voir entrer avant mes vingt et un ans.

Je ne voulus pas me laisser abattre de nouveau. J'avais fléchi mon père et mon oncle, je fléchirais aussi cet homme. Dès qu'il me verrait et m'entendrait, il comprendrait qu'il s'était trompé: il n'y avait pas là un caprice d'enfant. Dieu saurait bien lui faire un petit signe à lui aussi...

Je connaissais M. Delatroëtte, qui était aussi le curé de Saint-Jacques. C'était un homme d'aspect digne et imposant, sévère et un peu froid. Son regard perçant me jaugeait, mais me jaugeait mal. Il ne voyait pas en moi ce qu'il aurait fallu y voir. J'étais habituée à ces malentendus. Quand j'avais dit au père Pichon que je voulais passer mon ciel à faire du bien sur la terre, j'avais vu que même lui ne me comprenait pas. Mais je savais que je ne pourrais pas faire tout ce que je voulais tant que j'étais encore sur terre, précisément...

Lorsque je protestai, M. Delatroëtte objecta que je pourrais aussi bien vivre en carmélite à la maison. Il avait appris que nous vivions isolés, plongés dans la méditation et dans la prière. Mais c'était impossible. On m'aimait aux Buissonnets comme la petite Thérèse d'autrefois. On me gâtait, cela me distrayait. Il fallait que je sois privée de mes oiseaux, privée de mes plantes, privée de tout. Qu'il n'y ait plus que Lui. J'en avais absolument besoin.

Je vis, à sa façon d'insister sur cette date de ma majorité, que M. Delatroëtte pensait que mon père me poussait. Il voulait se débarrasser de moi, nous voir partir les unes après les autres, c'était ce qu'on racontait en ville, où le scandale menaçait. Comment imaginer une telle réaction, un tel refus? Pourtant l'aumônier du Carmel, l'abbé Youf, lui, m'aurait bien accueillie.

Je ne fléchirais pas le Supérieur. Je sortis. A nouveau, le ciel s'était assombri, la pluie tombait à torrents. Jésus pleurait avec moi et la terre entière m'accompagnait.

M. Delatroëtte avait laissé une porte entrouverte. Je devais tenter d'obtenir le consentement de l'évêque. Mais dans l'immédiat, je n'avais plus confiance en moi ni en personne. Je me cachais derrière mon parapluie, craignant qu'on ne me vît pleurer.

Papa et moi nous hâtions sous la tourmente. Désolé de ma peine, il me disait que, dès que j'aurais repris des forces, il m'accompagnerait à Bayeux pour voir l'évêque. Mais je me sentais bien ébranlée. Je décidai de ne pas m'y rendre avant d'être sûre de moi et affermie, et d'avoir bien réfléchi à ses arguments. Si l'évêque refusait, alors tout serait perdu. M. Delatroëtte, qui me voyait encore comme l'enfant malade et fragile que j'avais été quelques années plus tôt, ferait de moi ce portrait, l'évêque en serait influencé. Je devrais donc produire une impression très forte...

Puis je me dis que tout ne serait quand même pas perdu. Je formai alors le projet d'aller trouver le pape, si l'évêque n'acceptait pas.

## Les deux orphelines

Cette idée éloigna de moi le désespoir. Je repris ma vie d'avant aux Buissonnets. Pour me réconforter, Papa m'offrit de prendre des leçons de dessin en même temps que Céline. J'avais cette nouvelle clé pour ouvrir son cœur. Dessinant à son côté, j'étais heureuse. Je me perfectionnais. En comparaison de ma sœur, je n'avais guère de talent. Mais j'étais près d'elle, dans cet état de fusion que je recherchais. Ce langage de la peinture était donc pour moi une partie du grand langage de l'amour. Je sentis ce qu'était pour moi le ciel, et c'était tout simplement l'amour. Bien sûr ce n'est pas parce qu'on a le ciel au-dessus de la tête qu'on est capable de sauter assez haut pour le toucher du doigt. Et l'amour, c'est la même chose. Mais à l'âge où les jeunes filles sentent leur cœur agité par de mystérieux élans, je savais qui j'aimais, et que c'était pour toujours. Mes rêves, si intangibles qu'ils fussent, n'avaient rien d'une illusion.

Je voyais le père Pichon de temps à autre et je correspondais avec lui. C'était une grande aide car je n'avais pas besoin de dissimuler. Marie m'avait appris à ne pas tout dire à mon confesseur. C'était à cause des scrupules, mais par la suite je me rendis compte que je devais continuer à surveiller mes propos car ils pouvaient prêter au malentendu.

Le père Pichon, heureusement, jouait auprès de moi le rôle d'un directeur de conscience très ouvert et très indulgent. Je pouvais lui dire que j'aurais voulu souffrir pour aimer encore plus. J'aurais même voulu aller en enfer, pour qu'il y eût au moins quelqu'un qui aimât Jésus de là-dessous. Bien sûr je disais une absurdité puisque l'enfer est le lieu de ceux qui ne peuvent aimer. Mais j'aurais voulu renouveler le miracle de Pranzini, et que même là où l'amour était impossible, on aimât.

Le père Pichon écoutait, il comprenait et ne me jugeait pas. Je ne désirais pas souffrir pour souffrir, mais pour aimer davantage et peut-être pour dépasser la souffrance même. Je voulais dompter ma vieille ennemie. Le lieu de la souffrance serait envahi par l'amour, vaincu par lui.

Certains m'auraient trouvée un peu folle, mais je m'en moquais bien. Car après tout, je ne voyais guère pires fous que les gens raisonnables...

J'avais maintenant d'autres enfants. Nous aimions beaucoup notre bonne, et elle nous le rendait. Un jour nous la trouvâmes désolée. Une de ses parentes était tombée gravement malade. Elle avait des petits enfants dont elle ne pouvait

pas s'occuper. Notre mère avait toujours traité les domestiques comme des membres de la famille. Pour continuer cette
tradition, nous prîmes avec nous les deux fillettes, qui
n'avaient pas six ans.

Je fus heureuse de m'y consacrer, car ayant toujours été la
petite sœur, je pouvais maintenant expérimenter la position
inverse. Je jouais à la poupée vivante à mon tour. Elles
m'appelaient «la grande demoiselle».

J'essayai de les élever à ma manière. Je remplaçai la
promesse d'avoir des bonbons par celle d'aller voir le petit
Jésus. Je fus surprise de constater avec quelle facilité elles
pouvaient renoncer à des petits désirs matériels, si importants
à leur âge.

Elles étaient en train de perdre leur mère. Je voulais les y
préparer, et qu'elles eussent d'emblée quelqu'un vers qui se
tourner, qui ne pourrait jamais leur être enlevé. Enfin je
voulais leur économiser un peu d'une douleur que je savais
si noire pour l'avoir vécue avant elles. Mon but était de les
élever dans la sainteté. Je m'étais trouvé un nouveau métier :
jardinière d'âmes. Elles apprendraient avec moi, comme le
linot avec le serin...

## Le voyage à Bayeux

Le rendez-vous avec l'évêque fut fixé pour le 31 octobre. Je
me répétais que j'avais toujours l'amour pour ciel. J'avais
besoin de cet encouragement, car malgré mes efforts, je restais
aussi timide. Cette timidité m'avait sans doute desservie
auprès de M. Delatroëtte. Elle me faisait paraître plus jeune
que mon âge, et donnait une impression de faiblesse. Mes
sœurs ne seraient pas là pour me réconforter. Seul Papa
m'accompagnerait. Je mis une belle robe blanche et un
chapeau assorti. Pour la première fois, je relevai mes cheveux,
dans le but de paraître adulte.

Une fois de plus, comme par un mauvais présage, la pluie se mit à verser lorsque nous arrivâmes dans la ville. Papa m'avait promis une promenade dans cette cité qu'on disait fort belle et très ancienne. Mais je ne pouvais prendre le risque de tremper ma robe. Pour me calmer, il décida de me faire visiter la cathédrale.

Elle était imposante vêtue de ses dentelles de pierre. Mais je n'y rencontrai pas le calme escompté. Un enterrement s'y déroulait. L'église était pleine d'une foule en noir. Je me trouvais au milieu dans ma robe blanche. Tout le monde me regardait. Je me sentis déplacée. Mes résolutions faiblirent, la timidité revint. Mon instinct était de prendre la fuite, mais j'étais arrêtée par l'idée de la pluie battante qui m'attendait dehors.

Papa crut trouver une solution en me proposant de monter en haut de la flèche d'où l'on avait une vue magnifique. Je me laissai faire. Comme je commençais à grimper, je m'aperçus à ma honte que la foule en deuil me suivait des yeux. Je leur offrais un spectacle plus divertissant que l'office des morts. Ou bien figurais-je la jeune morte en robe blanche et qui monte au paradis ? Comme dans tous mes accès de panique et d'angoisse, le souffle vint à me manquer.

Heureusement, derrière le maître autel se trouvait une chapelle dissimulée aux regards. Je m'y réfugiai. Je me perdis dans la prière, comme chaque fois que je voulais me protéger de ce qui m'entourait. C'était une maison invisible que j'emportais partout avec moi. Je me retirais comme ces jolis petits coquillages qu'on trouve sur la plage à Trouville, les bernard-l'ermite, qui disparaissent dans le sable en laissant derrière eux des petits tortillons gris...

Lorsque nous sortîmes, la pluie avait cessé. La foule avait disparu. Papa voulut alors me montrer comme l'église était belle. Mais son silence et son immensité m'impressionnèrent. Je sentis ma nervosité croître. Je tentai de m'affermir en me rappelant que l'abbé Youf, l'aumônier du Carmel, m'avait encouragée dans ma démarche. Je me souvenais aussi de cette phrase de la grande Thérèse : « Dieu seul suffit... »

Nous avions espéré voir d'abord M. Révérony, le vicaire général. Mais lorsque nous arrivâmes chez lui, on nous dit qu'il était absent. Cela me parut mauvais signe. Papa tenta à nouveau de me distraire par une promenade dans les rues de Bayeux. Il me montra les façades sculptées des hôtels classiques, mais, encore une fois, la tristesse qui m'habitait envahissait l'univers. Le monde entier semblait plongé dans la mélancolie.

La promenade se transforma en errance. Papa, voyant que sa diversion échouait, nous fit entrer dans un bel hôtel, où on nous servit un excellent repas dont je n'avalai que quelques bouchées. En d'autres circonstances, j'aurais été heureuse d'une pareille sortie, mais mes sœurs me manquaient. J'avais l'habitude que l'une d'entre elles au moins se trouvât avec moi. Depuis que Papa avait eu son accident, je me confiais à lui moins volontiers. Je craignais de susciter une nouvelle crise. Le médecin avait recommandé de le ménager.

Papa me connaissait trop bien. Je ne pouvais dissimuler devant lui, nous sentions une gêne entre nous. Il me pressait de manger, parce que depuis quelque temps j'avais beaucoup maigri et grandi. J'avais été bien gourmande autrefois, je ne faisais plus honneur à la nourriture. La contrariété ou l'inquiétude provoquaient une boule au fond de ma gorge, et je ne pouvais plus rien avaler.

Pourtant Papa appréciait la bonne chère. Pour ne pas gâcher son plaisir je fis semblant de manger en poussant la nourriture d'un bord à l'autre de mon assiette. Il me parlait avec une grande tendresse. Il était sûr que l'évêque me dirait oui. Je tentais de le croire...

Après le repas, nous allâmes nous reposer. Puis nous revînmes à la charge. Cette fois, M. Révérony nous reçut. Il se montra aimable et souriant. Voyant que j'avais les larmes aux yeux : «Cachez ces diamants-là à Monseigneur...» me dit-il. Alors que nous le suivions, je regardais les magnifiques salons que nous traversions. Je me souvins de ma peur lorsque petite, à Alençon, Céline m'entraînait jouer à la préfecture...

Les salons étaient ornés des portraits d'anciens évêques, dont les visages graves semblaient me juger du haut des murs. Je me sentis écrasée par le luxe et par ces grands personnages. Il me sembla devenir aussi minuscule qu'une fourmi. J'allais disparaître, l'évêque ne me verrait même pas... Le discours que j'avais préparé s'était évanoui, les mots séchaient dans ma gorge.

Enfin M. Révérony nous introduisit dans le cabinet de l'évêque. Celui-ci parlait avec deux prêtres un peu plus loin. Trois fauteuils étaient disposés devant une cheminée. Sous l'effet de la peur, ils me parurent gigantesques. Le feu qui brûlait dans l'âtre était dévorant. L'évêque approcha. Nous nous agenouillâmes, il nous bénit. Il s'assit dans un des gigantesques fauteuils, et Papa en face. M. Révérony me fit signe de m'installer dans le troisième. Je n'osai pas désobéir. J'avais espéré que Papa parlerait pour moi. Mais c'est à moi que l'évêque posa des questions. Je reconnaissais son visage carré encadré par une chevelure de neige, puisqu'il m'avait confirmée à l'Abbaye. Je lui avouai la vérité, que dès que j'avais été capable de comprendre ce qu'était le Carmel, j'avais désiré y entrer. Aussi, j'attendais déjà depuis bien longtemps...

J'étais plongée dans un brouillard, et je ne me souviens pas de ce que j'ai pu raconter exactement. Je me sentais très maladroite, et je voyais à l'expression de Monseigneur qu'il était habitué à des raisonnements plus habiles. Son visage me parut empreint de froideur, mais je ne me décourageai pas. Je continuai à tenter de le convaincre de toutes mes forces...

Ensuite Monseigneur parla avec Papa. Il fut très étonné que celui-ci ne souhaitât pas me garder avec lui encore quelques années. Il disait que cela ne s'était jamais vu. Je me taisais. J'étais arrivée au bout de mes arguments. J'aurais encore voulu expliquer que Papa s'offrirait lui-même à Dieu à travers moi, réalisant ainsi un très ancien désir, mais c'était l'histoire privée de notre famille.

Alors j'entendis Monseigneur dire qu'il ne pouvait prendre de décision sans consulter le Supérieur du Carmel, cet homme dont la volonté m'était opposée! Malgré l'ordre de M. Révérony, je me mis à pleurer. Les larmes étaient la seule richesse que je pusse encore offrir...

Monseigneur abandonna sa froideur. Il me prit contre lui, appuyant ma tête sur son épaule, comme Papa le faisait souvent. Il me caressa et voulut bien lui aussi être mon roi pendant quelques instants, tandis que les diamants continuaient à s'échapper de mes yeux.

L'audience était terminée. M. Révérony nous conduisit à la grille. Papa lui parla de notre prochain pèlerinage à Rome, lui demandant comment il devait s'habiller pour paraître devant le Saint-Père. Il craignait que les habits qu'il portait ne fussent pas assez bien. Papa était redevenu mon roi sur la terre, je le trouvais élégant, mais sa simplicité me toucha... Je me dis que Monseigneur avait dû comprendre qu'il se trouvait face à un monarque...

Mais c'était un roi bien démuni, car il n'avait pu m'obtenir l'autorisation recherchée. Quand nous nous retrouvâmes dans la rue, je recommençai à pleurer. Mes larmes n'avaient plus l'éclat du diamant. Mon avenir semblait bouché. Je me calmai en me disant que quoi qu'il arrive, Dieu l'aurait voulu...

## Le pèlerinage de Rome

Je n'eus guère le temps de me remettre de mes émotions. Trois jours plus tard, nous partions pour Rome. Les longues heures que l'on passait dans les trains étaient l'occasion de faire des rencontres et de lier conversation. On bavardait pour passer le temps, des amitiés se nouaient, et même des idylles. On était entre gens du meilleur monde.

Mes sœurs m'avaient dit comment dans leur pensionnat du Mans elles avaient été impressionnées par des demoiselles de grande famille. La plupart des personnes qui composaient ce pèlerinage étaient nobles. Ce fut pour moi l'occasion de comprendre que la noblesse du nom et celle de l'âme ne coïncident pas toujours et même rarement...

Je m'appelais Martin, c'est un nom humble et très répandu. De toute façon, une fille n'a pas de nom à elle. Son père lui en prête un en attendant que son mari lui en donne un autre. Devant les beaux noms qui s'étalaient dans les wagons, rivalisant d'histoire, de richesse et de particules, je sentis que le mien n'était pas grand-chose. Je fus d'autant plus résolue à le perdre au profit d'un autre que Dieu m'offrirait.

Auprès de ces grandes dames, je me sentis princesse à ma façon. Vues de près, avec leurs prétentions, leurs mesquineries, leurs faiblesses, elles m'apparurent de plus en plus petites. Je voyais s'ébaucher de ridicules intrigues, les petits jeux de la séduction. Je m'en trouvai puissamment confirmée dans l'idée que ce monde ne serait pas le mien. Dieu est le seul véritable nom, et pour l'entendre il faut renoncer au sien.

Depuis ma visite à l'évêque, j'avais pris l'habitude de relever mes cheveux lorsque je me présentais devant les gens. Puisqu'on me reprochait d'être trop jeune, je me vieillissais. Je m'étais coiffée sévèrement. Mes cheveux étaient ramenés en deux coques sur le dessus de ma tête. Ils avaient un peu foncé et je ne pouvais m'empêcher de regretter les longues boucles enrubannées qui m'encadraient autrefois le visage et me faisaient prendre pour une Anglaise à Trouville. Ainsi dégagés, ils faisaient ressortir mes joues bien rondes et une ébauche de fossette au menton, qui accentuait un côté paysan, hérité de la famille de ma mère.

Avec les années, le pli espiègle des lèvres est devenu presque ironique. J'ai gardé mon nez fin, un peu retroussé, et un regard droit qui va très loin.

Dépouillée de frivolité, dans une robe sombre à col haut et dépourvue d'ornement, je ressemblais déjà à une nonne.

Nous voyagerions à trois, Papa, Céline et moi. Léonie, durant l'été, était repartie au couvent.

Nous quittâmes Lisieux avant l'aube. L'organisation incombait à l'agence Lubin, spécialisée dans ce genre de périples. Nous n'aurions pas à courir les hôtels lors de notre arrivée dans une ville. Je regardais avec plaisir le coupon sur lequel se trouvaient énumérés les endroits où nous devions nous arrêter, ainsi que le nom des hôtels. L'hôtel du Lac à Lucerne, l'hôtel de la Lune à Venise, l'hôtel Beau Rivage à Nice... Des guides nous escorteraient à chaque visite sur place.

Papa nous avait fait partir deux jours à l'avance pour nous donner le temps de visiter Paris. Nous admirâmes l'élégance des Champs-Élysées. Aux Tuileries, nous regardâmes le diorama et le panorama, qui représentaient de façon saisissante le Bosphore et Constantinople. Mais Papa, qui avait visité tant de lieux exotiques, m'affirma que ce n'était rien en comparaison de la réalité.

Enfant, j'avais voulu parcourir le monde. J'admirais les exploits des missionnaires. J'aurais voulu expliquer aux petits Chinois affamés, aux petits nègres tout nus que le Christ, c'est l'enfant battu, méprisé, maltraité qui se trouve au fond de chacun de nous. Nous avons tous été cet enfant qu'on n'écoute pas, qu'on ne comprend pas et qu'on abandonne parfois. Nous le redevenons, dans nos moments de souffrance. Si nous pensons à lui, nous sortons de notre malheur. Le Christ, lui, comprend car il l'a vécu pour nous, avant nous, une fois pour toutes, pour que nous ne soyons jamais sans recours. Avec sa sueur et son sang, il a effacé la tache de solitude.

On le représente de deux façons : l'enfant radieux dans les bras de sa mère aimante et fière, et l'être torturé, agonisant. Nous aussi, êtres humains, passons par ces deux états. Nous sommes précipités de l'un à l'autre. On nous aime, on ne nous aime pas. On est, on n'est pas. On peut, on ne peut pas. On a, on n'a pas. Seul le Christ en croix nous tient compagnie lorsque la vie nous jette dans l'horreur du vide, le gouffre affreux de la souffrance. Mais le vide n'est pas vide, car Jésus est là qui nous y attend. Lorsque la vie est pour nous comme une mère aimante, nous sommes assis sur ses genoux, et nous ne pensons guère au Crucifié.

Nous croyons que nous serons éternellement les favoris de la fortune. Sauf si nous avons souffert plus que de coutume et très tôt, car alors nous n'y croyons plus jamais. Ma mère était ainsi, elle souhaitait souffrir car la souffrance lui était plus familière que le bonheur. Elle avait apprivoisé la souffrance, elle savait serrer les dents.

Moi, je voulais souffrir aussi, mais pas pour les mêmes raisons. Le bonheur ne m'inquiétait pas, j'en profitais. Mais ce que j'avais trouvé au plus profond de la vallée de larmes, ce n'était pas seulement la faculté d'endurer. Savoir supporter la souffrance est une façon d'exister.

J'avais été une petite fille coquette et capricieuse. J'avais aimé mon teint rose, mes boucles blondes, l'éclat nacré de mes bras nus, les dentelles dont ma mère me parait, les rubans que mes sœurs nouaient dans mes cheveux. La mort de Maman avait tué cette petite fille, l'avait emportée avec elle là-haut d'où elle me souriait.

Mais je m'étais aperçue, à l'approche de la puberté, que cette enfant rieuse et bouclée ne demandait qu'à revivre dans la jeune fille. Il eût suffi qu'un homme m'aimât mieux encore que ma mère. Sans jamais partir. Mais quel homme pouvait me donner cette garantie ? Certes, ma mère, alors qu'elle n'y croyait plus, avait rencontré un jeune homme aux yeux mélancoliques sur le pont qui enjambait la Sarthe. Moi aussi j'aurais pu en rencontrer un, il suffisait de mettre mon chapeau et mes gants blancs, de sourire et d'attendre.

Mais aucun amant, si tendre et attentionné fût-il, n'aurait pu me faire oublier ce que j'avais rencontré au fond du gouffre de la souffrance. La voix du Christ qui murmurait «moi aussi» et disait «c'est pour toujours». Et quand il disait cela, je pouvais le croire. J'avais survécu grâce à la perception de Sa présence qui survenait ténue, par instants. Il se tenait caché mais proche. Je voulais apprendre à Le voir. Avec lui j'avais connu un autre bonheur, pêché au fond de la souffrance, et dont je ne pouvais oublier le goût. D'ailleurs, le bonheur d'avant — d'avant la mort de Maman — comment aurais-je pu, seule, le retrouver ?

Restée aux Buissonnets avec Papa et Céline, libre comme l'air entre mes fleurs et mes oiseaux, j'aurais pu, comme l'avait conseillé Monseigneur, y prier tout mon saoul, organiser mon petit carmel à ma manière. J'aurais pu aussi rencontrer un homme qui m'aimât, tout en continuant à aimer Jésus. Je savais qu'on m'aimait sur terre, j'avais été entourée d'amour... Mais j'étais incapable de me jeter à la rencontre de cet amour, m'y donner, passionnée et entière comme je l'étais, car la mort me semblerait toujours rôder au-dessus de lui. La mort de ma mère avait frappé de terreur tout amour terrestre. J'étais marquée d'un deuil infini.

Au fond de ce deuil, j'avais découvert bien autre chose. Le vrai amour, celui pour lequel j'étais faite, dans la privation d'amour. Tout comme Jésus l'avait trouvé avant moi. Il était le seul qui pût me comprendre. Dans ma perte j'avais trouvé Son amour, je n'en voulais plus aucun autre. Je courais vers Lui, rien ne pouvait me retenir. Les petits bonheurs quotidiens ne pouvaient que gêner ma course. Une si grande course, si longue et qui me demandait tellement d'endurance que je l'appelais «ma course de géant»!

Pour passer du bonheur premier à ce bonheur-là, du monde premier à ce monde-là, il me faudrait perdre mon nom, ou plutôt celui de mon père, bien qu'il véhiculât mon histoire, la trace et le poids de ceux qui m'avaient faite, moi Thérèse, telle que j'étais. J'abandonnerais tout, je paraîtrais sans rien aux yeux de Jésus. Perdre son nom, c'est comme accepter de mourir. Je serais sans nom, je ne serais plus rien, je serais plus bas que terre, mais c'est là qu'on m'en donnerait un autre. Plus beau qu'avant, plus précieux, plus puissant, plus noble. Je perdrais mon nom si petit pour un très grand.

Je réfléchissais à tout cela en regardant ces dames et ces demoiselles qui m'accompagnaient en pèlerinage et qui me regardaient de haut, du haut de leurs grands noms, de leurs noms si longs et si majestueux. Je savais que j'en prendrais bientôt un autre plus beau qu'aucun des leurs. Je m'appellerais: «de l'Enfant-Jésus».

Car Isaïe dit: «Le Seigneur donnera un autre nom à ses élus. Et ce nom-là seul est vrai, lui seul est glorieux et lui seul est éternel.»

## Paris

Ma vocation me permettait donc de ne rien envier, ne rien désirer, ne rien regretter des récompenses du monde. Leur importance n'était pas telle qu'elle le paraissait. La hiérarchie des choses pouvait ne pas m'être imposée de l'extérieur, je pouvais me différencier des autres, j'avais le droit d'être moi. Jésus me donnait ce droit.

De même l'Écriture sainte ne prend sens que si on la fait sienne, c'est pourquoi tant de gens qui vont à l'église se conduisent médiocrement. Jésus m'aidait à trouver le courage de nommer et de décrire le monde qui m'entourait. Alors seulement je pouvais comprendre que c'était le même que le sien.

Combien il est nécessaire d'accomplir cette démarche intérieure, ce gigantesque travail, je ne le saisis qu'en observant les prêtres qui voyageaient en même temps que nous. Ils étaient soixante-quinze. Je m'étais figuré les ecclésiastiques comme des saints, qui détenaient les clés du Royaume. J'avais parfois éprouvé une certaine réticence à leur égard, comme lorsque Marie m'avait conseillé d'être très prudente dans ma confession.

Les raisons de ma réticence me devinrent claires au cours du pèlerinage, car j'y vis pour la première fois des prêtres dans leur environnement quotidien. Je les vis comme des hommes, et non comme ces hauts personnages que leur fonction faisait d'eux. Je constatai avec surprise qu'ils étaient pareils aux autres, avec les mêmes petitesses, les mêmes bassesses et les mêmes défauts. J'étais naïve et je parvenais mal à comprendre comment le saint ministère qu'ils exerçaient avait pu les laisser inchangés. Je regrettai moins de ne pouvoir accéder, étant femme, à ce ministère. Je sus encore mieux que la contemplation était mon avenir, car elle me permettrait d'espérer changer en profondeur toute ma personne, et non pas de dissimuler mes faiblesses derrière une fonction. Si les prêtres pouvaient m'aider, me guider, me conseiller, je n'oubliais pas que Jésus et Marie me protégeaient. Sinon, je n'aurais pas eu le courage d'entreprendre le voyage de Rome afin d'en appeler directement au Saint-Père. Je me serais rangée à l'opinion du Supérieur du Carmel et de Monseigneur l'évêque. Mais leur refus de comprendre mon désir d'y entrer avait resserré mon lien à Jésus.

Cependant je me sentais bien effrayée, car après ce temps passé à effacer en moi les désirs, je devais trouver le courage de m'affirmer très fortement. En commençant les excursions je visitai Notre-Dame des Victoires. Maman avait eu un amour particulier pour cette église. Il s'y trouvait une Vierge que l'on appelait «le refuge des pécheurs», et une association de croyants y priait pour obtenir le salut des égarés. Mon oncle m'avait raconté comment, lorsqu'il faisait ses études à Paris, Maman le chargeait de s'y rendre à sa place.

Cette église était donc chargée pour moi d'histoire familiale. En y entrant, je retrouvais un peu ma mère. En pleurant, je regardais la statue de la Sainte Vierge, et je l'appelais «Maman». C'était la meilleure des mères, et bien que mère, elle était vierge comme moi et me comprenait. Sa virginité m'émouvait particulièrement en ce moment, car j'avais entendu raconter certaines choses sur ce qui se passait parfois pendant les pèlerinages. Je craignais l'inconnu, l'étranger, moi qui avais toujours vécu préservée. Ma pureté et ma timidité seraient mises à rude épreuve. Je priai aussi saint Joseph, protecteur des vierges. Je priais mes deux parents symboliques dans le ciel, des parents idéaux.

Et la Vierge du refuge des pécheurs me protégea. Quand j'arrivai devant mes compagnons de voyage, je m'aperçus que ma timidité s'était envolée. J'y trouvai la confirmation que c'était la Vierge qui m'avait souri lorsque j'étais malade, car elle venait de m'aider à nouveau. Je me sentais parfaitement bien au milieu de ces gens. Je n'étais plus la même. Mes peurs avaient disparu. J'étais entièrement tendue vers un seul but : obtenir un mot du pape. Le reste du séjour, dont je m'étais fait une montagne, devenait insignifiant.

Papa, qui se disait que c'était là mon premier et dernier voyage, voulait que j'en profite au maximum. Il adorait les visites, avait depuis toujours une âme de touriste. Ce n'était pas mon cas. Je n'aimais que le voyage intérieur, et pour voir des choses magnifiques, nul besoin de se déplacer. Au contraire, trop d'objets qui attirent l'œil autour de soi encombrent l'esprit, et brouillent ces perceptions-là.

La visite des monuments et les repas dans d'excellents restaurants servirent principalement à me confirmer dans l'idée que mon bonheur était ailleurs. Nous courions d'un lieu à l'autre toute la journée. Les rues étaient incroyablement animées. Des voitures débouchaient sans prévenir à une vitesse qui me paraissait vertigineuse... J'avais continuellement peur de me faire écraser. Avant le départ Marie m'avait confié qu'elle aussi avait tremblé de peur en traversant les rues de Paris.

Le soir, nous rentrions fourbus à l'hôtel de Mulhouse. Tout semblait tourner autour de moi. Le bruit me donnait des migraines et, sans l'avouer à Papa, je soupirais après Lisieux qui, vu d'ici, me semblait champêtre.

Le dimanche 6 novembre était le dernier jour que nous devions passer dans la capitale. Ce matin-là eut lieu, en cérémonie d'ouverture du pèlerinage, une messe spéciale au Sacré-Cœur de Montmartre. La construction du bâtiment qui devait dominer Paris de sa masse blanche n'était pas achevée. La messe se déroula dans la crypte. Elle fut célébrée par Mgr Germain, l'évêque de Coutances. Ensuite nous nous dirigeâmes en procession jusqu'à l'abside supérieure. Le Magnificat résonnait, le bâtiment inachevé avait une grandeur incomparable, nous étions à ciel ouvert. Jésus était si près...

## Le train

Le lendemain matin, dès six heures, nous étions en gare de l'Est, d'où partait notre train. La gare me sembla immense. Nous étions cent quatre-vingt-dix-sept, une vraie foule. Je reconnus M. Révérony et l'évêque de Coutances. J'avais le cœur serré. Nous devions tous les trois avoir l'air un peu perdu, car Mgr Legoux, grand vicaire de Mgr Germain, vint s'occuper de nous. Il nous indiqua notre compartiment. Chacun d'entre eux était sous la protection d'un saint différent. Quelle ne fut pas notre surprise lorsque nous constatâmes que le nôtre était sous l'égide de saint Martin ! C'était un signe de plus. Le voyage commençait sous les meilleurs auspices, malgré le froid piquant de ce matin d'automne.

Notre première étape était Lucerne. L'agence avait tout organisé au mieux. Nous ne passerions aucune nuit dans le train. Lors de notre arrivée, une calèche nous attendait. Elle nous conduisit jusqu'à l'hôtel du Lac où des chambres avaient été réservées. Je m'étais déjà habituée au chemin de fer. Voir défiler les paysages me causait un grand plaisir. La grandeur paisible de la Suisse, contrairement à l'agitation de Paris, favorisait la méditation. Les eaux profondes et lisses du lac des Quatre-Cantons me ravirent. Papa aurait pu y faire de belles parties de pêche !

Le lendemain matin, nous continuâmes dans les montagnes. Je regardais avec étonnement les cascades, les sapins, les rochers, les paysages romantiques dont Papa m'avait autrefois fait le récit. Je croyais contempler les merveilles de la Création. Papa, lui, était sous l'emprise d'une très grande fatigue. Retrouver la région où sa vocation monastique avait été réduite à néant le déprimait. Alors qu'à Paris j'avais eu le sentiment que je ne perdrais rien en me privant à jamais de ces belles choses, au contraire en contemplant les pics et les vallées de la Suisse, je sentis pleinement tout ce dont la vie religieuse me priverait. Le Carmel était un désert clos. La vastitude du monde ne me serait plus qu'une rumeur au-delà d'un mur.

Je m'émerveillais du chemin de fer. L'Europe entière se couvrait de rails. Cet avènement de la vitesse était celui de la modernité. Lors des étapes, et quand je parlais à mes compagnons de voyage, je voyais que les questions qu'on me posait allaient dans une direction précise. On se figurait que mon père m'avait emmenée à Rome dans l'espoir que les beautés du monde et les rencontres que je ne pourrais manquer de faire me détourneraient de ma vocation religieuse. Je sentais très souvent sur moi l'œil vigilant de M. Révérony, pour qui le pèlerinage était une façon de jauger la réalité de mon appel. Lui aussi semblait guetter le moment où je faiblirais, où je me mettrais à sourire à ce qui m'entourait, où je prêterais l'oreille à quelque propos galant.

J'étais la plus jeune personne du groupe. On me trouvait jolie, ma situation intriguait. On s'intéressait à moi, on me parlait volontiers. On me faisait même mille civilités. Je m'apercevais avec un bonheur stupéfait que j'avais retrouvé ma langue. L'intense difficulté à parler qui datait de la mort de Maman m'avait quittée. J'en profitais et bavardais gaiement. On se disait sans doute : « C'est une jeune fille comme une autre. Une vie trop sévère la rendait mélancolique. Il suffisait de lui procurer des distractions. » Mais moi, je savais que j'amassais des souvenirs pour une vie entière. Aussi je ne craignais pas de remplir mon panier !

Dans la vie religieuse, on doit se satisfaire de l'infiniment petit, de la répétition, de l'obéissance. Je connaissais combien ce chemin peut être difficile, et je souhaitais faire provision de grandeur, pour me soutenir ensuite dans les moments où l'exploration du presque rien me donnerait la sensation de sombrer, et où mon courage m'abandonnerait. Moments qui me paraissaient à l'avance inévitables.

## L'Italie

Dans les paysages de la Suisse, le calme et la mesure se conjuguaient avec l'excès et le chaos, présentant un microcosme de la création divine qui m'impressionnait. Mais nous atteignîmes bientôt la douceur de l'Italie.

Milan y fut la première étape. Nous visitâmes la cathédrale. Je me souvins, alors que nous grimpions, Papa et moi, de clocher en clocher, de notre ascension de la cathédrale de Bayeux. A cette époque pourtant peu éloignée, Papa devait m'entraîner. J'étais honteuse et timide et ne pensais qu'à me cacher aux regards. Maintenant, je grimpais hardie et joyeuse, alors que les autres dames, terrifiées, mettaient leurs mains devant leur visage, parce que la vue leur donnait le vertige.

A Milan, la fatigue qui m'avait submergée à Paris et qui avait terrassé Papa en Suisse disparut. Tout nous rendait joyeux. Je m'étonnais de voir certains de nos compagnons, grincheux, se plaindre des hôtels, des guides et des pays. Papa était particulièrement poli, offrant à l'occasion de leur céder sa place. Cette attitude d'abnégation courtoise lui fit attribuer le sobriquet de « Monsieur Saint-Martin », d'après l'appellation de notre wagon et du saint qui partageait son manteau. Les gens croyaient plaisanter, mais j'avais envie de leur dire à quel point ils avaient raison sans le savoir ! Notre nom nous incitait au partage.

L'immense édifice de marbre blanc de la cathédrale de Milan resterait dans ma mémoire. Je préférai cette ville à Venise, que nous visitâmes ensuite. Mon amour de l'eau n'y trouva pas son compte. Je trouvai les canaux étroits et tristes, soupirai sur le pont du même nom... Venise est la ville des amoureux. C'était une expérience que je ne connaîtrais jamais. Celle d'une main tendre attardée sur mon épaule, de deux yeux joueurs et pleins de désir plongés dans les miens...

A Bologne, ma mélancolie se changea en tristesse lorsque j'y rencontrai un autre aspect de l'Italie, pays de l'amour et de la sérénade. La ville était envahie par des hordes d'étudiants affamés et turbulents. Ils parcouraient les rues en bandes bruyantes, chantantes et chahutantes. Certaines demoiselles semblaient ravies de rencontrer tant de jeunes gens prêts à l'œillade et au compliment. Moi, j'eus droit à un comité d'accueil qui me glaça.

J'étais sur le quai, attendant Papa qui cherchait les valises. Je n'avais pas encore remarqué ces étudiants qui traînaient pourtant nombreux dans la gare, au milieu du charivari. Soudain, je me sentis quitter le sol. Un homme me pressait contre lui. Je vis un visage inconnu très près du mien, sentis une odeur de vin et de mauvais tabac. Déjà il m'embrassait. Je me débattis. Il m'emmena, courant presque, fort comme un Turc, et encouragé de la voix par ses camarades.

Papa n'avait rien vu, mais Céline, qui se trouvait à quelques mètres de là, accourait. Le drôle cherchait mon regard. Ses yeux étaient pleins d'un éclat lubrique. Jamais on ne m'avait dévisagée si effrontément. Je crus revoir les diablotins dans la buanderie de mon rêve d'enfant.

Brusquement, je n'eus plus peur. Je rendis son regard à l'homme qui m'enlevait comme j'avais fixé les diablotins. Le triomphe déserta ses yeux, remplacé par l'incertitude, puis par la gêne. Avant même que Céline n'arrivât jusqu'à nous, il disparut dans la foule, s'enfuyant comme un voleur.

C'était bien un vol qu'il avait voulu commettre: le vol du sentiment de moi-même, de mon intégrité. Je n'avais jamais autant senti combien ma virginité était précieuse. La virginité est ce qui définit d'abord la femme, qu'elle la possède ou qu'elle la perde. C'est pour cela que la Vierge est notre exemple à toutes. Cet homme avait voulu me la prendre. Je n'aurais plus été alors qu'une moitié de moi-même. Mais Notre-Dame des Victoires, et saint Joseph, à qui j'avais recommandé ma pureté, veillaient sur moi. Après un moment de trouble, je ressentis un grand soulagement. Vraiment, je n'étais pas faite pour un homme terrestre.

Papa nous avait rejointes, effaré. On lui avait déjà conté mon aventure, qui n'était pas passée inaperçue de nos compagnons. Je voyais, dans les yeux de plusieurs demoiselles, qu'elles auraient bien aimé être à ma place. J'avais acquis un prestige supplémentaire par mon «enlèvement», comme elles disaient. Pourtant, je leur aurais volontiers cédé cette gloire-là!

Très curieuses, elles demandaient des détails. Mais je n'avais qu'une idée: trouver la voiture qui nous attendait, m'enfermer tranquillement dans ma chambre d'hôtel. Au prochain repas, lorsque nous nous retrouvâmes dans la salle à manger, j'avais repris mon calme et presque oublié cette histoire absurde. Mais dès que j'entrai, je vis que les regards étaient braqués sur moi. On discutait à mi-voix, j'étais l'héroïne de la journée. Je me dis qu'il en fallait bien peu à ces gens, et mesurai combien l'importance qu'on vous attribue dans le monde est due à de mauvaises raisons...

J'appris ensuite que ces étudiants étaient des libres penseurs, des anticléricaux, plus virulents encore en Italie que chez nous, sans doute parce qu'elle est terre de religion. Ces chenapans lisaient dans leurs journaux les dates d'arrivée des trains de pèlerinage, et au lieu de pencher le nez sur leurs livres, se rendaient à la gare en groupe dans l'intention de chahuter. Mon enlèvement était dû au fait qu'on m'avait trouvée trop jolie pour me préoccuper d'amour divin.

Une fois de plus, je constatai que je plaisais. Je n'étais plus gênée comme autrefois. Je me disais que c'était l'amour de

Jésus qui me rendait belle. D'ailleurs, je n'en avais plus pour longtemps, finis au Carmel les boucles et les rubans.

En attendant c'était ennuyeux d'être jolie ! Les étudiants ne se le tinrent pas dit une fois pour toutes. Chaque fois que nous quittions notre hôtel pour aller visiter la ville, c'était la même histoire. Une haie d'honneur nous attendait, ou plutôt de déshonneur, avec quolibets, sifflets, lazzi et appréciations diverses sur le physique des personnes du sexe. Je portais une toque de feutre et une jaquette de tissu brodé couleur tabac. Céline me souffla que j'étais élégante. Certaines dames et demoiselles faisaient perpétuellement concours de toilettes. J'avais hérité de Maman le goût des jolies étoffes, mais de plus en plus, je m'en détachais.

A quoi bon si c'était pour s'attirer des ennuis ? Décidément, je ne voyais pas les choses comme les autres...

J'étais bien impatiente de quitter Venise pour Lorette. Je me faisais une joie de voir la maison où la Vierge avait vécu avec la Sainte Famille, et que les anges avaient transportée dans les airs jusqu'à l'Italie. Je l'avais déjà souvent contemplée en imagination. Je vis la petite chambre où l'Ange était apparu à Marie, et l'écuelle si simple et si pauvre dans laquelle avait mangé l'Enfant Jésus... La Santa Casa était protégée dans la basilique de marbre blanc comme un bijou dans son écrin. Je voulais communier dans la petite maison et non, comme les autres, à l'extérieur.

J'entraînai donc Céline à user de la ruse. Nous suivîmes l'abbé Lecomte, vicaire de Saint-Pierre de Lisieux. Il accepta de consacrer pour nous deux petites hosties. Nous en fûmes très heureuses. J'emportai ce souvenir dans mon âme, tout comme je gardai sous mes ongles un peu de la poussière de la petite maison que j'avais furtivement grattée. Ce plaisir était enfantin, mais je savais qu'un jour Jésus me serait donné tout entier.

# Rome

La visite de Lorette m'avait consolée de Venise et de Bologne. Nous quittâmes Lorette pour Rome et arrivâmes de nuit dans la Ville sainte. Je dormais. Dans mon sommeil j'entendis crier: «Roma! Roma!» Je crus que c'était encore un rêve. Je m'éveillai, et j'étais bien dans un rêve, ce rêve que j'avais toujours eu de voir Rome, la ville du pape! Cette année-là, le pape Léon XIII célébrait ses noces d'or pontificales. Les États avaient été spoliés. Les croyants affluaient pour prouver que Rome était unique.

Rome comptait en réalité trois villes bien différentes. Le centre était aussi riche, moderne et bruyant que Paris. Je m'enfuis bien vite pour aller gambader dans la ville antique. J'adorais le mélange de campagne et de ruines, le poids des siècles, le silence parcouru par les pattes de velours des chats.

Je désirais surtout visiter le Colisée, pour embrasser la terre de l'arène que les martyrs avaient baignée de leur sang. Mais ce n'était qu'un tas de ruines, et il était interdit d'y pénétrer. Je vis passer un ouvrier avec une échelle. Je faillis la lui demander. Je m'en serais servie pour entrer dans l'arène. Après tout, j'avais bien réussi à recevoir la communion dans la petite maison sainte... Mais je sentis que cet ouvrier me prenait pour une folle.

J'aperçus qu'à un endroit le tas de pierres arrivait presque à la hauteur de la barrière. J'appelai Céline et nous passâmes par-dessus. J'avais gagné! Malgré les appels de Papa qui nous criait de revenir, nous atteignîmes la partie de l'arène où un pavé croisé indiquait le lieu où les martyrs devaient affronter la mort. J'embrassai la poussière à cet endroit, et je demandai à Jésus qu'il me laisse subir le martyre pour lui. Ainsi, je vivrais ce qu'il avait vécu. Je partagerais avec lui, je me fondrais en lui. C'était là l'idée que je me faisais de l'amour, je n'en connaissais pas d'autre. Aimer, c'était mourir pour quelqu'un ou à sa place. Est-ce que Maman n'était pas morte pour que je vive?

Très vite, pour ne pas nous faire remarquer, Céline et moi rejoignîmes le groupe des pèlerins qui écoutait les explications du guide, énoncées dans un français ridicule. Depuis plusieurs jours je perfectionnais ma technique d'imitation de son accent, le soir, au bénéfice de Céline. Il appelait les corniches des cornichons, les cupidons des cupides... Tout le monde s'esclaffait. Je serrais dans ma main des pierres que j'avais ramassées dans l'arène. J'en donnai une à Papa.

Je volai aussi de la terre aux catacombes, à l'endroit de l'ancien tombeau de sainte Cécile, et un carreau de mosaïque à l'église de sainte Agnès. J'aurais voulu reposer à la place de sainte Cécile et chanter aussi bien qu'elle pour Jésus, un chant si pur et si haut que Lui seul l'entendrait. Quand je touchais la terre et la pierre, je comprenais sainte Agnès et sainte Cécile. Elles devenaient mes amies, à moi qui avais souffert autrefois de ne pouvoir profiter du plaisir de l'amitié.

Les premiers chrétiens avaient été martyrs pour leur foi. Ils étaient prêts au sacrifice pour l'affirmer, convertir les autres. On aurait pu penser que Dieu n'avait plus besoin de martyrs. Mais il faut que d'autres êtres renouvellent le sacrifice du Christ, sinon le monde s'endormira et la dimension de l'amour absolu n'existera plus.

Je voulais m'imprégner de la souffrance du Christ et des martyrs. La terre et les pierres au fond de ma poche étaient des fragments de douleur que je touchais pour que cette douleur passe en moi. A l'église Sainte-Croix en Jérusalem, j'ai glissé mon doigt dans une fente du reliquaire et j'ai touché un clou de la vraie croix. J'avais besoin de palper les choses. J'aimais la tendresse, les effusions, les caresses, les contacts. J'aurais pu aimer un homme à la folie si seulement il n'avait pas été qu'un homme. Mon doigt était comme transfiguré par le contact du clou qui avait percé la chair de Jésus. Par ce clou Jésus était devenu plus qu'humain.

## *J'osais tout*

A Rome les dernières traces de timidité qui m'avaient handicapée disparurent. Je me sentais capable de tout, j'osais tout. La Thérèse que j'avais été voyait surgir d'elle une autre Thérèse, comme le papillon sort de la chrysalide.

Les gens semblaient s'en apercevoir et m'aimer pour cela. Ils me pardonnaient tant, moi qui avais toujours craint qu'on ne me pardonnât rien. L'amour m'avait donné des ailes et je volais. C'est cet élan que l'étudiant de Bologne avait senti et qui l'avait poussé, bien qu'il se fût mépris sur sa nature.

Un jour, admirant des tableaux, je me trouvai dans les cloîtres intérieurs d'un monastère. C'était interdit aux femmes. Un vieux moine me vit et me menaça d'excommunication. Je lui souris. Il me rendit mon sourire, s'en alla et je restai avec les tableaux.

Je n'étais plus jamais fatiguée. Je partais de bon matin. Sitôt le petit déjeuner avalé, nous sortions de l'hôtel du Sud, via Capo le Case. Je gambadais et courais jusqu'au soir. J'entraînais Céline. Papa peinait à nous suivre. C'étaient mes derniers temps de course et d'espace. Céline disait qu'elle me retrouvait telle que j'avais été toute petite, avant la mort de Maman.

Le soir, au dîner, Céline bâillait. Moi, je racontais à qui voulait l'entendre mes aventures. Certains de nos compagnons me jetaient parfois des regards surpris. Mon rire et mon babillage cadraient mal avec ma vocation de carmélite. Comment pouvaient-ils comprendre que cette joie, Jésus me l'offrait? Je ne me laissais plus démonter par personne, je savais trop ce que je faisais! C'est alors, le dîner terminé, que Céline et moi nous asseyions sur le tapis de notre chambre et passions de nouveau en revue les incidents de la journée, et toujours je sentais sur mon doigt le contact du clou de la croix. Mon rire se mêlait à l'idée de la douleur. Plus je souffrais plus je faisais le pitre.

Le père Vauquelin, qui occupait la chambre voisine, n'était

séparé de nous que par une très mince cloison. Il nous fit des remontrances, car nos conciliabules prolongés très avant dans la nuit l'empêchaient de dormir. Il me regardait avec désapprobation. Mais je n'avais que quinze ans, et bientôt je m'engloutirais dans le grand silence du Carmel, je devrais me taire pour toujours. Ah ! Ce prêtre ne voyait que l'extérieur et ignorait ce que j'avais dans le cœur !

Je voyais pourtant approcher avec angoisse la date du 20 novembre 1887 où je devais rencontrer le Saint-Père. Ma cousine Marie m'avait écrit qu'elle-même et la famille priaient « à en casser les prie-Dieu ».

Le 20 était un dimanche. Je ne dormis guère et me levai très tôt. J'allai droit à la fenêtre de la chambre et je vis que la pluie tombait. C'était une pluie du sud, de grosses gouttes drues et violentes se fracassaient sur les pierres. La rue était morne et grise. En Normandie, quand il pleut, le ciel prend des couleurs d'huître et la nature est si verte que la vie éclate. Mais rien de plus triste que Rome sous l'averse. Pas un passant, les habitants se cloîtrent en proie à l'abattement. Déjà il avait plu à Bayeux le jour de ma visite à Monseigneur. C'étaient les larmes du ciel.

J'étais le jouet de Jésus, une petite balle qu'il pouvait faire rouler où il voulait. Je souhaitais qu'il joue avec moi pour lui donner du bonheur et moi aussi j'en aurais à voir le sien. Son bonheur réfléchi était chaud comme le soleil. Mais maintenant il pleurait et refusait de jouer.

Je pensai à Léon XIII que j'avais vu sur une image, très courbé, l'air las et bon. Mais la pluie tombait toujours davantage. Je pensai aussi à la ville de Rome qui m'avait déçue, aux trésors de peinture que je n'avais pas su apprécier, aux merveilles du monde que je n'avais pas eu le temps de connaître et déjà c'était trop tard. Je n'avais profité de rien, c'était ma faute et je ne le regrettais même pas.

J'étais vêtue comme Céline d'une robe noire, avec une grande médaille de Léon XIII au bout d'un ruban. Il était bleu et blanc, les couleurs de la Vierge. A Trouville sur la plage j'étais la petite fille aux rubans bleus dans ma robe blanche, mais ce ruban-là était alourdi par la médaille, il tombait et ne volait pas au vent.

Déjà nous entrions. Il était sept heures et demie. Je me trouvais dans la chapelle pontificale avec les autres pèlerins mais je ne pouvais rien voir car je pensais au pape. J'étais transpercée d'une douleur terrible, le pressentiment de ce que j'éprouverais ensuite.

## L'écureuil

Tout était fini...

C'était urgent, je n'avais pas de temps à perdre, pourquoi me fermait-on la bouche? Ils me voyaient avec sympathie mais ils me rejetaient quand même. Quelque chose en moi les inquiétait. J'en souffrais parce que je savais que j'allais dans la bonne voie. J'aurais tant voulu, qu'on soit de mon côté. Plus j'avancerais, plus le malentendu grandirait, plus je serais seule. La solitude était mon pays, un pays fécond mais douloureux.

En partant je jetai un dernier regard au dôme de Saint-Pierre, si calme dans sa majesté. Comment avais-je eu le courage, moi si petite, de monter à l'assaut d'une telle forteresse? La première fois que je l'avais vu, la boule d'or surmontée d'une croix brillait dans l'azur. Mais au sortir de l'audience le ciel boudait encore. Je me sentis vide et pleine de détresse. J'avais fait ce que j'avais pu mais c'était si peu! Je tentai après coup de modifier l'impression que le Saint-Père m'avait faite. On disait qu'il s'intéressait aux humbles et aux ouvriers. Ne pouvais-je prendre sa phrase, «vous entrerez si Dieu le veut», comme une prophétie plutôt que comme une manière de se débarrasser de moi par quelques mots qui ne l'engageaient guère? Ce que Dieu veut se réalise et j'étais sûre qu'il voulait me faire entrer au Carmel... Peut-être le bon pape le pressentait-il...

Je restais envahie par l'amertume de l'échec. Papa tenta de me distraire par une dernière promenade dans Rome mais je n'avais plus qu'une idée, quitter cette ville au plus vite. Je voulais rentrer à Lisieux auprès des miens qui avaient prié en vain. Je me sentais abandonnée. Le soir j'écrivais à Pauline; j'aurais eu tant besoin de lui parler.

Pendant le voyage de retour nous vîmes encore de très belles choses. Nous nous arrêtâmes à Florence. Les pèlerins s'extasiaient. Je ne pensais qu'à Lisieux qui était pour moi comme un aimant. Presque toutes les nuits je rêvais de Pauline et de Marie.

A Assise la pensée de saint François et des oiseaux me réconforta. Parfois quand j'étais aux Buissonnets avec eux dans ma mansarde, je croyais en être un. M. Révérony le sentit peut-être. Il ne m'avait pas dit un mot de l'audience. J'avais perdu ma ceinture et la cherchant je fus laissée en arrière. Il me fit monter dans sa voiture et au moment où j'allais sortir mon argent il dit que nous avions un compte à régler ensemble et paya pour moi. Entourée de ces grands messieurs, je me sentais comme un petit écureuil qu'on a piégé et qui jette des regards effrayés de tous côtés dans l'espoir de s'échapper. J'étais pâle, j'avais mauvaise mine, je ne mangeais plus. Il me regarda avec compassion. Je savais que Papa lui avait rappelé sa promesse de m'appuyer. Il avait répondu qu'il assisterait à ma prise d'habit. Les petits signes de connivence des êtres et du monde avaient pour moi énormément d'importance.

## Un papillon d'argent

A Gênes Papa nous offrit, à Céline et à moi, un petit papillon de fil d'argent ouvragé comme de la dentelle. Comme lui nous saurions nous envoler, butiner pour trouver de bonnes choses et puis partir à nouveau...

J'étais devenue presque célèbre. *L'Univers* avait consacré une colonne entière au pèlerinage. On y parlait de moi, «une jeune fille de quinze ans», que Sa Sainteté avait engagée à prendre patience. L'abbé Lepelletier, lisant cela à Lisieux, fut stupéfait d'apprendre que je voulais devenir carmélite. Il est vrai que je me confessais très vite. Je ne voulais pas dire à ce brave homme des choses qu'il n'eût pas comprises.

Je trouvai, pendant le voyage de retour, une plus grande compréhension chez l'abbé Leconte. Il était lui aussi vicaire à Saint-Pierre de Lisieux, mais il n'avait que vingt-neuf ans. Il passait beaucoup de temps avec Céline et moi. Selon l'expression de ma sœur, ce n'était que de la «complaisance affectueuse». Cependant on ne manqua pas de médire. Depuis ma témérité à l'audience, j'étais devenue le point de mire. On cherchait des raisons de me critiquer. Les attentions de l'abbé Leconte me semblaient innocentes. Cependant, je voyais bien que le sexe dit «fort» était loin de l'être toujours. Je trouvai donc une nouvelle raison de prier: la sainteté des prêtres. Pendant ces trois semaines, j'avais plus appris sur le monde et sur les hommes que pendant les années qui les avaient précédées.

Je me souvenais de Pranzini, mon premier enfant, qui s'était abandonné à Dieu au dernier moment et que j'avais soutenu de mes prières. Il semblait n'y avoir rien de commun entre Pranzini et les prêtres que j'avais observés durant ce voyage, pourtant je voyais que si l'inclination au mal avait été extrême chez le premier, alors que le désir du bien était extrême chez les seconds, tous étaient faillibles et l'attirance du péché universelle.

Après Pranzini j'avais eu pour enfants les deux orphelines, elles étaient petites encore et innocentes. Mais il me semblait que les femmes étaient mieux protégées du péché que les hommes. Elles sont inférieures socialement et pouvant moins, elles peuvent moins le mal. Je n'enviais ni le pouvoir ni les richesses. Je voyais que plus les dames du pèlerinage se croyaient haut placées dans le monde plus elles étaient exposées aux sottises. Je décidai que les ecclésiastiques seraient mes nouveaux enfants et que je prierais pour les élever et leur donner du courage. Ce serait ma maternité à moi: faire des prêtres.

J'errais l'âme en peine dans l'or et les lambris de ces hôtels où nous descendions et qui me paraissaient des palais. Je voulais rentrer à la maison devant la soupière amicale et fumante, au coin de la cheminée de la cuisine.

A Pompéi le Vésuve grondait, c'était Dieu qui tonnait par sa bouche. A Naples, je ne supportai pas le monde. Je me répétais «Lisieux, Lisieux». La façade des Buissonnets était gravée en moi comme une image. En Italie tout m'était interdit. On s'y méfiait plus qu'ailleurs des femmes. Pas le droit d'entrer au Colisée ni dans la Santa Casa de Lorette, pas le droit de toucher au reliquaire, d'entrer dans le cloître, de parler au pape... Je désobéissais sous la menace de l'excommunication qu'on nous brandissait sans cesse. M'aurait-on excommuniée pour trop aimer Dieu? Quelle foi était-ce là?

Les apôtres avaient reculé devant les insultes des soldats mais les femmes, elles, les avaient affrontées pour aller essuyer le visage de Jésus. On les méprisait maintenant comme Jésus avait été méprisé. Leur rôle sur terre et le mien consistaient à porter témoignage de ce mépris, à le partager toujours afin qu'on ne l'oublie jamais. Si c'était cela, alors j'étais contente d'être une femme... Je me répétais à nouveau la parole de l'Évangile et je la mettais au féminin. Jésus, lui, sait que comme les femmes sont les dernières sur terre, elles seront les premières auprès de Lui...

## Retour

J'eus un moment heureux en atteignant Gênes. Nous étions maintenant près de la France. La nostalgie devenait inutile et le voile d'angoisse se déchira. Je vis l'Italie comme un pays de beauté et de douceur de vivre. Nous étions au bord de la mer et ce spectacle m'avait toujours emplie de paix et de joie. Je regardai de toutes mes forces les palmiers, les orangers dont les fruits étaient comme de petits soleils à l'approche de Noël, les oliviers gris et bruissants. En Italie les étoiles semblaient plus claires qu'ailleurs...

Novembre finissait. Je m'étais promis d'entrer au Carmel

pour Noël. Le choc de l'entrevue avec Léon XIII s'était estompé. Je me disais : « Regarde, regarde, bientôt tu ne verras plus rien. »

Tout m'était donné, mais je voulais ce rien : une cellule, des murs épais, le silence. Je trouvais le pape bien courageux d'habiter un pays où tout est couleur, parfum, légèreté... Je cherchais la froidure, la grisaille, le brouillard. Je ne voulais plus qu'on me distraie de Dieu... J'avais rangé dans mes bagages le *Guide du voyageur catholique dans la capitale du monde chrétien*. Il avait bien servi et je n'en aurais plus besoin. Les merveilles qui m'entouraient m'empêchaient de sentir celles qui habitaient le fond de mon cœur.

J'avais meilleur espoir. A Cannes, comme je me trouvais auprès de lui dans l'autobus bondé, M. Révérony m'avait promis de faire son possible pour m'aider. Il me le dit à l'oreille, comme gêné de céder. Mais je l'avais finalement convaincu.

Nous arrivâmes à Lisieux dans l'après-midi du 2 décembre et aussitôt nous courûmes au Carmel. Je racontai à mère Marie de Gonzague mon piètre résultat. Elle me conseilla d'écrire à Monseigneur. Dans ma lettre je lui rappelai la promesse qu'il m'avait faite en soulignant que Jésus déciderait. Monseigneur serait l'instrument de la réalisation de ce désir. Je voulais rappeler à ces hommes puissants que leur pouvoir n'était qu'un passage. Cela pouvait passer pour de l'insolence. Je parlai donc aussi de sa bonté paternelle. Je dis que j'étais son enfant, sa petite fille. Je croyais toujours que les pères ne pouvaient que m'aider.

Ensuite, j'attendis. J'étais très calme.

Une semaine plus tard j'étais encore sans nouvelles. J'écrivis à l'abbé Révérony. Nous étions maintenant à la mi-décembre. Je lui dis que j'attendais avec confiance le « oui » de l'Enfant Jésus. Car c'était de lui et de lui seul que j'espérais quelque chose.

Chaque matin Papa m'accompagnait à la messe, puis nous allions à la poste. Il n'y avait jamais de lettre.

Noël arriva. Je pensai que l'Enfant Jésus ne voulait plus de son jouet. Nous allâmes à la messe de minuit mais je n'y trouvai pas le même bonheur, car cette fois mon cœur était brisé. Je pleurais, je pleurais.

Pour me consoler Céline m'offrit un petit bateau à coque de bois. J'avais tant aimé les voiliers blancs qu'on voyait flotter comme des jouets dans les ports italiens. Sur la coque était peint le mot «Abandon». J'avais dit à Céline que je n'étais plus que cela. Elle m'avait répondu qu'il est difficile de s'abandonner dans la tempête mais qu'au matin tout s'apaise et le ciel est bleu. Sur la voile était brodé le verset d'un cantique : «Je dors mais mon cœur veille.»

Je décidai que ma patience n'aurait plus de fin. Je lâchai prise. Je m'abandonnai vraiment comme une barque malmenée par les flots.

Jésus le comprit. Il sait toujours tout tout de suite. Je devais avoir quinze ans le 2 janvier. Je prévoyais un triste anniversaire. Le premier jour de la nouvelle année je décidai qu'elle serait bonne et je me forçai à sourire.

Alors la lettre de mère Marie de Gonzague arriva. Monseigneur avait donné une réponse positive le 28 décembre, jour des Saints-Innocents. Au lieu de me la communiquer, la prieure que je croyais de mon côté, avait changé d'avis. Elle avait décidé que je n'entrerais qu'après le Carême.

J'appris que c'était Pauline qui craignait pour moi l'entrée au Carmel dans une période de grands froids, ainsi que le jeûne. Personne ne me connaissait donc vraiment, même pas Pauline! Est-ce qu'on ne savait pas que je souffrirais bien plus dehors que dedans, même avec un bon feu dans la cheminée et les petits plats que Céline me préparait pour me forcer à manger!

## Une petite croix

Après tout c'était encore un cadeau de Jésus. Il me donnait de petites croix à porter, lui qui en avait reçu une grande et lourde. Je regardai Céline qui ne se plaignait jamais. Ma sœur elle aussi serait carmélite. A cause de mon impatience elle devrait attendre plus longtemps, elle qui était née avant moi. Elle avait reçu le don d'acceptation et prenait les choses comme elles venaient. Elle faisait sans cesse des pénitences et moi jamais. Je les supportais quand elles m'arrivaient, mais je n'allais pas au-devant.

Ma sœur se mortifiait et me dorlotait. Je me laissais faire. Mais je ne pouvais pas perdre ainsi les trois mois qui me restaient à passer dans le monde. Je décidai de me faire souffrir avec de petits riens. Je ne m'appuyais plus au dossier de ma chaise même quand j'étais fatiguée. Alors que la facilité de parole m'avait été rendue je retenais la phrase qui me venait aux lèvres. Bref je m'exerçai à ne plus être une enfant gâtée pour être digne de devenir la fiancée de Jésus.

Un dernier bonheur bien qu'un peu triste me vint lors de ces mois ultimes aux Buissonnets. Le 6 janvier, au moment où j'aurais dû en partir, Léonie rentra à la maison. Sa seconde tentative avait échoué, elle avait quitté la Visitation de Caen. C'était comme si elle était revenue pour me remplacer auprès de Papa... Elle était mélancolique et se reprochait son échec. Je la persuadai qu'elle m'offrait un dernier cadeau. Nous nous étions tant aimées. Je lui dis : « Je sais que tu repartiras. Si Jésus joue avec toi, c'est que tu l'intéresses. »

Léonie n'était pas seule à m'offrir des cadeaux : toute la famille s'y mettait. Ils étaient si peinés de mon départ qu'ils tombaient malades pour un rien. Céline se blessa au pied. Ils s'ingéniaient à me bichonner comme je l'avais fait lors du départ de mes sœurs. Je fus émue aux larmes par ces preuves d'amour. Je voyais bien ce que j'allais perdre. Le plus touchant était Papa. Ses cadeaux étaient symboliques.

Le matin du mercredi des cendres, Papa arriva l'air content. Il ouvrit un grand sac. Au fond frissonnait un petit agneau. Il avait à peine un jour, il était ravissant et tout frisé. Papa voulait l'ajouter à ma ménagerie. Connaissant mon amour des bêtes il n'avait pas résisté en le voyant. Il m'avait aidée à me constituer un univers de rêve, à faire de moi la princesse des oiseaux, des animaux et des plantes.

Je ne savais pourquoi, l'agneau me fit penser à Pauline. Je compris bientôt car il mourut dans l'après-midi. Il avait eu trop froid en naissant. C'était donc l'agneau du sacrifice. Pauline était morte, d'une certaine façon, en entrant au Carmel. Moi aussi, j'irais mourir au Carmel et j'y renaîtrais pour connaître un autre amour, comme l'agneau avait trouvé l'amour chez nous où il était venu mourir. Céline, qui avait été très heureuse de l'avoir, ne voulut pas le perdre complètement et dessina le cadavre. Ensuite Papa l'enterra dans le jardin. Il se désolait de l'idée qu'il avait crue bonne et qui avait mal tourné. Je ne voulus pas voir la terre recouvrir sa toison blanche et je recouvris le corps de neige. Une fois de plus, comme avec les oiseaux dans la cour de l'Abbaye, je répétais l'enterrement de Maman. Mais ce jour-là j'avais été glacée d'impuissance, alors que par la suite j'étais devenue maîtresse des cérémonies. En donnant aux créatures de beaux départs, j'apprivoisais la mort, j'apprenais à la connaître, j'en faisais de la dignité et de la beauté. Elle ne se jetterait pas sur moi sans prévenir. Elle viendrait alors que je l'aurais décidé. Je m'enterrerais moi-même sous les voiles noirs de la carmélite, je marcherais de mon propre gré vers mon tombeau.

Papa voulut avoir un dernier portrait. Je fus photographiée les cheveux relevés en chignon comme j'aimais à les coiffer depuis ma première visite à Bayeux. Comme ornement je portais des petits brillants aux oreilles. L'austérité de ma robe sombre était démentie par un gros chou de nœud qui s'épanouissait derrière en tournure comme l'exigeait la mode. Par la suite je refusai qu'on m'ébouriffât ainsi le postérieur. Je trouvais cela ridicule et on retoucha la photo. Mais il reste des traces bleues sur le papier comme si j'avais été suivie de mon ombre.

Céline disait: «Je ne te verrai jamais plus ainsi.» Son amour s'enroulait autour de moi comme le lierre des Buissonnets. Et moi, je rêvais d'entourer de même le cœur de Jésus.

## Départ

La veille de mon départ, le 8 avril 1888, eut lieu une dernière fête de famille, un de ces grands repas dont

Maman avait été si fière. La porcelaine blanche était cernée d'un liséré d'or, les verres étaient de cristal et la nappe richement brodée de fleurs.

Nous attendions mon oncle, ma tante, mes cousines. J'embrassai pour la dernière fois du regard la salle à manger, ses murs recouverts de boiseries sombres qu'éclairait la grande glace au-dessus de la cheminée de marbre gris. Sur cette cheminée deux chandeliers que supportaient des femmes dorées à l'antique entouraient une magnifique pendule dans son globe de verre. Le buffet Henri II, sculpté d'oiseaux, contenait la vaisselle d'apparat. Les chaises de bois tourné, au dossier canné, entouraient la table ovale. Le repas fut délicieux mais je n'eus pas faim. Je me sentais très paisible mais les larmes roulaient sur mes joues comme pour démentir mon sourire.

Tout le monde se taisait. Je devinais Papa encore plus triste que moi. Je brûlais de m'envoler et lui restait en arrière près du nid vide. Ses yeux me fixaient sans cesse.

Ma cousine Marie me prit à part. Elle s'excusa de m'avoir parfois fait de la peine. Elle était encore trop scrupuleuse car nous avions été comme deux sœurs, et je sentis à son regard que nous ne resterions pas séparées éternellement.

Pour ma dernière nuit aux Buissonnets, Céline et moi pûmes à peine fermer l'œil. Nous restâmes blotties l'une contre l'autre. Le ciel blanchit, le jour se leva. Je m'habillai et quittai pour la dernière fois la maison bien-aimée au bras de mon père. C'était lundi, jour de l'Annonciation, il était sept heures. Nous assistâmes en famille à la messe.

J'entendais ma parentèle sangloter. Moi seule ne pleurais pas. Je me félicitai de mon calme. Mon cœur tressaillit seulement lorsque nous arrivâmes rue de Livarot devant la grille du Carmel. La chapelle, de style baroque, était de pierre. Les autres bâtiments étaient de brique avec des encadrements de pierre comme il était typique de l'architecture régionale. L'aspect était encore neuf, car la construction s'était achevée onze ans plus tôt. L'abbé Sauvage, alors curé de Saint-Jacques, avait dû quêter dans la France entière afin de rassembler l'argent nécessaire. Le résultat était des plus réussis. J'aimais surtout les deux spirales qui s'enroulaient autour de la statue de la Vierge dans une niche dominant la façade de la chapelle. La pierre, en prenant ces lignes arrondies, perdait sa dureté. Elle devenait féminine, maternelle pour m'accueillir.

Je perdis mon calme en arrivant devant la porte de clôture, accompagnée de ma famille. Située au fond d'un couloir dallé de noir et de blanc, elle était de bois massif et peinte en gris. Un petit carré y avait été découpé qui permettait de reconnaître les visiteurs. Au-dessus, un vasistas percé dans le mur était lourdement grillagé de noir. Cela ressemblait à la dalle d'un tombeau.

Je devais m'agenouiller sur le carrelage pour que Papa me bénisse. Je n'étais pas encore devant la porte. On me fit signe d'avancer. Ces quelques pas me parurent représenter une distance énorme. Le gris de la porte se perdit dans un brouillard. J'entendis un très fort battement rythmé, une vibration assourdissante. L'espace d'un instant, je crus que la cloche de la chapelle s'était mise à sonner. Le battement vibra plus violemment à l'intérieur de mon corps. C'était mon cœur qui s'affolait. Les parois de ma cavité thoracique en étaient ébranlées. Je crus que mon cœur allait se rompre sous l'effet de la bataille qui se livrait en moi. Un battement terrible me parut le dernier. Je m'écroulerais morte dans les bras de mon père à la porte du Carmel...

Mais Dieu n'allait pas permettre que je meure si près du but. Je fis un gigantesque effort sur moi-même. Mon cœur, après un instant d'hésitation, repartit.

Autour de moi, personne n'avait rien remarqué. Je me tournai vers mes proches et les embrassai les uns après les autres. Leurs joues étaient humides de larmes. Même mon oncle avait les yeux embués. Papa pleura en me donnant sa bénédiction. Les anges, eux, devaient sourire.

La porte s'ouvrit, j'entrai. Dans le cloître je vis les carmélites voilées de noir et auréolées de pénombre. Je crus que l'obscurité allait m'engloutir mais tandis que la porte se refermait, mes sœurs me serraient déjà dans leurs bras. C'est avec un bonheur indicible que je retrouvai l'accolade de celles que j'avais appelées Marie et Pauline, telle qu'en acceptant de me servir de mère, elles me l'avaient donnée autrefois.

Si rapidement j'avais franchi la frontière qui séparait le pays du père de celui de la mère! Instantanément, mes «mères» redevenaient mes «sœurs», et moi, je devenais comme elles. J'avais définitivement laissé derrière moi la petite fille fragile, capricieuse et geignarde d'autrefois. Je savais que j'avais bien choisi. Je me retournai vers cette porte qui m'avait tant impressionnée et j'eus le sentiment de l'avoir échappé belle. Je me souvenais du regard désapprobateur de M. Delatroëtte, mais il ne pouvait plus rien maintenant. C'était lui qui m'avait fait passer la porte, disant d'un ton de colère froide aux mères qu'elles pouvaient chanter un Te Deum. Elles avaient ce qu'elles voulaient, mais je n'étais qu'une enfant, il les tiendrait responsables de ce qui arriverait.

Mais c'était fini, j'étais de l'autre côté, j'étais chez moi. Ce que d'autres auraient appelé une prison m'était le lieu suprême de la liberté. Car être libre n'est pas aller n'importe où, faire n'importe quoi, c'est être soi-même. Comme Thérèse d'Avila l'écrivait, je descendais «de cette race de saints religieux du Mont-Carmel qui ne s'enfonçaient dans une solitude si profonde et ne vouaient au monde un esprit si absolu que pour aller à la recherche de ce trésor, je veux dire de cette pierre précieuse» qu'est l'oraison.

## Une nouvelle vie

La date de la fête de l'Annonciation avait été retardée cette année-là, à cause du carême. J'étais heureuse, finalement, d'arriver au Carmel à cette date; comme l'avait voulu Pauline, afin qu'y entrant au printemps de ma vie, j'y fusse au moment du renouveau des arbres et des fleurs, qui serait aussi le renouveau de mon être. Et je me réjouissais encore plus de ce jour de l'Annonciation, qui fut celui où la Vierge dit oui à

Dieu, et oui aussi à l'Enfant qui devait croître en elle. Il me sembla que j'étais moi aussi conçue ce jour-là, d'une manière nouvelle et immaculée.

Sitôt après m'avoir accueillie on me conduisit au chœur. Un crépuscule y régnait, afin qu'on ne puisse voir les carmélites depuis la chapelle, lorsque le saint sacrement était exposé. Les boiseries foncées qui tapissaient les murs ajoutaient à ce clair-obscur. Mais deux petites lampes brillaient comme de lointaines étoiles dans un ciel de nuit.

Mère Geneviève de Sainte-Thérèse me regardait. C'était la fondatrice de notre Carmel. Je la tenais pour sainte. Sans son action je n'aurais pas été là. Je m'agenouillai devant elle et je remerciai Dieu.

Puis mère Marie de Gonzague me fit visiter ma nouvelle maison. J'aurais par la suite bien des difficultés avec la prieure, mais pour l'heure j'étais plongée dans le ravissement. Je découvris ce désert dans lequel j'avais rêvé de me rendre avec Pauline! Non que je trouvasse tout nouveau, tout beau. J'avais assez fréquenté de religieuses, assez entendu parler mes sœurs, pour savoir que même si l'on rencontre de saintes femmes dans les couvents, on n'y voit pas que cela, et que d'ailleurs la sainteté peut s'accompagner de faiblesses. Elle peut même trouver à s'exprimer à travers ces faiblesses, puisqu'elle se nourrit de la difficulté.

La nature reste humaine derrière les murs d'un couvent. On peut y rencontrer la mesquinerie, l'incompréhension. On peut vous y chercher de mauvaises querelles. J'en étais prévenue. Je savais aussi que cela ne m'empêcherait pas de trouver mon chemin. J'étais dans un endroit où l'on devait faciliter ma quête au lieu de l'entraver, comme c'était le cas à l'extérieur. Alors tout me semblait beau. L'esprit habitait les lieux. Le moindre arbre, la moindre pierre, le moindre geste, le moindre regard appelait Jésus et Lui était destiné.

L'air même semblait changé. Le silence était si profond qu'il donnait à cet espace clos un goût d'infini. La surface de ce monde était étroite mais l'âme pouvait s'y élever sans contrainte. Le langage aussi y changeait de valeur. Le mot instant n'avait plus cours, il n'y avait que le mot toujours. Cette idée de pérennité apaisait l'angoisse qui avait été ma dure et fidèle compagne depuis la mort de Maman. L'angoisse de l'imprévu, du changement, de la séparation. Lorsqu'on a tout quitté, lorsqu'on s'est soi-même abandonnée, lorsqu'on a tout sacrifié, on est en parfaite sécurité. On n'a plus à avoir peur de rien. Enfin, c'est la paix.

Comme j'étais heureuse d'entamer cette existence où chaque chose est prévue et prévisible, où l'on n'a pas à se demander comment on passera sa journée, car on a décidé pour vous ! Quelle liberté suprême que de ne s'occuper que de l'essentiel !

Il me fut donc aisé d'entrer dans ma nouvelle vie. Pauline avait craint pour moi le choc du changement, il n'y en eut pas.

J'avais bu les paroles de mes sœurs aînées et je m'étais vue en mon cœur les accompagner. Les trois derniers mois aux Buissonnets avaient été une sorte de répétition générale. J'abordais à des rives qu'il me semblait déjà connaître. C'était un retour au pays natal, le pays de la nuit et de la songerie. Auparavant il fallait presque voler le temps de la prière. C'était un luxe et maintenant, c'était la trame même des jours. Nous devions prier six heures et demie quotidiennement. Quelle joie quand ce qu'on vous ordonne est ce que l'on désire !

Nous avions deux heures de temps libre : une heure à midi pour la sieste et une le soir. Si nous le voulions, nous pouvions consacrer ce temps à prier encore. Je ne m'en privai pas. Nous avions aussi une demi-heure de lecture spirituelle. La messe avait toujours été pour moi une grande fête, et nous en avions quatre heures et demie. Cinq heures étaient consacrées au travail.

Sœur Marie du Sacré-Cœur (ma sœur Marie) fut désignée pour être mon ange, c'est-à-dire pour m'expliquer ce que je devais savoir : les détails du fonctionnement quotidien, quel bréviaire utiliser pour l'office (c'étaient de gros volumes anciens qui m'impressionnaient). Les offices me parurent d'abord très compliqués. Il y en avait un tôt le matin, un à neuf heures, un à midi et un à cinq heures.

Très vite j'appris à me passer de Marie. Je ne voulais pas risquer de m'attacher à elle de nouveau. Car à quoi bon avoir quitté la maison ? La Thérèse d'autrefois était restée aux

Buissonnets et je prenais garde qu'elle ne revînt pas me hanter. Dans Lisieux, on murmurait que j'étais le joujou des religieuses. Et justement je refusais cela. J'avais été le bébé de la famille, la blondinette bouclée, la poupée de mes sœurs. J'y avais pris plaisir mais je ne pouvais pas rester ainsi ma vie entière, comme un de ces oiseaux chanteurs que j'avais en cage dans ma mansarde. La vie n'était qu'un enfermement dans une chambre close et obscure, mais je désirais au moins choisir mes barreaux.

Je pris bien garde de me conduire d'une façon opposée à celle qui avait été la mienne autrefois. Je décidai de travailler dur. Il me semblait que mon habit de postulante était fait pour cela : je portais une robe bleue d'ouvrière, tombant aux chevilles, par-dessus une pèlerine noire. Un petit bonnet cachait mes cheveux, que l'on n'avait pas encore coupés. Pour les travaux salissants comme la vaisselle, je mettais aussi un tablier de toile grossière.

Sœur Marie des Anges était la maîtresse des novices. C'était une aristocrate, fille du comte de Chaumontel. Enfant, elle avait été coléreuse. Ses accès de fureur, quand on ne cédait pas à ses exigences, l'avaient fait surnommer Marie Tempête. Vers l'âge où moi j'avais été si malade, elle était tombée dans la maladie des scrupules. J'admirais la façon dont elle avait bridé sa nature pour devenir une autre femme. Elle s'était remise au monde pour être agréable à Jésus. Je nourrissais la même ambition, elle me paraissait sainte, aussi je la prenais comme modèle.

Je travaillais avec elle à la lingerie. Plus tard j'œuvrerais au réfectoire, puis à l'atelier de peinture. L'après-midi, je jardinais. Sœur Marie des Anges m'aimait, elle me tenait pour une vraie carmélite. Elle me voyait un peu comme sa fille spirituelle et me parlait beaucoup pendant le travail. Elle me racontait l'histoire du Carmel, m'en expliquait les coutumes. Sa manière brusque de me poser des questions me déconcertait. Un jour, comme j'étais fatiguée de l'entendre et que je ne trouvais rien à lui dire, je l'embrassai tout simplement. Je me pendis à son cou et elle ne me repoussa pas. Je m'étais sentie presque persécutée par son insistance mais, là, je compris qu'elle me voulait du bien. Elle souhaitait me faire sortir du carcan où je m'enfermais inutilement. Je ne pouvais pas au Carmel bavarder gaiement comme lors du pèlerinage. Je m'étais dissimulée derrière ce bagout, je cherchais un autre discours et je repris ma vieille habitude de tout garder pour moi. Cette réserve n'était plus nécessaire, elle était devenue une prison dont je ne savais pas sortir. Ce que j'avais pris pour de l'indiscrétion était une façon de me tendre la main.

Je n'avais pas un rapport aussi facile avec sœur Saint-Vincent de Paul. Elle avait eu une vie d'orpheline. Mais elle brodait avec des doigts de fée. Ce talent était très apprécié, et quand je voyais ses doigts déchirés de piqûres d'épingle, je pensais à Maman. Mais elle n'avait pour moi aucune indulgence. Elle réprouvait ma maladresse. Ma façon de vivre dans la songerie lui semblait de la paresse. Elle me toisait ironiquement à travers les vapeurs de la buanderie, et m'appelait peu aimablement «la grande biquette»...

Je payais les années passées à me laisser dorloter. J'apprenais que le travail manuel est une voie pour l'esprit, parce que plus le corps trime, plus il s'efface. Il y avait au couvent des sœurs converses. Leur voile était blanc et non pas noir, elles accomplissaient la plus grande partie des travaux de ménage. Plus humbles que les autres, il m'arrivait de les envier.

Je décidai de me corriger de ma nonchalance passée en travaillant encore plus. Je passai souvent en couture mon heure de temps libre après le déjeuner. Je voulais apprendre. Mes doigts restaient gourds malgré mes efforts. Je me surprenais, mon ouvrage tombé sur mes genoux. Quelques instants j'avais été transportée ailleurs, je me concentrais à nouveau.

Le jardinage aussi m'était pénible. Le Carmel était bâti dans une cuvette. L'Orbiquet, murmurant petit cours d'eau qui traverse Lisieux, passait tout près. En conséquence l'endroit était très humide. Les brouillards s'y concentraient en hiver et ma santé en souffrirait gravement.

Mais c'était la belle saison, les fleurs prospéraient dans cette vapeur. Les mauvaises herbes aussi, et mon travail consistait à les arracher, ce qui n'avait rien d'exaltant. Pour me consoler je levais les yeux et me régalais du jardin paisible. Une belle allée de marronniers l'ombrageait. Nous aimions nous y installer par beau temps, assises par terre pour coudre et filer.

Plus tard, Céline me rejoindrait. A sa passion de la peinture elle avait ajouté cet art nouveau, la photographie. Nous serions photographiées là, sœur Geneviève réalisant un tableau de la Vierge, et moi repeignant la statue de l'Enfant Jésus qui se trouvait dans le cloître. Dans l'écorce d'un des arbres était gravée une invocation à Marie. Le jardin était doublé d'un pré qui appartenait aussi au couvent et qui servait pour le foin. Nous avions également un potager. Tout cela me donnait l'impression d'un microcosme parfait.

## La prison du corps

Ma prison n'était pas celle qu'on aurait pu croire. Ce n'était pas celle du Carmel mais celle de mon corps. Cette geôle-là retient l'âme prisonnière et on l'emporte partout. J'avais admis que mon corps était une prison il y avait bien longtemps, lorsque me dressant sur la pointe des pieds j'avais vu la boîte où l'on mettrait le corps de Maman pour le recouvrir de terre. Or ma mère ne pouvait être réduite à cela. Elle me l'avait expliqué lorsqu'elle m'emmenait au cimetière visiter les tombes des petits anges. Seul ce qui restait des corps se trouvait dans ces tombes fleuries. Ma mère avait préféré aller rejoindre leurs âmes. Elle sentait s'approcher l'ombre de la mort, elle marchait au-devant d'elle.

Comme des petits enfants nous craignons les terreurs du sommeil mais elles sont brèves. L'aurore paraît, l'ombre est déjà derrière nous. La mort n'est que la dernière nuit de la vie. Comme un enfant craintif fredonne pour lui-même une chanson avant de s'endormir, je peux répéter le psaume XXII qui me remplit toujours de joie: «Le Seigneur est mon pasteur, je ne manquerai de rien. Il me fait reposer dans des pâturages agréables et fertiles, il me conduit doucement le long des eaux. Il conduit mon âme sans la fatiguer... Mais alors même que je descendrai dans la vallée de l'ombre de la mort, je ne craindrai aucun mal, parce que vous serez avec moi, Seigneur...»

A l'entrée au Carmel mon histoire avait radicalement changé de nature. Ce n'était plus l'histoire de ma vie, mais celle de mon âme. Ce n'était plus l'histoire de ma vie, puisque je venais au Carmel pour y mourir. Ce n'était pas non plus l'histoire de ma mort puisque la mort n'est que le passage de l'ombre. Elle était comme un couloir sombre au bout duquel se trouve une porte qu'il faut avoir la force d'ouvrir pour libérer l'âme. Mon histoire était donc désormais celle de mon âme. L'âme ne tient pas de place et ne connaît pas de pesanteur. Au contraire elle ne demande qu'à s'élever vers le haut. C'est le corps qui est pesant. Et ce corps devient inutile et même nuisible lorsqu'on choisit l'âme. C'est alors que commence le véritable travail de renoncement. Il faut renoncer au corps, il faut vider son esprit puisque pour supporter l'invasion de l'invisible, selon Jean de la Croix, il faut atteindre la nudité même de l'esprit.

Déjà, mon âme avait voulu s'envoler lorsque j'avais été si malade aux Buissonnets après le départ de Pauline. Mais le démon voulait mon corps et mon âme. Mon âme d'enfant n'était pas encore assez forte et mon corps d'enfant, lui, l'était encore trop...

J'étais venue au Carmel voir mourir mon corps afin d'accéder plus vite à la vraie vie, la vie éternelle. Au Carmel tout était fait pour cela. Y dominaient le blanc de la pureté, le brun de la terre, le noir de la nuit. Quand je quitterais mes vêtements de novice, je porterais une robe de bure brune et un scapulaire de même couleur, une guimpe et un voile blancs, des chausses de laine et des sandales de corde. La minuscule cellule où je dormais avait des murs chaulés, un parquet de bois, un lit étroit recouvert d'une couverture brune. Un crucifix très simple était fixé au mur. J'avais aussi une petite table avec une lampe pigeon et un sablier, seul moyen de voir s'écouler le temps, puisque j'avais dû, en arrivant, me défaire de la belle montre d'argent que Papa m'avait donnée autrefois pour ma communion.

Plus tard j'occuperais une cellule plus spacieuse. J'aurais une grande fenêtre par où la lumière entrerait à flots, et une antichambre voilée d'un rideau où je pourrais placer la Vierge du Sourire, celle qui m'avait déjà sauvée et qu'on m'autoriserait à reprendre avec moi lorsque je retomberais malade. On espérerait qu'elle ferait à nouveau un miracle, pourtant ce n'était pas celui de la vie que j'attendrais à ce moment-là, mais celui de la mort...

C'était parce qu'on savait que la mort s'approchait de moi à grands pas. Car la règle voulait que nous ne possédions absolument rien, que nous fussions dépouillées de tout. Pour cette raison nous changions de travail et de cellule. D'ailleurs nous ne disions pas «ma cellule, mon travail», mais «notre cellule, notre travail». Ce n'était pas le nous de majesté, c'était le nous de l'anonymat.

La nourriture aussi était des plus simples. Aux Buissonnets mes sœurs et la bonne Victoire me préparaient des petits plats afin de tenter mon appétit capricieux. Là encore les choses étaient bien différentes. A huit heures le petit déjeuner se composait d'une soupe paysanne que nous mangions debout dans le vaste réfectoire carrelé, devant les longues tables de bois ciré qui couraient le long des murs. L'odeur de miel de l'encaustique embaumait. Dès dix heures, nous prenions le repas «de midi». Si peu après le petit déjeuner je n'avais guère faim. Heureusement nous ne mangions jamais de viande, qui m'aurait dégoûtée, mais des œufs ou du poisson et beaucoup de légumes, servis ensemble, répartis d'avance dans des écuelles de terre afin de limiter la tentation de gourmandise. Nous avions enfin un dessert de fruits ou de fromage. Pendant ce repas on nous faisait la lecture : la règle du Carmel, des vies de saints ou celles de Jésus, des extraits de l'année liturgique.

Nous dînions à six heures, assises comme à midi. Nous mangions à nouveau de la soupe et des légumes, suivis d'un dessert très simple. Les jours de jeûne les repas étaient froids : pain, beurre, fromage et fruits. Les hivers de grande froidure, certaines trouvaient cela pénible, mais je n'en souffris qu'au début et tôt le matin. Je pris rapidement goût au jeûne qui m'aidait à atteindre des états mystiques. Les premiers temps au Carmel je me mis à grossir. La nourriture était saine mais riche en féculents. J'avais retrouvé un grand appétit, mais je bougeais moins qu'autrefois. Bien vite la maladie et le jeûne se chargèrent de me faire perdre mes joues trop rondes...

Cette vie me calmait car aucune catastrophe ne pouvait s'abattre sur moi sauf celle que je ne pouvais éviter : ma propre mort que j'avais décidé d'accueillir. Cependant, tout en ayant soif d'une vie ordonnée, où je n'aurais plus à choisir — et c'était cette terreur du choix qui avait autrefois accompagné les scrupules —, j'avais toujours eu un côté spontané, volontaire, rêveur, qui me rendait par ailleurs cette existence difficile. Je lambinais dans mon travail. Pendant les corvées de vaisselle je racontais des histoires qui faisaient rire les autres. J'avais le talent de retracer de manière cocasse les épisodes de ma vie passée.

Souvent au moment de dire mon chapelet, mon esprit vagabondait. Il m'était particulièrement difficile de regagner le soir la solitude de ma cellule, moi qui avais été habituée à dormir avec Céline. Au moment d'y entrer je me tournais vers ma voisine qui se tenait sur le pas de sa porte et je lui souriais. Elle me rendait un sourire et il me tenait longtemps compagnie dans l'obscurité.

Mes rapports avec mère Marie de Gonzague se compliquaient. On l'accusait d'être autoritaire à l'excès et parfois même capricieuse. Il lui arrivait aussi d'être humiliante. Il y avait au fond de son regard, dans un visage qui avait été beau et qui conservait une grande noblesse, une dignité acquise dans la souffrance et la mortification, mais aussi une lueur d'ironie qui me glaçait. Malgré tout je l'aimais. Je ne pouvais oublier qu'elle avait pris ma vocation au sérieux dès l'arrivée de Pauline. L'écoute et la confiance qu'elle m'avait alors dispensées m'avaient redonné une raison de vivre. Je n'oubliais pas non plus que son soutien m'avait permis d'entrer très jeune au Carmel. Pourtant je pensais maintenant que c'était déjà trop tard, je regrettais de ne pas avoir pu y être plus tôt. Dès le lendemain de mon arrivée j'étais triste de me voir si vieille, parce que la jeune fille Thérèse, je l'avais laissée derrière moi. J'aurais voulu m'y trouver petite fille comme Térésita de Jésus. Je savais que j'achevais la réussite de Pauline. Bien que n'étant pas l'aînée des Martin elle était entrée la première, mais moi, son enfant, j'y étais entrée la plus jeune et par autorisation spéciale: son éducation avait réussi.

Plus tard, lorsqu'elle serait prieure à son tour, elle et ma sœur aînée m'encourageraient à écrire, me permettant de transmettre mon message au monde au-delà de ce que j'aurais pu imaginer, et donc de devenir sainte.

Je n'en voulais pas à la prieure de sa sévérité. D'abord elle m'aidait à progresser, ensuite elle ne s'en rendait pas compte. Elle était fort sévère avec elle-même, elle l'était donc naturellement avec d'autres. Lorsque je la rencontrais elle m'adressait presque toujours quelque reproche. Alors je devais baiser la terre en signe de regret et de soumission. Si je balayais le cloître elle ne manquait pas de découvrir quelque poussière oubliée. Lors de mon noviciat, elle m'envoyait presque chaque jour à quatre heures et demie arracher de l'herbe dans le jardin. Non seulement je détestais ce travail mais de plus une sœur âgée me voyant y aller croyait que je me rendais en promenade et m'accusait d'être feignante.

Les choses auraient été moins ardues si j'avais pu m'entretenir davantage avec elle, car sa façon de m'écouter m'apaisait toujours. Mais elle était souvent malade et avait très peu de temps à me consacrer. A nouveau j'étais affamée d'une présence maternelle, même s'il s'agissait maintenant d'une maternité spirituelle. J'en ressentais un grand besoin lorsque je montais l'escalier, le soir, pour me rendre dans ma cellule. Celle de la prieure se trouvait juste en dessous. Je la voyais en passant et une forte envie me prenait d'aller la visiter. Mais je ne devais plus me conduire comme une enfant. Je m'obligeais à passer sans m'arrêter. C'était si difficile que je m'accrochais à la rampe pour ne pas céder. Mère Marie de Gonzague l'ignorait. C'était ma façon de l'aimer.

Je rêvais de parler, j'avais une immense envie de dire ce que j'avais dans mon cœur. Mais les mots ne venaient toujours pas. Les sentiments se pressaient en moi, tourbillonnaient avec une telle force que je ne savais plus par où commencer. Je n'avais jamais pu me confier qu'à des êtres qui m'étaient très proches et en qui j'avais confiance, c'est-à-dire à ma famille. Désormais le Carmel était ma famille.

J'étais astreinte au silence la majeure partie de la journée.

Ce silence m'apaisait merveilleusement mais il rendait aussi nécessaire de profiter pleinement des moments de parole. Et je n'y parvenais pas. Dire ce qui était au fond de moi, je ne le pourrais vraiment que lorsque j'écrirais. Écrire est la communication des timides, des grands renfermés. Seule avec soi, mais s'imaginant écoutée de quelqu'un qui vous comprend, alors on ose. Aucune audace ne fait hésiter, tout est permis. Lors de l'hiver 1895, ma sœur Marie aurait cette idée de me demander d'écrire mes souvenirs d'enfance. Elle trouvait que je les racontais très bien et regrettait qu'ils se perdent après ma mort. J'irais chercher dans le grenier une vieille écritoire oubliée, et en approchant la petite lampe, je commencerais chaque soir à noircir un cahier d'enfant à 0,10 centime. Il m'en faudrait vite un autre, puis un autre encore. Je les appellerais mes cahiers d'obéissance, car je n'écrirais que pour obéir, ne pouvant concevoir d'accomplir une œuvre littéraire. Je ne me suis jamais considérée comme une artiste bien que cette idée m'ait toujours fait rêver. Mais mère Agnès, en m'ordonnant d'écrire, me permettrait d'accéder à un très cher désir, enfoui si loin dans mon cœur que je ne le savais même pas présent, n'ayant composé auparavant que quelques poèmes et quelques petites pièces de théâtre pour le Carmel.

Je n'avais plus alors qu'un seul but, mourir d'amour. Je ne voulais pas donner une œuvre, je voulais me donner tout entière. Toutefois, j'avais compris quelle merveilleuse façon d'aimer et de louer Dieu était l'écriture. A travers elle ma vie serait une œuvre, je l'offrirais à Dieu en témoignage. Je parlerais aux hommes en m'adressant à Dieu et cette merveilleuse chaîne d'amour dont je rêvais se réaliserait.

Je ne savais pas parler mais je saurais écrire. Les mots étaient dans mon cœur. Des mots très simples, trop simples sembla-t-il d'abord.

Il y avait au Carmel des femmes âgées. Leur soutien m'était vital. Elles sauraient m'aider à trouver le courage de mourir. L'une d'elles était sœur Fébronie, la sous-prieure. Elle était bien vieille et vraiment sage. Un jour elle m'expliqua que si j'avais si peu à dire, c'était à cause de la simplicité de mon âme. Ce trait, ajouta-t-elle, indique l'approche du divin. Plus j'approcherais de Dieu, plus je serais simple. Jusque-là on me l'avait reproché, on me trouvait même parfois simplette. J'en avais souffert. Maintenant je voyais que cela me conduisait vers Dieu. Qu'on m'oublie, que je souffre, que je meure! Qu'on ne voie plus mon visage! Que je ne sois plus rien, pour être prise par Celui qui est Tout!

Le 23 mai 1888, Marie fit profession. Elle devenait définitivement carmélite. Elle quitta son voile blanc pour un voile noir. Elle avait maintenant Jésus pour époux. Un jour, nous serions plus sœurs que jamais puisque nous aimions le même et que nous le partagerions!

A cette occasion le père Pichon vint au Carmel. Je lui fis ma confession générale. Il me dit que je n'avais jamais commis de péché mortel. Cette affirmation me débarrassa de mes derniers scrupules. Il me demanda de me cramponner à Jésus, j'avais grand besoin de Lui. Quand on est un ange, me dit-il, il faut toujours se souvenir que lorsqu'un ange tombe alors il devient démon. Je n'avais pas le choix: c'était tout ou rien. Le danger de l'indignité me poussait à m'élever. Le démon avait bien tenté de m'enlever durant ma maladie d'enfant...

Le père Pichon m'expliqua aussi la tristesse de Jésus et son désespoir. Ce père, je l'aimais de plus en plus, avec sa soutane usée, ses gros souliers campagnards et son regard qui visait l'âme. Je compris que cette tristesse qui pesait sur moi depuis si longtemps était ma richesse. Je pouvais me réjouir de mon désespoir, car il était la terre fertile de la prière. Souffrir ou mourir, disait Thérèse d'Avila. Ceux qui ne souffrent pas ne pensent pas à Dieu. Ma douleur et mon désir trouveraient leur voie.

Thérèse d'Avila racontait comment Dieu la caressait. Moi Il ne me caressait pas, du moins pas encore. Mais je ferais tout pour Lui plaire. Alors un jour cela viendrait, je connaîtrais Ses caresses. Je peignis en rose la robe du petit Jésus qui se trouvait dans le cloître. Pour lui je ne craignais pas le luxe et la gaieté.

Quand je demandais à voir mère Geneviève les mots ne sortaient toujours pas. Il me semblait au dernier moment qu'elle ne saurait me comprendre. Elle sentait cette réticence et m'en voulait. Elle feignait l'indifférence, ce qui me blessait terriblement. J'aurais dû lui rappeler que, selon Jean de la

Croix, le seul langage que Dieu entende est le silencieux amour. Quelque chose dans ma façon d'être la troublait, la rendait hostile. J'avais connu cela à l'extérieur mais là aussi...

Je m'attristais de plus en plus des petites mesquineries, des hostilités feutrées et inutiles que je rencontrais chez certaines de mes compagnes. Une vie difficile, une solitude extrême, une grande monotonie, aucun divertissement expliquaient l'exacerbation des traits négatifs chez certaines de ces femmes. Il ne suffit pas d'aspirer à la sainteté pour y parvenir. Et lorsqu'on n'y parvient pas, il devient plus dur encore d'échouer devant un si haut modèle. Certaines sœurs m'étaient sympathiques mais il m'arrivait de me détourner pour en éviter d'autres. Parfois l'éducation faisait défaut, parfois c'était le caractère même. Je n'étais pas la seule à trouver cette ambiance difficile à supporter. Quelques années plus tard trois sœurs devaient nous quitter, n'ayant pu accepter cette vie. L'une était devenue folle.

J'étais tentée de me rapprocher de mes sœurs de sang, mais je m'en empêchais. Je savais que là n'était pas la solution. D'ailleurs un abîme semblait s'être creusé entre elles et moi. J'avais désiré la solitude, je l'avais au-delà de ce que j'aurais cru...

Ces épreuves s'inscrivaient directement sur mon corps. Je grossissais en même temps que je souffrais de l'estomac. Je mangeais, je mangeais. A Papa qui s'inquiétait, je dis que jamais de ma vie je n'avais aussi bien mangé. Pourtant je ne supportais plus la nourriture... Il me faudrait encore plusieurs années avant de trouver ma solution : le jeûne.

## Petit Père est malade

La plus grande souffrance, je la vivrais à travers l'être qui m'était le plus cher au monde : mon père.

Papa nous avait perdues. Il avait tout offert à Dieu ou presque. Il lui restait Céline. Elle avait refusé une demande en mariage au moment où je devais partir pour le Carmel. Elle ne voulait pas que Papa reste seul. Il y avait bien Léonie mais elle était encore instable, comme l'oiseau sur la branche, l'oreille tendue vers des cantiques lointains.

La vocation de Céline mûrissait dans l'ombre. Elle n'était pas aussi pressée que moi, sachant sans doute qu'elle vivrait bien vieille et qu'elle aurait tout son temps. Pour l'heure elle veillait sur notre père afin d'atténuer le double choc de mon départ et de la profession de Marie.

Le 15 juin, à l'approche de l'été, elle se décida. Elle avait maintenant dix-neuf ans. Pourtant elle voyait Papa faiblir de jour en jour. Après mon départ il avait semblé se laisser glisser. Il souffrait de plusieurs maladies à la fois. Artériosclérose, urémie, épithéliome. Il perdit la mémoire, laissa mourir de faim sa perruche favorite. Il avait aussi des troubles mentaux. L'apoplexie entraîne des crises de mélancolie, du délire, une grande angoisse. Lui si prudent dilapidait l'argent, prenait des décisions hâtives qu'il fallait annuler ensuite.

Ayant renoncé au mariage, Céline ne supportait pas non plus de prendre en quelque sorte la place de Maman auprès de lui. Chaque fois que l'une d'entre nous s'était trouvée dans cette position la même chose se produisait: le couvent l'attirait irrésistiblement, elle devait partir.

Papa ne pouvait l'empêcher de s'en aller. Il nous avait dit au parloir qu'il voulait s'offrir. Mais ce sacrifice serait très dur, car Céline était sa favorite. Il luttait avec lui-même, s'affaiblissait de plus en plus. Céline, le cœur déchiré, voyait ses difficultés pour s'agenouiller à la table de communion.

Il lui sembla, dans sa grande détresse, qu'il restait une dernière voie. Céline peignait de mieux en mieux. Elle venait d'achever une Vierge des Douleurs qu'il avait trouvée magnifique. Il se persuada qu'elle serait un grand peintre. Sur un coup de tête, il loua une villa à Auteuil. Il voulait qu'elle puisse prendre des leçons avec les meilleurs maîtres. Elle ne serait pas moniale mais artiste et ainsi il la garderait.

Céline hésita. La proposition était tentante. Mais elle prit peur de ce qu'elle devrait affronter dans les ateliers. Le geste désespéré de Papa eut l'effet contraire de celui qu'il avait escompté. Elle se décida définitivement pour le Carmel.

Le 23 juin au matin, quand elle se leva, Papa n'était nulle part dans la maison. La bonne ne l'avait pas vu, Léonie non plus. Elle se rendit en hâte chez mon oncle mais ni lui ni ma tante n'en avaient eu la moindre nouvelle. On le chercha en vain dans la ville, dans une inquiétude mortelle.

Le lendemain arriva un télégramme. Papa était au Havre et avait besoin d'argent. Mais il ne disait pas où il se trouvait, ne donnait aucune précision. Céline fit prévenir le Carmel et partit pour Le Havre, accompagnée de mon oncle et d'un cousin.

Il fallut deux jours pour retrouver Papa au bureau de poste. Il ne voulait pas rentrer. Il parlait de se retirer dans un désert pour vivre en ermite, de partir pour le Nouveau Monde, comme le père Pichon. Il voulait être semblable à cet homme que nous avions pris pour père spirituel. Nous semblions n'avoir plus besoin de lui, il ne savait plus qui il était. La paternité avait été son identité. Il nous avait consacré sa vie, nous l'abandonnions. Il parlait de se retirer au désert pour fuir cet autre désert qu'allait devenir pour lui les Buissonnets.

Cette alerte me troubla beaucoup. Je me souvins de cette curieuse scène, quand il était parti à Alençon et que j'avais cru le voir dans le jardin des Buissonnets, un tablier lui couvrant le visage. La folie, c'est quand on devient aveugle au monde. Plus tard je comprendrais que j'avais eu la prémonition de sa fin affreuse. Je m'abîmerais dans la contemplation de la Sainte Face, telle que les traits s'en étaient imprimés sur le suaire.

Papa vivant le calvaire, abandonné, sacrifié, mais pour mieux rejoindre Dieu... L'image de mon père souffrant était avec moi sans cesse. Je ne voyais plus Jésus, je ne pouvais plus prier. Tout était aride et obscur...

Les premiers temps j'avais cru que mon départ était réussi, qu'il le supporterait bien. Je me plaisais à lui écrire. Je lui exprimais librement mon affection, puisque j'étais séparée de lui par le rideau noir. Je pouvais tout lui dire. J'écrivais qu'il était mon roi chéri, que j'étais sa reine, qu'un jour je régnerais à ses côtés au royaume du ciel... Je le mettais d'une certaine façon à la place de Dieu, il en avait été pour moi le représentant sur la terre... Peu-être avions-nous eu un excès d'amour, cet excès avait requis la séparation radicale, mais plus tard nous serions réunis là où les rêves se réalisent... Je venais aussi au Carmel pour faire mourir cette passion terrestre...

Au mois d'août, Céline et Léonie emmenèrent Papa à Alençon pour quelques jours de vacances. Il y tomba à nouveau malade. Il y retrouvait non seulement la tombe de ma mère mais celle de sa propre mère morte quelques années plus tôt. Il se remit de cette deuxième crise. Mais ma prise d'habit, qui devait avoir lieu en octobre, fut retardée. Je fus quand même admise au chapitre.

Le 30 octobre, le père Pichon repartait pour le Canada. Céline voulut aller lui dire au revoir au Havre. Léonie et Papa l'accompagnèrent. A Honfleur, Papa retomba malade en arrivant à Notre-Dame de Grâce. Devant cette église si émouvante, dans un lieu si poétique et si poignant, sur la hauteur qui domine la mer, il ne contrôla plus son émotion. Il se mit à pleurer à gros sanglots, disant qu'il voulait mourir. C'était trop de départs. Il y avait eu d'autres chocs : la maison voisine ayant brûlé, les Buissonnets avaient été sauvés de justesse. Il avait perdu cinquante mille francs d'actions du canal de Panama, la société ayant fait faillite. Le monde allait trop vite et trop durement. Ses enfants le quittant, il retrouvait lui-même l'enfance.

Comme je me tourmentais Pauline m'écrivit : «Laissez les Buissonnets se démembrer, laissez tout couler, laissez ce qui est périssable périr. Nous allons où nous pouvons être dès ici-bas. Nous allons à la vraie Patrie, nous nous rendons dans notre Royaume.»

Elle ajouta que Papa faisait seulement un cauchemar. Bientôt il se réveillerait là-haut, dans le vrai palais du Bon Sauveur.

## Le voile blanc

Je devais prendre l'habit le 9 janvier, jour de l'Annonciation. J'aurais seize ans. J'étais entrée au Carmel pour cette même fête neuf mois plus tôt. Papa semblait aller mieux. Pourtant je craignais une nouvelle crise pendant la cérémonie, qui fut encore retardée d'un jour. L'hiver était très froid et je toussais, mais je n'osais espérer la neige. Pour mes fiançailles avec Jésus, je porterais une robe de mariée. Pourtant je ne serais que novice, je ne serais définitivement mariée avec Lui que lors de ma prise de voile.

Papa avait offert de la dentelle d'Alençon pour me parer, en souvenir de Maman. Je serais recouverte des caresses de ses doigts légers et invisibles. J'avais des moments d'angoisse. J'imaginais Papa criant et sanglotant, interrompant la cérémonie. Je me consolais à l'idée de la robe de velours blanc que je porterais sous la dentelle, avec une longue traîne. Mes cheveux seraient déployés sous une couronne de lys offerts par ma tante. Ce jour-là on aurait dû les couper, mais mère Marie de Gonzague voulut que je les garde encore. Dehors l'anticléricalisme grondait. On disait qu'on nous expulserait. Nous devions rester prêtes à reprendre la vie civile. Je n'y crus pas un instant, mais je ne fus pas fâchée de garder mes cheveux. Peut-être mère Marie de Gonzague aimait-elle mes boucles blondes...

La cérémonie avait lieu à la chapelle, en dehors de la clôture. En sortant je vis qu'il avait neigé. La nature entière semblait porter la traîne de mes noces.

Papa était superbe et radieux. Mon cœur s'allégea. Il me conduisit à l'autel. Le reste de la famille suivait par deux en cortège.

Je pensais toujours à la neige. Je pensais aussi à Monseigneur qui m'avait appelée sa petite fille. Je me croyais effectivement redevenue enfant quand les promenades dans la neige étaient mon plus grand plaisir.

Ce jour-là j'étais vraiment la petite princesse de Dieu avec ma traîne de flocons. Il me semblait que la ville entière, qui m'avait ignorée ou mal comprise, devait maintenant reconnaître, par le miracle de la neige, que j'étais depuis toujours promise à Jésus. La terre était transformée en féerie. Les noirceurs et les aspérités du monde s'en trouvaient dissimulées. La ville était recouverte d'un voile de pureté, pour moi qui choisissais de rester vierge pour mieux me donner. Vierge, je serais l'épouse de celui dont la mère est vierge. Je voulais qu'on ne me touchât jamais pour que je fusse touchée davantage. Jésus pour me réchauffer m'allumerait un grand feu dans le cœur.

La neige était bien le symbole de cette union ! Froide, elle brûle. Elle disparaît plus vite encore qu'elle n'est venue. Elle est le sommeil de la mort mais aussi celui de la vie en gestation. Le monde entier était comme moi en velours blanc et me disait : couche-toi sur la terre comme la neige, abandonne-toi, meurs et disparais... Le blanc manteau avait été mon premier souvenir d'enfant. J'étais née avec l'an. Et il m'était à nouveau donné comme je naissais à ma nouvelle vie ! J'étais une fleur d'hiver et sous la neige, je pousserais.

A la fin de la cérémonie il y eut un autre présage. Au lieu d'entonner le Veni Creator comme il convenait à la prise d'habit, l'évêque commença à chanter le Te Deum, comme pour la profession. J'y vis le signe que ses réticences étaient oubliées, qu'on m'acceptait vraiment comme carmélite. J'aurais pu y voir aussi le signe qu'on pressentait ma mort. Mgr Hughonin me remit mon manteau blanc, mon manteau de novice. Il dit comme il était d'usage : «Ceux qui suivent l'Agneau sans tache iront avec lui, vêtus de blanc.» Nous nous rendîmes à la sacristie et j'embrassai Papa pour la dernière fois. La porte du Carmel se referma sur moi pour toujours.

Le lendemain j'avais quitté ma robe blanche d'un jour. J'étais en brun, brun comme la terre, robe de bure et scapulaire, ceinture et rosaire, chausses de laine, espadrilles, guimpe et voile blanc.

Comme il est normal après des noces j'avais changé de nom. Je m'appelais désormais «Sainte Thérèse de l'Enfant-Jésus et de la Sainte-Face». J'avais choisi ce nom à cause de la contemplation d'une reproduction de la Sainte Face qui se trouvait éclairée jour et nuit dans le chœur du Carmel. Je m'abîmais devant cette image. Je m'en imprégnais tant que je me fondais en elle. Il me semblait que j'étais devenue invisible, comme je l'avais toujours souhaité, car seul existait encore ce visage, qui m'émouvait de façon indescriptible. C'était la Face des faces, l'humanité s'y trouvait contenue. C'est alors que le suaire me fit penser à la vision que j'avais eue de Papa bien longtemps auparavant dans le jardin des Buissonnets. Je revis ce visage voilé de toile qui m'était apparu. La face de mon père souffrant se confondit avec le suaire de Jésus. Ainsi je sus que je devais porter ce nom de Sainte-Face.

J'avais vécu la première partie de mes noces. C'étaient celles de l'adieu au monde. Je me trouvais désormais liée à Jésus aux yeux de tous, puisque j'étais en clôture. J'avais porté une vraie robe de vrai tissu qui était destinée à orner mon corps terrestre. Désormais j'allais travailler à me faire une robe encore plus riche. Le velours et la dentelle n'y suffiraient pas. Elle serait rebrodée des pierreries les plus rares, telles qu'il n'en existait nulle part. Ce serait la robe de mon âme. Je la porterais pour faire profession. Elle serait si lumineuse, si éblouissante, que personne ne la verrait sauf Lui.

Pour m'y préparer je m'abîmais toujours plus dans la contemplation de la Sainte Face. Je souffrais énormément. On m'accusait d'être la cause de la maladie de mon père. On avait dit auparavant qu'il voulait se débarrasser de nous. Maintenant, c'était moi qui le faisais mourir de chagrin.

Pourtant j'étais entrée au Carmel pour trouver la paix. Mais la paix, pour moi, c'était : souffrir en paix. Je n'étais que cela depuis très longtemps. Il m'était arrivé d'être heureuse, mais ce bonheur d'avant avait été une jolie étoffe qui dissimulait la souffrance cachée dessous. La douleur était ma vie, j'étais tissée d'elle. M'empêcher de la vivre c'était m'empêcher d'être moi. «Heureuse», j'aurais mené une vie de faux-semblants, une vie de surface. Je voulais une vie de conscience, j'aurais eu une vie d'oubli. Je ne me serais ouverte au monde qu'au prix de clore une porte sur moi-même. Ce n'est pas parce qu'on oublie quelque chose que cela cesse d'exister. Au contraire cela prolifère d'une manière souterraine, s'abîme et pourrit. Je voulais exposer ma souffrance au soleil de Jésus, l'offrir à Celui qui souffre pour être pareille à Lui et qu'Il m'aime.

Quelques jours après ma prise d'habit, Papa rechuta plus gravement. Il retrouvait ses années d'enfant de troupe. Il se voyait au milieu d'une grande bataille, entouré de morts et de blessés. Il criait qu'il entendait le canon et le tambour. Il croyait qu'on allait nous violer, comme à l'époque des Prussiens. Il devait défendre notre honneur. Il ignorait qu'il n'était déjà plus entre ses mains. Peut-être était-ce là ce qu'il ne pouvait pas supporter. Il brandissait un revolver, qu'on eut grand mal à lui arracher.

Céline et Léonie étaient complètement dépassées. Elles étaient impuissantes à le calmer. Mon oncle fit venir le médecin qui prescrivit l'enfermement au Bon-Sauveur de Caen.

## L'asile

Le Bon-Sauveur de Caen était comme une ville dans la ville. Mille sept cents personnes y résidaient. En plus de l'asile il y avait un dispensaire, un pensionnat et un refuge de sourds-muets. On choisit d'y interner Papa parce que les religieuses qui s'occupaient des malades déments ou alcooliques les traitaient comme des êtres humains, et non comme des animaux. Notre père n'y serait pas abandonné, mais soigné par de saintes femmes.

On lui cacha la vérité de peur de provoquer à nouveau une crise. On attendit qu'il fût bien calme pour lui proposer un petit voyage. Au passage on s'arrêta au Carmel mais on ne le laissa pas me voir de crainte d'un nouveau drame. Pauline fut effrayée de le trouver si changé. Il était comme tassé sur lui-même. Il apportait des petits poissons qu'il avait pêchés la veille encore. Il ignorait qu'il ne connaîtrait plus ce plaisir. Il aimait offrir le produit de sa pêche au Carmel afin d'améliorer l'ordinaire. Il avait souvent donné aussi des légumes, des fruits, des oiseaux, du vin fortifiant. Par quelque atavique mémoire, il craignait la famine et la ruine. Je l'avais souvent entendu se demander comment nous nous débrouillerions si la nourriture venait à manquer, si le pays était détruit. Il croyait qu'au Carmel je me nourrissais mal. Ce serait vrai plus tard, pour l'instant au contraire je mangeais à ma faim.

Quand je vis ces pauvres petits poissons, j'eus le cœur transpercé. Le poisson était l'emblème des premiers chrétiens. C'était symbolique de mon pauvre père qu'on menait au martyre. Car bien que le Bon-Sauveur fût une communauté modèle, c'était quand même un asile. Des pauvres hères y déambulaient dans un état de dégradation lamentable. Mon père y fut témoin de scènes affreuses. Lui, qui avait été mon roi, y fut traité comme un enfant qu'on gronde pour qu'il obéisse. Il avait des moments de lucidité. Il avait alors conscience de sa déchéance. Au médecin, il raconta que cette humiliation était une épreuve que Dieu lui envoyait. Lui qui, quelques mois plus tôt, se disait trop heureux et souhaitait souffrir avait été exaucé de façon atroce.

J'étais affreusement triste d'apprendre ces choses tragiques. Pourtant j'étais fière de lui, qui savait vivre le pire avec abnégation et noblesse. Je priais pour lui sans cesse. J'avais souvent des nouvelles par Léonie et Céline qui logeaient à Caen chez les sœurs de Saint-Vincent-de-Paul. Elles venaient au Bon-Sauveur tous les jours. On voulait bien leur décrire son état, mais elles n'avaient le droit de le voir qu'une fois par semaine.

Le médecin affirmait que l'artériosclérose était la cause du délire, mais on continuait à cancaner que je l'avais rendu fou de chagrin en entrant au Carmel. Mon dernier entretien avec le père Pichon, lors de ma prise d'habit, m'avait définitivement déculpabilisée. Il m'arrivait pourtant de douter et de me demander si je n'étais pas responsable de son état. Je m'abîmais alors à nouveau dans la contemplation de la Sainte Face, dont le regard si triste et si doux se confondait avec celui de Papa...

Les rumeurs qui couraient en ville arrivaient maintenant

jusqu'au Carmel. On me regardait de façon un peu trop appuyée, on m'adressait des remarques qui se voulaient anodines, on chuchotait derrière mon dos. Qu'avait-il pu se passer de terrible dans cette famille pour que l'une après l'autre ses filles le quittent et aillent s'enfermer au couvent? Mes sœurs et moi n'avions-nous pas de cœur? S'agissait-il d'un complot familial, par lequel nous essayerions de prendre le pouvoir au Carmel?

Les filles Martin avaient tout pour être heureuses, on les envoyait dans les meilleures écoles, on leur donnait les meilleurs professeurs, on les gâtait. Pourquoi avais-je si précipitamment quitté mes fleurs et mes oiseaux? Pourquoi Céline, demandée par un excellent parti, et devant qui s'ouvrait également une belle carrière artistique, voulait-elle aller s'enfermer à son tour? On ignorait alors que d'autres continueraient, pendant les années et même les générations à venir, à prendre le relais. La chose allait bien au-delà des rapports entre un père et ses filles. Et c'était peut-être cela qui inquiétait le plus, l'idée que de rassurantes explications psychologiques et sociales n'épuisaient pas le problème, qu'on ne pouvait éviter le mystère d'un rapport au divin...

Céline souffrait autant que moi sinon davantage. L'annonce de sa décision avait provoqué la crise qui avait abouti à l'internement. Il y avait une affreuse ironie dans le fait que Papa se trouvât lui aussi enfermé dans une institution religieuse comme il l'aurait tant voulu jeune, et fût soumis à des nonnes... J'exhortai ma sœur à se perdre, comme moi, dans la contemplation de la Sainte Face... En s'y abîmant elle comprendrait que notre père vivait sa passion, que sa vie entière avait tendu vers ce point, qu'il nous permettait de la vivre aussi en l'entourant, que c'était là un dernier cadeau qu'il nous offrait... Il était dit que nous finirions tous enfermés pour plaire à Jésus... Céline, m'entendant, décida que lorsqu'elle deviendrait carmélite, elle s'appellerait Marie de la Sainte-Face...

Ah, comme il me plaisait que Céline projetât de prendre pour nom Marie! Elle que j'appelais «Le lys» et que notre sœur aînée nommait «L'immortelle»! Ainsi elle s'identifiait à la Vierge qui présidait depuis si longtemps aux destinées de notre famille !

Mais elle n'entrerait finalement au Carmel qu'en 1894, après la mort de Papa. Elle l'avait accompagné jusqu'au bout.

## Le voile de la Vierge

Au mois de juillet 1889, alors que j'étais dans la dernière des solitudes, mon pauvre père enfermé, la Vierge m'aida à nouveau. J'avais une image pieuse que j'aimais beaucoup. Elle représentait la Vierge qui y ressemblait au Christ adulte. Les traits de la mère et du fils semblaient se confondre dans ce visage. De même qu'elle paraissait ainsi double, elle tenait sur ses genoux non pas un enfant mais deux. Ces petits s'enserraient de leurs bras, et les bras de la Vierge à leur tour les entouraient. Dessous était inscrite la citation de saint Ambroise : « Marie regarde comme ses enfants tous ceux que la grâce divine unit à Jésus-Christ. »

Ce tableau était pour moi une grande consolation, car il représentait le bonheur parfait. J'étais l'un de ces enfants assis sur ses genoux, la fille à côté du fils. Jésus me prenait dans ses bras, la Vierge à son tour nous encerclait de sa tendresse ! C'était un peu comme si ma mère, retrouvant mon petit frère mort, avait pu continuer à vivre pour lui et pour moi aussi et nous avait aimés ensemble tous les deux.

Je me trouvais dans l'ermitage de sainte Marie-Madeleine quand il se passa une chose extraordinaire. L'ermitage derrière le cimetière du couvent, se composait d'une grotte de rocaille agrémentée de lierre. Dans une niche, une petite statue avait la patine du bronze. Elle représentait une figure féminine aux longues boucles, à demi assise et à demi agenouillée. Elle croisait ses mains sur un genou et à côté d'elle était posé un crâne. Elle regardait vers le haut dans une expression d'adoration et d'extase. Des fleurs fraîches dans un petit pot bleu étaient posées à côté.

Au-dessus de la grotte se trouvait une statue de la Vierge. Elle portait sa robe et son voile blanc, et sa ceinture bleue. Elle regardait devant elle avec une expression d'une grande sérénité et ses mains étaient jointes en prière. Elle veillait sur l'ermitage et le protégeait.

Alors je me sentis enveloppée entièrement sous un voile qui me recouvrait et recouvrait aussi toutes les choses de la terre. Il était comme le voile de neige qui avait revêtu le monde le jour de ma prise d'habit, me donnant le sentiment que je n'avais plus rien à craindre et que l'univers était enfin fait pour moi. Il me rappela ce tissu que j'avais vu autrefois masquer le visage de Papa dans le jardin et qui était la toile du saint suaire. Mais ce voile-ci était plus doux et solide qu'aucune étoffe. Il était invisible et impalpable et pourtant il me cachait complètement. Je disparaissais comme je l'avais toujours voulu, l'amour m'engloutissait. Je n'avais plus de corps, je me fondais dans un autre corps immense. Pourtant je voyais mon corps agir à ma place. Il servait les repas au réfectoire. C'était un corps d'emprunt. La Vierge me l'avait prêté comme elle me prêtait son voile. Il était sa pureté, son sein et sa matrice, pure de toute tache et de toute blessure, parfaite, intacte.

Au bout d'une semaine ce voile disparut. Elle m'avait remise au monde en me refaisant à l'effigie de son fils. J'étais la petite sœur de Jésus, son amie, sa fiancée, son amante. Elle m'avait préparée pour Lui.

## Lui dire tu

J'avais pris l'habit et le voile blancs des novices. J'attendais maintenant qu'on me permît de faire ma profession afin d'être carmélite. Je lisais beaucoup Jean de la Croix, le saint de l'amour. Il me semblait que je comprenais tout à travers lui, qui avait été le guide, le conseiller, l'ami de la grande Thérèse d'Avila et qui écrivait: «En souffrant avec patience les épreuves extérieures, vous mériteriez que le Seigneur arrête sur vous ses regards divins afin de vous purifier par des peines spirituelles plus intimes.»

Jean de la Croix me donnait la force de souffrir. J'allais semer de pétales de roses le sol autour du calvaire qui se trouvait dans le cloître. J'enserrais la grande croix de mon bras et je levais des yeux éperdus vers le visage de celui qui m'était devenu Tout...

Dans l'allée, près de la sacristie, se trouvait aussi dans une niche une statue de la Vierge qui, sans avoir le souffle baroque de celle de Bouchardon, prenait une attitude comparable, les mains ouvertes, la tête baissée, les lèvres pensives, esquissant à peine un sourire. Nous disposions des fleurs à ses pieds. Je garnissais également l'autel du petit Jésus en robe rose et or. Mais je devais choisir ces fleurs sans odeur, à cause d'une vieille religieuse qui ne la supportait pas. Nous avions aussi dans la chapelle une statue de l'Enfant Jésus du Carmel de Beaune, avec sa robe de velours pourpre brodée de pampres, son sceptre de diamants et sa couronne de saphirs.

Au XVI$^e$ siècle il était apparu à la petite Marguerite Parigot, âgée de onze ans, pour l'aider dans son travail. C'était devant ce poupon aux yeux bleus, au visage grave que j'avais décidé, à l'instigation de sœur Agnès, de m'appeler «de la Sainte-Face». Quelques années plus tard, on ferait au Carmel un Jésus pour la crèche. On le coifferait de mèches de mes cheveux, on l'habillerait du tissu de ma robe de noces, on le coucherait sur de la dentelle confectionnée autrefois par ma mère. Ainsi l'enfant aurait mes boucles, mon vêtement, il serait fait de moi, je serais faite de lui... Cela m'aidait de garder les yeux sur ces images, car je me disais alors avec Jean de la Croix combien nous ne sommes rien, Dieu est tout... Plus je me voyais faible, grain de sable, roseau, fleur minuscule, plus je devenais forte...

La pensée constante de Dieu me fortifiait. Plus j'allais plus je L'aimais. Je ne restais jamais trois minutes sans penser à Lui, sauf dans le sommeil. Pendant les retraites, dont les exercices m'épuisaient, je ne pouvais ni manger ni dormir. J'étais envahie par une angoisse nouvelle, inconnue qui était sans doute l'appréhension de l'infini. Par l'effet du jeûne et de l'insomnie, ma conscience était plus aiguisée encore et j'avais mon temps entier pour penser à Lui... J'acceptais tout, puisque tout venait de Lui. Quand une sœur, voulant attacher mon scapulaire, m'enfonça une épingle dans l'épaule, je remerciai en souriant celle qui m'avait mortifiée sans le savoir et je gardai longtemps la pointe plantée dans ma chair. Au bout de quelques heures, pensant que je n'avais pas demandé la permission pour cette mortification corporelle, je l'ôtai. D'ailleurs ce n'étaient pas celles-là, visant le corps, qui m'importaient le plus, au contraire de notre prieure, qui laissait pousser exprès les orties dans un coin du jardin pour s'en administrer pénitence. Il me suffisait de guetter celles, bien plus douloureuses encore, que Dieu m'envoyait...

Parmi elles figurait cette attente qu'on m'imposait avant de faire profession. Je n'avais encore que dix-sept ans et on me trouvait trop jeune. Il n'existait pas de vœux temporaires. Je ferais d'un coup ma profession perpétuelle au bout d'un an de noviciat. La maladie de Papa et les murmures qu'elle suscitait en ville retardaient la cérémonie.

Je résolus de voir dans cette attente un pas de plus dans l'amour. Mais cette impatience était aussi le signe d'un attachement au temps fini: je résolus de le vaincre. Je broderais mieux ainsi la robe de mon âme.

Je devais donc accepter sans me plaindre la maniaquerie de cette vieille religieuse qui ne supportait pas le parfum des fleurs, quand j'aurais tant voulu embaumer Jésus. Je ne protestai pas lorsqu'on m'enleva la lampe pigeon que j'aimais tant, avec ses jolies découpes. Je mangeai la nourriture du Carmel qui me déplaisait car elle était trop différente de celle qu'on me servait à la maison. Il arrivait même qu'on me donnât le reste de la veille, parce que j'étais la plus jeune. Je ne disais rien. A la buanderie, une des sœurs avait l'habitude de faire claquer le linge. Je m'en trouvais éclaboussée. J'appris à en faire un jeu et à rire d'être aspergée. Au parloir, je respectais scrupuleusement le temps qui m'était imparti. Je gardais un œil sur le sablier et j'interrompais au besoin la visite au milieu d'une phrase. Dès que la demi-heure rituelle était écoulée je fermais la grille et le rideau, quoi qu'il m'en coûtât. Au beau milieu d'une lettre à Céline, je m'interrompais pour courir aux offices. Quand je revenais j'avais oublié la fin de la phrase commencée. Mes lettres sautaient parfois du coq à l'âne.

Une novice s'était prise à l'égard de la Mère supérieure d'un attachement passionné. Je n'hésitai pas à expliquer à la malheureuse ce qu'elle vivait sans s'en rendre compte, au risque de m'attirer des ennuis. Plus qu'avant encore, je me tenais loin de mes sœurs, ne voulant pas m'accorder ces satisfactions d'autrefois. C'était d'autant plus nécessaire que depuis la décision de Céline on craignait les conséquences de cette «invasion» de Martin. D'autant qu'on savait que mère Marie de Gonzague préparait sœur Agnès (Pauline) à devenir prieure à son tour.

Une converse, sœur Saint-Pierre, était devenue impotente. Son infirmité, très douloureuse, lui donnait mauvais caractère. Je proposai de la conduire le soir au réfectoire à la place de l'infirmière. Je devais prendre mille précautions, et lorsque nous étions arrivées, je coupais le pain qu'elle trempait dans sa soupe. Elle finit par s'amadouer, mais là n'était pas le but de l'exercice: m'adapter à son rythme si lent exerçait ma patience.

Lorsque nous étions au chœur, sœur Marie de Jésus faisait crisser son ongle sur ses dents. Ce petit bruit régulier m'irritait terriblement. Je me retins de protester. Je devais lâcher prise encore davantage, accepter tout.

Désormais je savais chanter en latin à l'office choral, réciter les versets et lire les leçons de matines. J'étais seconde d'emploi au réfectoire. J'aidais sœur Agnès de Jésus, préparais l'eau et la bière et balayais. Après les repas, je devais aussi faire le ménage d'une petite annexe. J'étais effrayée car il y vivait de grosses araignées qui me répugnaient. J'avais beaucoup de mal à vaincre ma réticence.

Parfois quelque chose me rappelait que j'aurais pu mener une autre vie. Le vent amena un soir dans nos murs l'écho d'un concert de musique de chambre. Je l'entendis en passant dans le jardin. J'imaginai la fête, les lustres allumés, les rafraîchissements et les friandises, les robes des femmes et les sourires des jeunes gens. J'aurais pu faire la coquette un éventail à la main, au lieu d'être gourmandée par sœur Saint-

Pierre, parce qu'en la guidant, déconcertée par la musique, j'avais tiré un peu trop fort sur sa ceinture.

Ma cousine Jeanne vint me présenter son fiancé, Francis La Néele, un médecin. C'était un jeune homme robuste, au visage rond et poupin. Il couvait du regard ma cousine que l'amour rendait encore plus jolie. Le moindre geste des jeunes gens trahissait leur passion. Moi aussi j'aurais pu être aimée, au lieu d'adorer dans la solitude un fiancé invisible. Sans me perdre en regrets et en jalousie, je décidai en les observant de prendre auprès de Jeanne et de Francis des leçons d'amour. Voilà comment je devrais être pour Jésus, voilà comment Il serait pour moi et bien plus encore. Car j'étais sûre que le jour où Il se montrerait, Il s'incarnerait. Ayant entendu les fiancés se parler, je décidai de Le tutoyer. Je voulais qu'Il devienne pour moi une vraie personne.

Mes sœurs quittèrent les Buissonnets. La maison était maintenant trop vaste et chargée de souvenirs. Ce fut une grande tristesse. Céline m'envoya une feuille de lierre cueillie en souvenir.

Des nouvelles me parvenaient du dehors. On avait inauguré la tour Eiffel. On construisait des automobiles, Louis Renault ouvrait la première usine à Billancourt, les frères Lumière mettaient au point le cinématographe. Le monde changeait mais je voulais aller encore plus vite. Je décidai de ne plus penser qu'à ma prochaine demeure.

## Le voile noir

Enfin la date de ma profession fut fixée au 8 septembre 1890. Je fis d'abord une retraite de dix jours. Je la commençai le 28 août. Je la considérai comme un voyage de noces. Il fut d'une aridité terrible. Je rampais dans un souterrain. La seule clarté émanait des yeux de mon fiancé. Mais ces yeux restaient obstinément baissés. Il ne me regardait pas et ne me disait rien. J'étais frappée à nouveau d'absence de langage. Je ne pouvais que Lui répéter la seule phrase qui me restait, qui était que je L'aimais plus que tout au monde et donc plus que moi-même...

Peu avant le grand jour, j'eus le bonheur de recevoir de Léon XIII la bénédiction que je lui avais demandée, pour moi et pour mon pauvre Papa, en souvenir de notre visite. Je me souvins de la blancheur extrême du visage du vieil homme lorsqu'il m'avait dit que si Dieu le voulait je deviendrais carmélite, ce qui m'avait plongée dans un désespoir inutile. Je n'étais pas encore sortie de l'impatience. Maintenant, l'idée du pape se confondait avec celle de mon père si noble et déchu. Le 2 septembre M. Delatroëtte m'avait fait passer l'examen canonique. Il m'avait demandé pourquoi j'étais venue au Carmel. Je lui dis que c'était pour sauver les âmes et de prier pour les prêtres. Car les prêtres seraient mes nouveaux enfants. En les soutenant par la prière je les élèverais et je les aiderais à vaincre leurs faiblesses.

La veille de la cérémonie, je commençai à faire mon chemin de croix dans le chœur après les matines. Et là, alors que je touchais au but, je connus cette nuit obscure de l'âme dont parle Jean de la Croix. L'extrême lumière de Dieu me rendit momentanément aveugle. Je fus saisie d'une angoisse épouvantable. Une main de fer me serrait le cœur et un vent glacé me transperçait les os. Soudain cette vie mondaine qui la veille encore ne m'était rien me parut très désirable. Je me demandai où j'étais. Il me semblait que j'étais étrangère à cette cérémonie. Je crus à nouveau que je simulais, que je trompais mon monde. Quelque chose de moi-même m'avait échappé, alors que je voulais absolument rester dans ma vérité. La maîtresse des novices faisait oraison avec moi, ainsi que la communauté. Je lui fis signe et je sortis avec elle du chœur. Je lui avouai ce qui m'arrivait. Mère Marie des Anges me rassura aussitôt. Ces doutes lui paraissaient au contraire la preuve même de ma vocation. Mais je n'avais déjà plus besoin de ce réconfort. A peine les paroles étaient-elles sorties de ma bouche que mes doutes s'enfuirent. C'était le démon qui, une dernière fois, m'avait tentée. Le démon déteste la grande lumière et prospère dans les profondeurs de l'hypocrisie. Malgré tout je voulus informer mère Marie de Gonzague.

Mais elle se mit à rire. Et, le lendemain, mère Geneviève me confia qu'elle aussi était passée par là...

Les battements affolés de mon cœur se calmèrent. Je repris mon chemin de croix.

La profession est une cérémonie privée. Je prononcerais des vœux irrévocables en présence de la communauté réduite au chapitre. Je me prosternai entourée de mes sœurs. J'avais écrit une lettre à Jésus que j'avais serrée sur mon cœur. Je lui demandais de me faire subir le martyre du cœur et du corps et de sauver des âmes. A nouveau c'étaient mes noces, ces noces qui semblaient ne pas devoir finir. Cette fois pourtant je ne porterais pas ma robe de mariée terrestre, car cela n'avait été qu'une première étape.

Je parle de mes noces comme si j'étais une perpétuelle épousée. Et c'est vrai puisque je me suis donnée vierge et que je devrais le rester. Ce jour de noces semblait donc devoir être de nouveau accompli, durer encore et encore. Ma vie s'attardait sur ce seuil. Je ne deviendrais mère que spirituellement. D'abord j'aiderais à la vocation des prêtres par ma prière. Et après ma mort beaucoup se sentiraient, en me lisant ou en m'invoquant, soignés, guéris, apaisés. Alors je serais déjà allée le rejoindre là-haut, je serais véritablement devenue la Reine. Pour l'instant je restais à L'attendre, comme une jeune épousée attend son époux qui doit venir la rejoindre. Ce moment était ravissant. Je restais les bras ouverts dans l'exaltation de tout imaginer. Je demeurerais fille, assise sur les genoux de la Vierge, enlacée par Jésus et l'enlaçant, promise toujours.

Une fois de plus il me parut merveilleusement symbolique que ces noces privées, solennelles et définitives eussent lieu le 8 septembre, pour la fête de la nativité de la Vierge. Je me sentis éternellement protégée. Ce jour de ma profession devait être vraiment un jour de joie, effaçant les abandons, les années de détresse.

Je devais connaître Jésus. Il fallait qu'Il se manifeste enfin... Je m'étais souvent demandé comment cela se produirait. Je sentis passer sur moi un vent léger. Je fus prise dans un souffle très doux. Il me balançait suavement de-ci, de-là, j'étais comme un fin roseau entre Ses mains de brise. C'était parfait qu'Il me prenne ainsi, c'était ce que j'avais voulu, je voulais rester prosternée toujours. Je n'avais pas désiré de manifestations violentes, extraordinaires, seulement cet effleurement d'une tendre caresse...

Une couronne de roses ceignait mon front. Je la déposai avec joie aux pieds de la Sainte Vierge. Avant de me coucher, je regardai le ciel. Il scintillait d'étoiles, c'était comme une autre couronne qu'on me préparait là-haut. Bientôt je mourrais. Je ne mangerais plus, la tuberculose m'envahirait, je refuserais qu'on me soigne, je tousserais dans ma cellule sans chauffage, des flots de sang s'échapperaient de ma bouche. Alors la voûte du ciel, si lisse et close, s'entrouvrirait. J'entrerais dans le palais des noces éternelles. Jésus ne se contenterait plus de m'effleurer de ses doigts de souffle. Je serais prête à recevoir bien davantage. Il me prendrait dans Ses bras et les refermerait sur moi éternellement. Alors j'aurais parcouru la route aride du désespoir, traversé le désert de la solitude, franchi la mer de la mélancolie.

L'engagement définitif avait lieu en deux parties. La cérémonie publique de la prise de voile eut lieu le lundi 24 septembre 1890. J'échangeai le voile blanc de la novice contre le voile noir de la carmélite. Ce n'était plus la neige maintenant qui me couvrirait mais la nuit. On avait coupé mes longs cheveux et je n'avais pu me retenir de pleurer en voyant tomber les boucles blondes qui avaient été l'emblème de ma beauté terrestre. J'allais vers une beauté différente désormais, avec ces boucles c'était mon bonheur d'autrefois qui s'en allait. Comme pour s'assortir à mon voile d'ombre le temps était d'automne. Les jours raccourcissaient comme ma vie. Avant même que l'étoffe noire ne tombât sur moi, je me sentis couverte de deuil et de tristesse. Je me trouvais coupée de l'univers. Je pensai à nouveau à la boîte noire de Maman pendant cette mise en scène de ma mort au monde. Je la rejoignais. Mon père était très mal, on ne l'avait pas laissé venir. Le père Pichon était au-delà des mers et même Monseigneur était malade.

Céline avait rêvé qu'un homme m'emmenait dans un bois pour me tuer. Puis elle avait vu une légère fumée et entendu le chant d'un oiseau : j'étais martyre. Alors venait à elle un petit garçon qui était apprenti cordonnier. Il se jetait sur elle et lui enfonçait son alêne dans la gorge. Céline était si heureuse de mourir qu'elle ne se débattait pas. Mais l'enfant était si faible qu'il ne parvenait pas à la tuer. Finalement il lui arrachait les yeux, et nous étions martyres toutes les deux. C'était le bonheur, s'écriait Céline. Car la sainteté consiste à souffrir de tout. Nous voyions l'homme comme un loup. J'étais attirée par les meurtriers, à la fois persécuteurs et faibles, les enfantins tortionnaires. Céline rêvait aussi qu'on la lardait de coups d'épingle. Je décidai que l'adorable enfant à la robe rose et dorée voulait cela pour moi.

Ma prise de voile serait encore un départ en voyage de noces. Je ne savais pas où Jésus m'emmenait, je ne posais pas de questions, j'irais les yeux bandés jusqu'au fond du bois de lumière où l'enfant m'entraînait. Oui, nous avions tout inversé. Ce qui fait horreur aux autres nous réjouissait. Ainsi nous espérions surmonter la destinée, avoir prise sur la vie si cruelle. Heureusement Céline pouvait me raconter ces choses, je la comprenais. Elle se trouvait maintenant isolée, elle devait se taire, garder ses pensées pour elle. A nouveau un homme l'aimait, à nouveau elle le refuserait en tremblant. Je lui expliquai que seul Jésus peut comprendre l'amour de Jésus. La maladie de Papa m'unissait encore plus à Céline, les épreuves traversées nous liaient. Nous avions toujours été siamoises par le cœur et la distance n'y pouvait rien. J'attendais le jour, et elle aussi, où nous serions réunies.

Chez mon oncle, on préparait le mariage de Jeanne. Il eut lieu huit jours après ma profession. Ces derniers temps je pensais beaucoup à elle. Il m'arrivait aussi de rêver de son bonheur. Cette félicité terrestre me ravissait car je voyais l'image de la mienne à venir qui serait encore bien plus grande. Je mesurais à ce bonheur combien j'étais unie à Jésus.

Ma cousine Marie, elle, était encore dans la maladie des scrupules. Au cours d'un voyage à Paris, elle avait vu des statues. Leur nudité l'obsédait. Elle ne pouvait s'empêcher d'en rechercher le spectacle avec un plaisir mêlé d'horreur. Elle avait déjà prévu de devenir carmélite mais le bonheur de sa sœur aînée l'attirait vers l'homme et vers la chair. J'avais connu ce combat. J'y avais d'ailleurs été aidée car j'avais depuis longtemps associé la chair à la maladie, au pourrissement, à la mort. Mais tout se résolut pour Loulou le 24 septembre lors de ma prise de voile. Elle se décida alors dans le fond de son cœur.

Jeanne avait lancé des invitations pour son mariage. J'avais eu l'idée en lisant la mienne d'en rédiger une autre pour ma prise de voile. Du côté du jeune homme, les puissances invitantes étaient Dieu, Souverain Dominateur du Monde, et la Vierge Marie, Reine de la Cour Céleste. Ils invitaient au mariage de leur fils Jésus, Roi des Rois, avec moi, Thérèse Martin, Dame et Princesse de l'Enfant-Jésus et de la Sainte-Face. Sur une deuxième colonne, mon père, Maître des Seigneuries de la Souffrance et de l'Humiliation, et ma mère, Princesse et Dame d'Honneur de la Cour Céleste, invitaient au retour de noces. La bénédiction nuptiale s'était déroulée dans la stricte intimité de la Cour Céleste. Le retour de noces aurait lieu le lendemain, jour de l'Éternité.

Ce jour de retour de noces serait celui du Jugement dernier. Je demandai à mes invités, puisque la date était incertaine, de se tenir prêts et de prier.

Rédiger cette invitation me procura un plaisir enfantin. Mais derrière cette puérilité apparente, j'étais très sérieuse. Je passai ce jour sous un voile de larmes. C'était le dernier des trois voiles que je devais revêtir pour mon entrée dans la maison où désormais, jour et nuit recluse, je guetterais la visite de Jésus. Le premier de mes voiles était de neige, le deuxième de nuit. Le troisième était de larmes, ces larmes qu'on avait appelées des diamants. C'étaient les seules pierreries que j'étais destinées à porter. Avec elles j'avais rebrodé la robe de mon âme.

L'après-midi, au parloir, je me trouvai devant l'absence des hommes dont j'avais espéré la présence, Papa, le père Pichon, Monseigneur. Désormais mes seules compagnes dans l'attente de Celui qui est caché et qui va venir seraient des femmes.

Je pleurai avec Céline. Enfin je me trouvai à bout de larmes, il ne m'en resta plus une seule à verser. Je tirai le rideau noir sur la grille. Je m'installai pour toujours dans l'attente de mon fiancé, de mon amant, de mon mari, de mon frère, de mon ami, de mon trésor. Le Seul qui me restât, et que je rejoindrais avec ma mort.

# BIBLIOGRAPHIE

Marcelle Auclair, *La Dame errante de Dieu*, Paris, 1950.

Thérèse d'Avila, *Œuvres complètes*, Paris, Desclée de Brouwer, 1964.

*La Bible de Jérusalem*, Paris, Desclée de Brouwer, 1975.

Gérard Cholvy et Yves-Marie Hilaire, *Histoire religieuse de la France contemporaine*, Toulouse, Privat, 1985-1986, 2 vol.

Jean de la Croix, *Œuvres complètes*, Paris, Desclée de Brouwer, 1967.

Didier Decoin, *Élisabeth Catez ou l'obsession de Dieu*, Paris, Baland, 1991.

Marius Dargaud, *L'Enfance alençonnaise de Thérèse Martin*, Alençon.

Louise-André Delastre, *Azélie Martin mère de sainte Thérèse*, Lyon, Éd. du Sud-Ouest, 1951.

Pierre Descouvremont, Helmut Nils Loose, *Thèrèse de Lisieux*, Paris, Le Cerf, 1991.

Gabriel Désert, *Ruraux, religion et clergé dans le diocèse de Bayeux au xixᵉ siècle*, Cahier des annales de Normandie n° 8, Université de Caen, 1976.

Guy Gaucher, *Histoire d'une vie, Thérèse Martin*, Paris, Le Cerf, 1986.

Dr Gayral, «Une maladie nerveuse dans l'enfance de sainte Thérèse». revue *Carmel*, 1959.

Frère Jean Gersen, *Imitation de Jésus-Christ, Choix d'ouvrages mystiques*, par A.C. Buchon, Panthéon littéraire.

Daniel Halévy, *La Fin des notables*, Paris, Livre de Poche, 1972.

Mère Agnès de Jésus, *La «Petite Mère» de sainte Thérèse de Lisieux*, Carmel de Lisieux, 1953.

Laura Kreyder, *Thérèse Martin*, Paris, Albin Michel, 1988.

Sainte Thérèse de l'Enfant-Jésus, *Manuscrits autobiographiques*, Office central de Lisieux, 1957.

Sainte Thérèse de l'Enfant-Jésus et de la Sainte-Face, *Histoire d'une âme*, Paris, Le Cerf, 1985.

Sainte Thérèse de l'Enfant-Jésus et de la Sainte-Face, *Une course de Géant*. Lettres, Paris, Le Cerf, 1983.

Textes de sainte Thérèse de l'Enfant-Jésus et de la Sainte-Face, *La Bible avec Thérèse de Lisieux*, Paris, Le Cerf-DDB.

Azélie Martin, *Correspondance familiale*, Lisieux, Carmel, 1958.

Jean Mathieu-Rosay, *Dictionnaire du christianisme*, Paris, Marabout, 1990.

Françoise Mayeur, *De la fête impériale au mur des fédérés, 1852-1871*, Paris, Le Seuil, coll. «Points-Histoire».

Conrad de Meester, *Les Mains vides, le message de Thérèse de Lisieux*, Paris, Le Cerf, 1969.

Pierre Miquel, *Histoire de la France*, Paris, Marabout, Fayard, 1976.

Père Piat, *Histoire d'une famille, une école de sainteté*, Lisieux, 1945.

*Céline, sainte Geneviève de la Sainte-Face, sœur et témoin de sainte Thérèse*, Lisieux, Office central, 1963.

M.D. Poinsenet, *Thérèse de Lisieux, témoin de la foi*, Paris, Mame, 1968.

Edward Shorter, *Naissance de la famille moderne*, Paris, Le Seuil, coll. «Points-Histoire», 1981.

Daniel Sibony, «Des liens pervers et toxicos», *Libération*, 17 août 1990.

Jean-François Six, *Vie de Thérèse de Lisieux*, Paris, Le Seuil, 1975.

Dominique Stein, «Une vie de lumière», *Vie Spirituelle* n° 530, 1972.

Amatus de Sutter, *L'Enfance de sainte Thérèse de l'Enfant-Jésus*, Éphémérides Carmeliticae, 1972, tome 23.

Jean-Noël Vuarnet, *Le Dieu des femmes*, Paris, L'Herne, 1989.

# TABLE

Cet ouvrage a été composé par Graphic Hainaut (Vieux-Condé)
et imprimé par la SOCIÉTÉ NOUVELLE FIRMIN-DIDOT (Mesnil-sur-l'Estrée)
pour le compte des Éditions Plon,
12, avenue d'Italie, 75627 Paris Cedex 13

Achevé d'imprimer le 17 décembre 1992

*Imprimé en France*
Dépôt légal : octobre 1992
N° d'édition : 12199 - N° d'impression : 22638